KB100895

박 바라

2022. 겨울

당신은 누군가의 슈룹입니다.

때로는 누군가가 씌워주는 슈룹 아래 있습니다.

구멍이 숭숭 뚫려도, 조금은 부족해도

늘 최선을 다하지 못해도... 지금 모습 그대로

행복하셨으면 좋겠습니다. ^ㅂ^

슈룹. 슈루룹.

-박 바라-

진취적인 캐릭터의

ㄴ양연♡

Queen 양화령 ♡

슈룹

2

박바라 대본집

슈룹 2

초판 1쇄 인쇄 2022년 12월 13일
초판 1쇄 발행 2022년 12월 23일

지은이 | 박바라
펴낸이 | 金湞珉
펴낸곳 | 북로그컴퍼니
책임편집 | 김옥자
디자인 | 김승은
주소 | 서울시 마포구 와우산로 44(상수동), 3층
전화 | 02-738-0214
팩스 | 02-738-1030
등록 | 제2010-000174호

ISBN 979-11-6803-054-1 04810
ISBN 979-11-6803-052-7 04810(세트)

박바라 대본집

슈룹 2

북로그컴퍼니

작가의 말

"사람은 누구나 완벽하지 않아.
어쩌면 이 계영배처럼 작은 구멍이 뚫려 있을지도 모르지.
사실 국모인 나도 구멍이 숭숭 나 있다~!!
스스로 만족한다면 꽉 채우지 않아도 썩 잘 사는 것이다."

늘 뛰어넘지 못해 자신감을 잃은 심소군에게
화령이 계영배에 술을 따라주며 하는 9부의 대사다.
사실 이 말은 작가로서 한계를 느끼는 나 자신에게 하는 말이었다.
원작 없는 오리지널 사극을 쓰겠다고 겁도 없이 뛰어든 신인 작가.
품은 두 배로 들었고, 대사 한 줄을 쓰려고 해도 자료 조사가 필요했다.
그러니 뛰어넘지 못하고 자신감을 잃는 순간들도 많았다.
그때 화령의 이 대사가 나왔다.

"하기 싫은데 억지로 하는 것이 더 한심한 짓이다.
사람들은 이 계영배에서 넘침을 경계하지만...
난 말이다. 이 숭숭 뚫려 있는 구멍이 좋다.
비울 건 비우고, 필요 없는 건 새어 나가니까.
그러니 너도... 하고 싶은 건 해보고 맘에 안 들면 확 들이박고
고집도 좀 부리거라. 그래야 숨통이 트이지."

이 대사를 쓰며 오히려 내가 위로를 받았다.
그래, 뭐 구멍 숭숭 뚫리면 어때.

난 하고 싶은 일을 하는 행복한 사람이잖아.

난 이런 화령이 좋다. 나라에서 가장 계급이 높은 여성임에도
자신 또한 완벽하지 못한 사람이라고 솔직히 말하는.
그런 화령과 각각의 인물들을 쓰며 힘이 났다.
국모이자 엄마인 화령처럼 나도 발 빠른 여인이었다.
작가이자 엄마로 살았기에.
그래도 행복했다.
내 딸은 그사이 초등학교에 들어갔고, 또 다른 자식인 〈슈룹〉도 방송이 됐으니까.
우리 딸은 친정엄마와 남편이 거의 키워줬고
〈슈룹〉은 수많은 사람들이 함께 키웠다.
너무 많은 분들의 고생이 있었는데, 〈슈룹〉이 해외에서도 인기가 많아 너무 기쁘다.

요즘은 내가 글 쓰는 일을 포기하지 않길 잘했다는 생각이 든다.
지망생 시절은 너무 길었고, 딱 동굴을 걷는 것 같았다.
너무 좋아서 쉽게 들어선 길이기에
너무 힘들다고 쉽게 딴 길로 샐 수 없었다.
나름 한눈팔지 않고 열심히 달려왔다 생각했는데
때론 한눈팔아 다른 길로 가서 경력이라도 쌓을걸 그랬나 후회도 했다.
하지만 정말 버티길 잘했다. 계속 걸으니 동굴이 터널이 됐다.
그리고 감사한 인연들을 만날 수 있어 행복한 시간이었다.

첫 회의하던 날 김형식 감독님께서 그런 말씀을 하셨다.
"박 작가, 16부까지 완성하게 된다면 그것만으로도 대단한 작가야.
그러니까 부담 갖지 말고 완성해봅시다."
감동이었다.
감독님과 우리 팀은 단 한 번도 나를 신인으로 대하시지 않았다.
그래서 더 보답하고 싶어 멋지게 완수하고 싶었다.
16부를 모두 탈고하고 나면 놀고 싶을 줄 알았는데,
이상하게 또 쓰고 싶어진다.
아무래도 드라마는 내게 가장 재밌고 행복한 일인가 보다.

〈슈룹〉을 사랑해주신 시청자분들과
대본집을 읽어주시는 독자들님께 감사드립니다.
더 노력하고 열심히 집필해 더 좋은 글로 보답하는 작가가 되겠습니다.

P.S 》
김형식 감독님~ 감독님이 계셔서 〈슈룹〉을 완성할 수 있었습니다. 존경합니다.
그리고 화령을 너무 멋지게 소화해주신 김혜수 배우님께도 큰절을 올리고 싶습니다.
마지막까지 최강 빌런이 되어주셨던 대비마마 김해숙 배우님과
임금의 고뇌를 잘 소화해주신 최원영 배우님께도 깊은 감사를 드립니다.
우리 성남대군, 무안대군, 계성대군, 일영대군,
의성군, 보검군, 심소군, 호동군… 왕자님들과
김의성 배우님을 비롯한 대소신료들, 꽃미모 후궁님들과 상궁님들…

윤왕후, 권의관, 토지선생을 연기해주신 모든 배우님들께 진심으로 감사드립니다.
춥고 더운 날씨에 장거리를 이동하며 고생해주신 감독님과 스태프분들께도 감사드립니다.
하우픽쳐스의 박진형 대표님, 신선주 이사님, 김나영 피디님, 이효주 작가.
스튜디오드래곤의 유상원 국장님, 최순규 피디님, 권경현 피디님 너무 고생하셨고,
감사합니다.
그리고 엄마를 기다려준 우리 아라와 늘 응원해준 혁준,
엄마, 언니, 유미, 시부모님께도 감사하다고 말씀드리고 싶습니다.

2022년 겨울
박바라

일러두기

1. 이 책의 편집은 박바라 작가의 집필 방식을 따랐습니다.

2. 드라마 대사는 글말이 아닌 입말임을 감안하여, 한글맞춤법과 다른 부분이라 해도 그 표현을 살렸습니다. 지문의 경우 한글맞춤법을 최대한 따르되, 어감을 살리기 위해 고치지 않고 그대로 둔 경우도 있습니다.

3. 대사와 지문에 등장하는 말줄임표나 쉼표, 느낌표와 마침표 등의 문장부호 역시 작가의 집필 의도를 살리기 위해 그대로 실었습니다.

4. 이 책은 작가의 최종 대본으로, 방송된 부분과 다를 수 있습니다.

차례

기획의도

엄마이자 참어른의 크나큰 우산, 슈룹

이 드라마는
나라는 태평성대였지만,
궁중(집안)은 매우 혼란했던 어느 시절의 이야기다.

또한 대단한 왕을 남편으로 두고,
방황하는 왕자들을 자식으로 둔 중전(국모) + 마마(엄마)의 고군분투기이며,
중전의 위기가 곧 기회인 극성 후궁들의 내 자식 신분 상승 분투기다.
하여, 모든 궁중 엄마들의 멈출 수 없는 자식 사랑과 욕망에 관한 이야기다.

또한 국모이기 이전에 엄마였고, 엄마이기 이전에
계영배처럼 구멍이 숭숭 뚫려 있기도 한 '인간' 화령을 통해
완벽하지 않아도 썩 잘 살 수 있고, 그렇기에 서로 의지하고 도우며
성장하는 삶을 살 수 있다는 메시지를 전하고 싶었다.
우리가 누군가의 우산이 되어 주기도 하고
누군가의 우산 아래 있기도 한 것처럼.

'슈룹'은 우산의 옛말.
언젠가 존재했었지만, 이젠 사용하지 않아 사라진 이 말에서
'어깨가 흠뻑 젖은 우산 든 엄마와
우산 속, 비 한 방울 맞지 않은 자식의 모습'을 떠올렸다.

이것이 드라마 〈슈룹〉의 함축적 이미지다.

그러나 화령은 슈룹을 내 자식 보호하는 데만 쓰지 않는다.
지아비인 임금을 지키는 데도 쓰고
후궁들의 자식들과 궁 밖의 약자들까지 자신의 우산 아래 품어 보호한다.
권력을 가진 자가 마음을 어떻게 품느냐에 따라
그것은 무기가 되기도 하고 타인을 보호하는 방패가 되기도 하는 것이다.

21세기를 살아가는 우리도 여러 형태의 슈룹을 쓰며 살아간다.
내 손에 있는 슈룹이 단지 비바람으로부터 자신만을 지키지 않고
다른 이에게도 방패막이 되기를 바라는 마음이다.

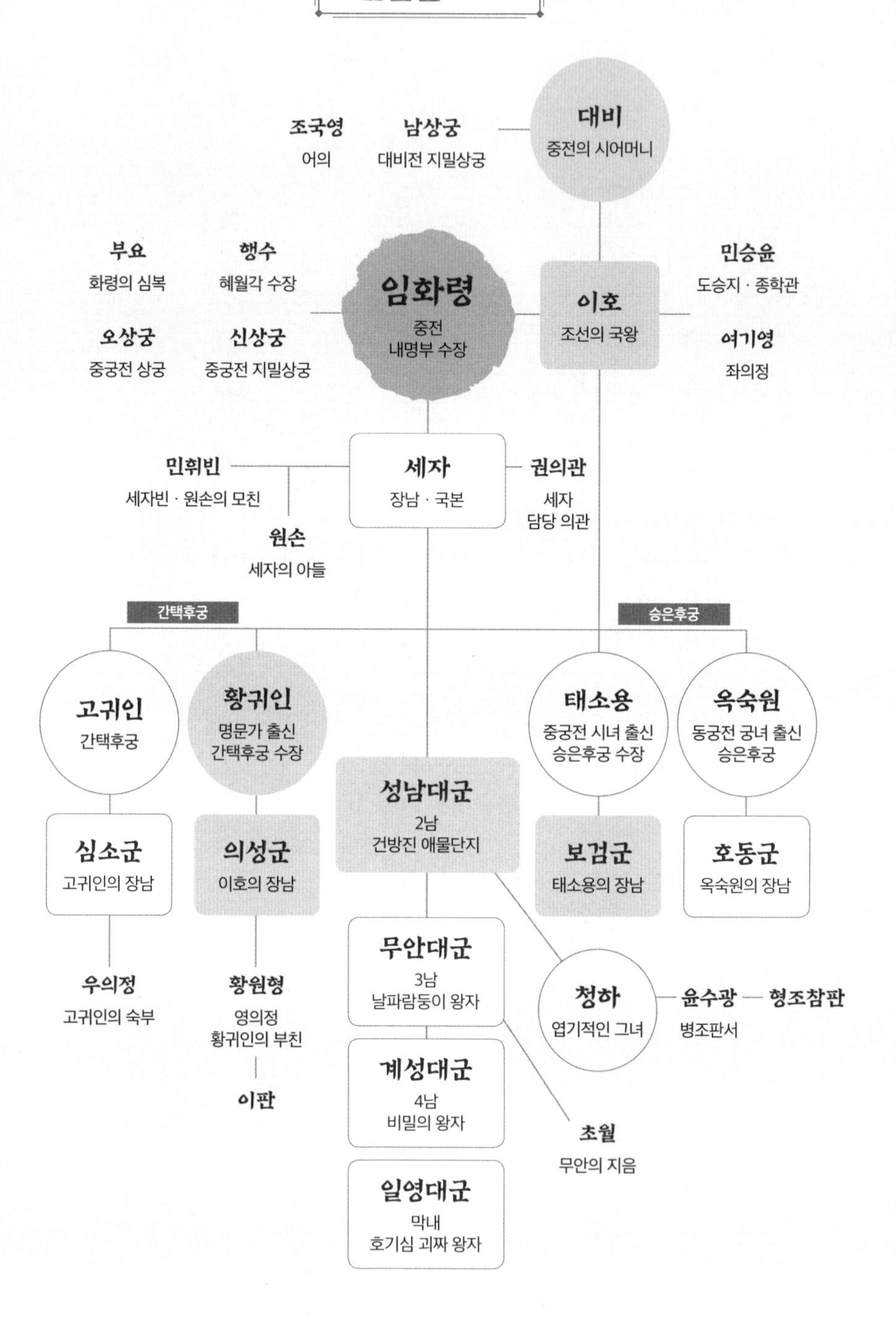
인물관계도
대비
중전의 시어머니
조국영
어의
남상궁
대비전 지밀상궁
부요
화령의 심복
행수
혜월각 수장
임화령
중전
내명부 수장
이호
조선의 국왕
민승윤
도승지 · 종학관
오상궁
중궁전 상궁
신상궁
중궁전 지밀상궁
여기영
좌의정
민휘빈
세자빈 · 원손의 모친
세자
장남 · 국본
권의관
세자
담당 의관
원손
세자의 아들
간택후궁
승은후궁
고귀인
간택후궁
황귀인
명문가 출신
간택후궁 수장
성남대군
2남
건방진 애물단지
태소용
중궁전 시녀 출신
승은후궁 수장
옥숙원
동궁전 궁녀 출신
승은후궁
심소군
고귀인의 장남
의성군
이호의 장남
보검군
태소용의 장남
호동군
옥숙원의 장남
무안대군
3남
날파람둥이 왕자
청하
엽기적인 그녀
윤수광
병조판서
형조참판
우의정
고귀인의 숙부
황원형
영의정
황귀인의 부친
이판
계성대군
4남
비밀의 왕자
초월
무안의 지음
일영대군
막내
호기심 괴짜 왕자

인물 소개

임화령

중전·내명부 수장 / 디펜딩 챔피언

소개 대단한 왕이 남편, 사고뭉치 왕자들이 자식인 중전마마.

평판 기품과 우아보다는 버럭, 까칠, 예민 중전마마.

소문 어우 독해...!!

팩트 한때는 잔잔한 호수 같은 성격이었다.
그런데 자꾸 누가 돌을 던져대니 거센 파도로 변했다.

교육관 참여교육. 자식들을 이해하기 위해 다각도로 고민한다.
내 아이에게 맞는 교육은 따로 있다. 아이가 진정 원하는 것을 찾아라!

— 궁에서 가장 걸음이 빠른 걸 크러시 중전마마.

필요에 따라 욕도 하고, 자존심도 버릴 줄 아는 국모.
자식들은 사고 쳐. 남편은 바람펴. (공식적인 바람이라 치자)
후궁들 때문에 빡쳐. 며느리는 기막혀. 시어머니는 속 뒤집어!
여기에 하루가 멀다 하고 사고 치는 아들내미들까지!
사실 그녀는 의외로 가만히 앉아 있는 것을 좋아한다.
차를 음미하는 것도... 수를 놓는 것도...
그런데 이노무 자식들이 온갖 사건·사고를 일으켜대니
어느새 궁에서 가장 걸음이 빠른 여자가 되어버렸다.

— 그녀에게 자식이란? 반품 안 되는 선물.
다섯 손가락 깨물어 걱정 안 되는 자식 없다!

하루가 멀다 하고 사고 치는 성군의 옥의 티S 때문에... 하루가 짧다!!
아침 댓바람부터 담 너머 기루에 있는 3남 때문에 환복하고 쫓아 나가질 않나,

학문과 담쌓은 반항기 충만 2남은 종학에서도 깔째(꼴찌)!!
개중에 멀쩡하다 믿었던 4남은 치명적인 비밀로 엄마 간 떨어지게 하고
막내는 날아보겠다고 대형 연 달고 전각에서 뛰어내려 간담을 서늘하게 한다.
사고뭉치 왕자들 뒷수습에 매일매일 넘어야 할 미션이 한가득이지만
그래도 그녀에겐 멀쩡한 자식도 있다! 더없이 완벽한 장남 왕세자.
잘 키운 녀석 하나 덕분에 그나마 궁에서 고개 들고 다니는 화령이다.
'훗 끄떡없어!!' 무적방벽 왕세자가 있어
그동안 궁중 엄마(후궁)들도 감히 화령을 대놓고 공격할 엄두를 내지 못했다.
그런데... 그 방벽에 미세한 틈이 생기더니 물이 새기 시작한다.
화령에게 닥친 절체절명의 위기! 넘어서지 못하면 내 자식들이 위험하다!
과연 화령은 상대의 합종연횡과 편법, 계략을 넘어
디펜딩에 성공할 수 있을 것인가?

화령의 사람들

신상궁 **중궁전 지밀상궁**

딱 보면 무표정. 자세히 봐도 무표정. 살짝 카리스마 있는 교관 느낌.
중전의 모든 일을 처리해주는 그림자, 일 잘하는 능력자!
20년 전, 중궁전에 오기 전까지는 대비전 소속이었다.

오상궁 **중궁전 상궁**

행수 **혜월각의 수장**

화령의 심복. 초월에겐 모친과 같은 존재.

부요 **화령의 심복**

대비

중전의 시어머니 / '극강'하신 상대: 왕의 엄마

소개 **서울대 보낸 엄마보다 위대한, 아들을 왕으로 만든 엄마.**
제왕 육성 비법을 지닌 내명부 실세.

평판 **아들을 성군으로 만든 후궁들의 워너비.**

소문 **귀인의 품계로 어떻게 서자를 임금으로 만드셨을까...?**

팩트 **내 아들을 위해서라면 내 손에 피 묻히는 것쯤은 우스운**
극악무도함이 내재된 여인.
이 나라는 내 아들의 것이지만, 이 궁중은 내가 만든 내 거다.

교육관 **코칭교육. 자식이 능력을 최대치로 올릴 수 있는 것은 엄마의 힘이다.**

— 내 아들이 왕이다!!

머리부터 발끝까지 빈틈이라고는 허락되지 않는 얼음장 눈빛과 본새.
아직도 들끓는 자식에 대한 욕망과 열정!!
여전히 외모를 가꾸는, 때로는 중전보다 더 주목받고픈 여인.
아들 사랑은 지극하지만, 며느리에겐 매우 엄격하다.
그녀의 자랑은 왕, 성군이라 칭송받는 나의 아들, 아들임에도 존경스러운 그!
손자들보다 내 아들이 최고!!
한데 지금 돌아가는 꼴을 보니 기가 막힌다.
내 아들은 위대한 업적을 하나씩 실록에 기록하는데...
저 사고뭉치 대군들은 클린 실록에 스크래치나 내고 앉아 있다.
그럼에도 중전 화령을 지금까지 너그럽게 봐줬던 건
완벽한 세자의 모친이기 때문이다.

— 반전엔 반전으로 맞서는 여자. 한 번 해봤는데 두 번은 못 하겠는가?

갑작스런 궁중의 정세 변동.
역시나 눈 하나 깜짝 안 하는 대비.
곧장 태세를 바꿔 나만의 빅 픽처를 그리기 시작한다.

이 기회에 눈엣가시인 중전과 애물단지 대군들을 몰아내리라...
차근차근 단계를 밟아가기 시작한다...
내 아들의 나라를 더 굳건하게 만들고 말 거다!
한 번 해봤는데 두 번은 못 하겠는가?

대비의 사람들

남상궁 대비전 지밀상궁

대비의 그림자. 발이 넓고 궁에서 일어나는 모든 일을 꿰고 있다.
경험치가 많아 아랫사람을 노련하게 다루는 능구렁이 같은 여인이자,
주빈 모시기를 하늘같이 하는 의리녀.
신상궁과는 한때 자매처럼 친구처럼 가까운 사이였지만
이제는 모시는 주빈이 달라 서로에게 벽이 생겼다.
대부분의 궁인들이 그렇듯 주빈인 대비마마의 삶이 곧 자신의 삶이다.
대비마마가 조귀인이었던 시절부터 함께해온 시간이 벌써 30년이 넘었다.
말하지 않아도 척 하면 착인 사이가 되었다.
그분이 무엇을 결정하든 그저 따를 뿐이다.

이호

국왕 / '어려운' 상대: 왕 + 남편

평판 **성군. 지덕체를 모두 갖춘 애민 군주.**

소문 **있어도 못 적는다. 절대권력 왕이니까.**

— 일개 종학에서 왕이 배출됐다.

후궁이었던 조귀인(대비)의 소생.
어릴 적부터 워낙 총명하고 육예에 뛰어났다.
모든 책을 섭렵했지만 가장 좋아했던 글은 상소문.
그것이 읽고 싶어 늘 편전을 기웃대는 바람에
선왕은 어린 이호를 무릎에 앉히고 못 이기는 척 업무를 보기도 했다.

— 군약신강(君弱臣強) 왕권을 반석 위에 올리고 싶었던 선왕의 선택!

태인세자가 죽음으로 내몰리고, 윤왕후와 대군들이 쫓겨나는 순간에도
선왕이 이를 방관했던 건 대의를 위해서다.
이 나라를 위해서는 왕권을 뒤흔드는 외척을 누르고
이호가 왕위에 오르는 것이 맞다고 암묵적 동의를 한 것.

— 정통성에 대한 콤플렉스와 굴레를 심연에 숨기고 있다.

이호는 자신을 왕위에 앉히기 위해 나라에 불어닥친 피바람을 모르지 않았지만,
나서지 않았다.
괴로워하기보단 그 희생을 헛되이 하지 않으려 한다.
그 결과 20년이 흐른 지금, 태평성대를 열었고, 성군이라 불리게 됐다.
허수아비 왕을 원했던 공신들은 이호의 성장을 두려워하고
그들에게서 완전한 독립을 원하는 이호는 왕권을 강화하려 애쓰고 있다.

성남대군

화령의 2남 · 건방진 애물단지

평판 종학 깔짜에 불량생도. 머리보단 몸 잘 쓰는 왕자.

소문 왜... 저 왕자만 궁 밖에서 자란 거야? 혹시 출생의 비밀이?

가장 역동적이면서, 가장 양면성을 가진 인물로
방정 떨 때도 있고 진지할 때도 있다.
마초남 + 짐승남 + 건방짐 + 삐딱함 + 어쩐지 슬픈 눈빛
+ 청하를 향한 감정엔 순정적이지만 차가워 보이는 양면성을 갖고 있다.

― 궁중에선 늘 묘(猫)처럼 행동한다.

표현도 시크, 감정 시그널도 오묘하다.
궁 안에서 애지중지 귀하게 자라 세상 물정 모르는 다른 왕자들과 달리
궁 밖 서촌에서 민초들의 삶을 겪으며 자랐기에 틀에 박히지 않은 영혼.
좋게 말하면 자유롭고, 나쁘게 말하면 자세도 말투도 삐딱해
어른들이 딱 "재랑 놀지 마!!" 할 스타일.
무술에 능하다. 말도 잘 타고, 활도 잘 쏘고, 그냥 몸 쓰는 건 다 잘한다.

― 여기선 말이다… 본 것은 눈 감고, 들은 것은 잊고,
하고픈 말이 있거든 꾹 다물거라!
이젠 이곳이 네가 살 집이니까.

이유도 모른 채 민가에서 자랐고, 어느 날 갑자기 넓은 궁에 던져졌다.
지독히도 자신에게만 차가웠던 대비. 어색한 엄마 아빠.
이제 여기가 네 집이니 무작정 적응하라는 어른들.
김내관의 도움으로 궁에 겨우 적응하고 있었는데...
어느 날 그조차 사라진다.
왜 자신만 궁 밖에서 자라야 했는지 김내관에게 묻고 난 직후였다.

— 잘만 갈고닦으면 다이아몬드가 될 원석인데 아무도 몰라!

사실 서책 보는 것이 유일한 낙이었다.
궁에 들어와 마음 붙일 곳조차 없었으니까.
그런데 대비가 경고한다.
네가 영특함을 드러내면 네 형을 위협하는 걸로 간주하겠다고...!!
조용히 궁에 머물다가 혼인해 출궁하는 것이 네 역할이라고.
그렇게 조용히 본분만 지키며 살아왔는데... 믿을 수 없는 일이 벌어진다.
현실을 부정하며 몸부림쳐보지만... 시간이 없다.
쓰러져 있기엔 당장 해결해야 할 것들이 너무나 많다.
해서 눈을 부릅뜨고 난생처음 맘먹는다.
사랑하는 사람들을 반드시 지켜내겠다고!

성남대군의 사람들

청하 병조판서 윤수광의 첫째 딸

평판 **양반댁 규수가 뭐 저래.**
소문 **어우!! 차마 입에 담기도 민망해서...**

혼기가 꽉 찼는데도 그 어느 집안에서도 데려가길 꺼리는 여인.
매파들 사이에 윤수광의 장녀는 믿고 거른다는 말이 돌 정도!

— 엽기적인 그녀!

자신의 선택을 행동으로 옮길 줄 아는, 깡이 있는 여자.
목적이 있으면 반드시 이뤄내는 성격으로
생애취록(生涯就錄: 버킷리스트)도 거의 다 달성했는데...
아직 한 가지가 남아 있다.
心 뛰는 사람 찾기!!

그리고 드디어!!

혼기를 놓치면서까지 찾아 헤매던 그 사람을 만나는데 아뿔싸!
이름도 집안도 물어보지 못한 채 놓치고 만다!
우여곡절 끝에 그가 궁 담을 넘어 나온 성남대군이라는 사실을 알게 되는 청하...!
0.1초의 망설임도 없이 성남을 향해 큐피드의 활시위를 당긴다.
이번엔 절대로 놓치지 않겠다.
너란 남자, 반드시 내 남자로 만들고 말 거다!

박경우

이호의 벗이었으나 그를 임금으로 인정하진 않았고
스스로 눈을 찌른 채, 속세를 등졌다.
그리고 20년 후... 이호의 아들 성남대군이 그를 찾아온다.

궁중 사모들

황귀인 명문가 출신·간택후궁 수장

평판 아버지가 영의정. 대단하신 집안의 엄친딸.

소문 관상을 봐도, 성품을 봐도 황귀인이 중전감이지.

교육관 전략교육. 정확한 플랜으로 움직인다.
부모는 아이 인생의 열 걸음 앞을 보아야 한다!

황원형의 장녀. 의성군의 모친.
품위 있고, 도도하며, 어떤 상황에서도 흐트러짐이 없다.
대비가 편애하는 후궁. 그러나 대비를 대적할 무서운 상대이기도 하다.
정도와 품위를 지키는 그녀지만,
키우던 개도 우아한 표정으로 갈가리 찢을 수 있는 여자다.
물론 자신의 손엔 피를 묻히지 않는다. 사람을 부릴 줄 아는 사람이니까.

— 눈앞에서 내 자릴 빼앗겼으니까!
화령에게 밀려 후궁이 된 자신 때문에 내 자식은 왕의 장남인데도 서자가 됐다.
본래 정비의 자리에 내정됐던 건 나였다.
국본의 자리도 따지고 보면 내 아들 의성군의 것이었고.
그런데 눈앞에서 화령에게 세자빈의 자리를 빼앗겨버렸다.

— 난 빼앗는 게 아니다. 되찾는 거다.
누구보다도 우아한 껍데기를 두르고 있는 그녀는,
누구보다도 서늘한 내면을 가지고 있다.
침묵 속에 쥐고 있던 비밀은 이제 잘 벼려진 칼이 될 것이다.
본래 내 것이었으니 되찾는 것일 뿐...
이제부터는 수단과 방법을 가리지 않을 것이다.

태소용 **중궁전 시녀 출신·승은후궁 수장**

보검군의 모친. 중궁전 시녀 출신 신데렐라. 궁녀들의 워너비.
딱 보면 화려하고. 자세히 보면 엄청 예쁘다.
애교가 많고, 눈치가 빨라 함께 있으면 즐거운 여인이라 왕이 총애한다.
무식한 면도 없진 않지만, 그게 또 이 여자의 매력이다!!
그런데 내 천한 출신 성분이 계속 내 아들의 발목을 잡는구나.
아들의 걸림돌이 되지 않기 위해... 계급 상승할 것이다!
까짓것 그 출신 올리면 되지.

고귀인 **간택후궁**

심소군의 모친. 우의정의 조카.
자식을 위해서라면 구정물에도 들어갈 여인.
이미 금수저를 물고 태어났는데, 남의 수저가 더 빛나 보여서 늘 시샘하는 여자.
기본적으로 의심이 많고, 호기심이 많아 소문 생성도 잘하고, 펌프질도 잘한다.
남들이 좋다는 건 내 아들도 다 해야 한다.
특히, 세자가 하는 건 다 해주고 싶다. 그의 교육, 그의 스승, 그가 먹는 것. 모두 다!!
그러나, 영~ 성에 차지 않는 자식 때문에... 자신도 스트레스, 심소군도 스트레스다.
기대를 채워주지 못하는 심소군에게 실망하고, 압박하고, 모멸감을 준다.

박씨 **총명한 특별상궁·태소용의 책사**

총명하고 영특한 눈썰미. 그리고 쉼 없이 씹어 삼키는 궁내 먹방계의 일인자.
눈치도 상당히 빠르고 정세 판단에 능하다.
기 센 언니들이 우글대는 내명부 정글에서도 기죽지 않는 당돌함과
눈치 안 보고 툭툭 던지는 돌직구를 탑재한 짱돌 같은 여인.
근데 그 돌이 정확히 핵심 포인트만 때려 박는다.
뇌순녀 태소용의 눈에 띄어 책사로 거듭나는 뇌섹녀.

옥숙원 **승은후궁**

호동군의 모친. 아들 보러 갔던 이호의 눈에 들어 승은을 입었다.
웃으면서 할 말 다 하는 스타일.
자라처럼 안 건드리면 목을 쑥 넣고 얌전한데...
툭툭 건드리면 생각보다 긴 목을 쭉 빼서 사람 먼저 놀라게 해놓은 다음,
물고 늘어지는 그런 여자다. 그러니 너무 만만하게 봐서도 안 된다.

숙의 **화평군 모친**

소의 **영민군 모친**

문소원 **남현군 모친**

중전 화령의 적통 왕자들

세자 **장남·국본**

제왕의 재목이라는 걸 누구도 감히 의심할 여지가 없는 완벽남.
상당한 학문을 익혔고, 기본적인 무예부터 활쏘기에 검술 실력까지 뛰어나다.
거기에 엄마 맘도 헤아려주어, 존재만으로도 화령의 방어막이 되어주는 자식.

무안대군 **3남·날파람둥이 왕자**

이름처럼 무안한 일을 참 많이도 만들어내는 무안한 왕자.
밉지 않은 트러블 메이커. 잘생긴 얼굴은 덤이다.
능청 + 엉큼 + 익살 + 해맑음 + 발랄 + 꾀부림, 머리 회전도 빠르다.
그리고 아주!!! 가볍다. 깊이라고는 눈곱만치도 없다.
함께 있으면 그냥 즐거워지는 사람. 그러나 사랑에는 강렬하고 솔직한 로맨티스트.
신분을 초월한 초월과의 사랑을 초월하지 못해서 화령을 또 한 번 달리게 한다.
화령한테는 챙길 거 많은 철없는 자식이다. 그래도 제일 귀엽다.

계성대군 **4남·비밀의 왕자**

초절정 꽃미남 + 예술가 기질 + 서예와 그림, 가야금에 능하다.
말도 곧잘 듣고, 학문도 곧잘 한다. 남의 눈을 의식하지 않고 번거로운 건 싫어한다.
엄마한텐 딸같이 살가운 아들. 개중에 믿을 만한 애였는데...
화령에게 가장 큰 충격을 안겨주는 치명적인 왕자.

일영대군 **막내·호기심 괴짜 왕자**

엉뚱함 + 손만 대면 망가뜨리는 파괴 손 + 끊임없는 실패에도 긍정적.
학문과는 담을 쌓았지만, 처소는 늘 발명품들로 발 디딜 틈 없이 난장판이다.
막둥이답게 언제든 화령 품에 달려가 폭 안길 줄 아는 애교쟁이 왕자.

의성군 **황귀인의 장남·황원형의 외손주**

날카롭게 잘생긴 + 은근 근육질 + 몸도 꽤 잘 쓴다.
강한 자는 적당히 피하고, 약한 자는 들이박거나 밟아 으깨버린다.
자신에게 흐르는 피가 고결하다고 생각한다.
해서 천한 것들은 인간 취급도 안 한다.
아바마마께서 제일 먼저 품에 안았던 자식은... 저 세자 새끼가 아니라 바로 나다!!
늘 불만에 차 있고 성남과 자주 부딪친다.
성남대군... 두고 봐 새꺄.
여차하면 네 아우들부터 하나씩... 하나씩 색다른 방법으로 죽여줄 테니까.

보검군 **태소용의 장남**

부친을 닮아 총민하고, 모친을 닮아 얼굴도 잘생긴 왕자. 유전자 승리!
명석하고, 바르며, 소신 있고, 강단 있는 왕자다.
과외 없이 늘 종학 1등을 놓치지 않는 모범생.
그런데 이리 반짝반짝 빛나는 왕자의 옥에 티는 다름 아닌 엄마, 태소용.
어디 가서 문제 한 번 일으키지 않는 자식인데... 이쪽은 엄마가 철이 덜 들었다.
그래도 해맑고 귀여운 엄마를 원망한 적은 없었는데 이번엔 좀 다르다.
넘어설 수 있을 것만 같은데... 자꾸만 엄마가 발목을 잡는다.

심소군 **고귀인의 장남**

태생적으로 심성이 착하고, 조심성도 있는 왕자다.
그러나 못난 놈이라는 말을 수도 없이 들어 늘 위축돼 있다.
자존감은 바닥이고 이제는 엄마와 함께 있으면 호흡곤란이 올 정도가 됐다.
벌써 사는 게 버겁다. 엄마의 기대에 미치지 못하는 스스로가 밉기만 하다...

호동군 **옥숙원의 장남**

통통하고 귀엽다. 학문보다는 미각이 발달한 왕자.
야참 즐기는 게 취미다. 옥숙원과 늘 씹고 맛보고 즐긴다.
근육질 형들 사이에서 치명적인 젖살로 존재감을 드러낸다.

화평군 **숙의의 장남**

영민군 **소의의 장남**

남현군 **문소원의 장남**

궁 사람들

황원형 **영의정 / 잔인하고 '집요'한 상대**

— 만인지상(萬人之上) 모두의 위에 서려는 자!

황귀인의 부친. 의성군의 외조부.
모든 이가 내 아래에 있다. 어쩌면 왕마저도.
이 나라의 엘리트 서연관들을 주무르고
실록을 기록하는 사관들조차 눈치를 보게 만드는 인물.
후궁 소생인 이호가 세자로 즉위하고 용좌에 오르는 동안
영의정 타이틀을 얻어낸 야심가.

— 20년 전 조귀인과의 만남... 그날 이후 운명은 바뀌었다.

젊은 황원형은 막강한 집안 덕에 권력의 중심에 섰지만,
완전히 기반을 잡지 못한 상태였고,
조정은 여전히 외척 윤씨 일가에 의해 좌지우지되고 있었다.
그러던 어느 날, 황원형의 사가로 조귀인(대비)이 찾아든다.
얼마 뒤, 국본이었던 태인세자가 급사했고.
공석이 된 왕세자의 자리는 당시 중전이었던 윤왕후의 소생들이 아닌
조귀인의 소생 이호가 채우게 되었다. 서자가 용좌에 오르게 된 것.
그 일등 공신이 바로 황원형이다.

— 자꾸 대든다. 이호가... 누구 덕에 그 자리에 앉은 것인데!

머리가 커져서 말도 제대로 안 듣고 왕권까지 키워가니 영 맘에 안 든다.
그런데 어라? 기회가 생겼다!!
피 냄새를 맡은 하이에나처럼 두 눈이 번뜩인다.
이번엔 기필코 그때 대비가 내게 진 빚을 제대로 받아내야겠다!

윤수광 **병조판서 / 대비의 최측근. 청하의 부친**

태인세자 사후, 외척 윤씨 일가는 완전히 몰락한다.
그러나 황원형과 대비 사이에서 적당히 줄을 타며 기생하던 윤수광은
언젠가 황가를 뛰어넘을 꿈을 꾸고 있다.
그 시작은 황가가 이뤄내지 못한, 이 나라의 왕비를
자신의 가문에서 다시 세우는 것이다.
그러려면 대비의 힘이 필요하다. 그렇게 들인 공만 20년...
5년 전 세자빈 간택 때 청하를 세자빈으로 만들려 했으나
청하가 처녀단자를 들고 튀는 바람에 실패했다.
지금의 꼬라지를 보면 참 다행이다 싶다.
저 야생마가 궁에 들어갔으면 어쩔 뻔!
그리고 마침내 또다시 때가 왔는데... 이번에도 청하가 태클을 걸고 만다.

민승윤 **도승지**

이호의 편에 선 인물. 굉장히 공명정대하고 원칙을 중시한다.

여기영 **좌의정**

이호의 편에 선 인물. 황원형과는 정치적인 입장부터 성격까지 반대되는 인물.

우의정 **고귀인의 숙부**

황원형과 막역한 사이로 이호의 반대편에 선다.
역시나 이호를 국본으로 만든 공신. 심소군을 지지한다.

이판 **이조판서. 황원형의 측근**

형조참판 **형조판서. 대비의 측근. 윤수광과도 가깝다**

조국영 **어의**

태인세자를 담당했던 어의 중 한 명.
태인세자 사후 승승장구하여 당상관의 자리까지 올랐다.

권의관 **동궁전 담당 의관**

그 외

초월

무안대군이 잊으려 그리 노력하지만 결국 초월해내지 못하는 여자.

윤왕후 **폐비 윤씨**

태인세자의 모친. 현재는 서인으로 강등돼 목숨만 부지하고 있다.

토지선생 **의원**

움막촌에서 신종역병인 비루수(飛淚水)를 치료하고 있는 괴짜 의원.

민휘빈 **세자빈·원손의 모친**

원손 **세자의 아들**

용어정리

(E) 대사와 음악을 제외한 효과음(Effect)을 뜻하며, 보통 등장인물은 보이지 않고 소리만 나는 경우에 사용한다.

점프 연속성이 없는 두 장면을 붙이는 편집 방식이다.

몽타주 따로따로 편집된 장면들을 짧게 끊어서 붙인 화면을 말한다.

ins 》 인서트(insert)의 줄임말로, 연결되는 한 장면에 다른 장면이 삽입되는 것을 말한다.

ins_cut 》 인서트 컷(insert cut)의 줄임말로, 삽입 장면을 의미한다. 주로 한 장면이 짧게 삽입되는 경우를 가리킨다.

F.B 》 회상을 나타내는 장면. 지금 일어나고 있는 사건의 인과를 설명할 때 쓰이기도 하고, 인물의 성격을 설명하기 위해 쓰이기도 한다.

(OL) 오버랩(Overlap). 현재의 화면이 사라지면서 뒤의 화면으로 바뀌는 기법이다.

9부

1 동은사 인근 개울가 (낮)

까르르 웃으며 개울가에서 놀고 있는 동자승들.
계성, 자연스레 아이들 사이에 끼며 물을 튀긴다.
동자승들 허물없이 계성과 장난친다. 그 아이들에게 손짓하는 계성.

계성 (서함덕의 용모파기 보여주며) 혹시 이 사람을 본 적이 있느냐?
동자승1 (보며 갸웃) 글쎄요~ 넌 본 적 있어~?
동자승2 (모른다는 듯 도리질) 아니~ 처음 보는 사람인데.
동자승1 (자세히 보다가 갸웃) 근데 어디서 많이 봤는데...
계성 (용모파기의 상투를 손으로 가리면)
동자승1 어...!! 이거 혜암스님 아니야? (가까이 보더니) 맞네~
계성 (혹시나 했는데 놀란 얼굴로) 혜암스님...?

2 계룡산 근방, 장터 (낮)

은밀히 대나무통(*8부 17씬)을 여는 의성군...
그 안에서 종이를 꺼내 쓱 펼치면, 스님 복장을 한 서함덕의 최신 용모파기다.
얼굴 옆에는 한시 쓰여 있다.
'山中起居僧 入時俗場市 遠罷讀梵語 淸聞計錢聲.'

의성군 (E) 산 스님이 내려와 장터로 들어가니...

3 점집 골목 (낮)

천막이 즐비한 점집 골목 풍경.

의성군 (E) 독경 소리 멈추고 엽전 세는 소리 들리는구나.

그중 손님 줄이 제일 길고, 눈에 띄는 천막 하나.
〈여성 전용〉, 〈회임 전문〉, 〈부적, 관상, 손금〉... 천막을 주시하는 의성군.
그때, 바람이 불어 천막 출입문이 나부끼면 그 사이로 서함덕의 모습이 보인다.
스님 복장과는 도무지 어울리지 않는 비주얼. 산적에 가까운 외모다!

의성군 (조소) 돈맛을 본 승려라...

4 대비전 침전 (낮)

서안 위에 놓인 천남성이 보인다.

남상궁 (사색) 괜찮으시옵니까 마마?
대비 (부들부들 떠는) 내 무슨 짓을 해서라도... 중전의 배에서 난 자식이 왕세자가 되는 일은 없게 할 것이다. (천남성을 의미심장하게 본다)

5 왕의 침전 (낮)

부두령의 자백서를 읽고 있던 이호가 충격으로 고개 들면 그 앞엔 화령이 앉아 있다.
서안 위엔 붉은 촉 화살과 성남의 용모파기(*8부 53씬)도 보인다.

이호 영상뿐 아니라 어마마마까지 성남대군을 해하려 한 것이 사실입니까?
화령 예 사실이옵니다. 방금 대비전에 들러 확인하고 오는 길입니다.
이호 (참혹한 심정) 어찌 이럴 수 있단 말입니까...!!
이게 사실이라면 당장이라도 조사해 그 책임을 물을 것입니다.
화령 (냉철하고 신중한) 전하. 어미 된 심정으로는 저 또한 당장이라도
그 죗값을 치르게 하고 싶습니다.
하오나 이 일이 공론화돼서 경합에 영향을 미칠까 심려되옵니다.
이호 (분노) 국본을 뽑는 경합 중에 이런 일을 벌인다는 건
왕권에 대한 도전입니다!!
화령 예, 있을 수 없는 일이지요. 자식을 잃고 치르게 된 경합입니다.
한데 그 때문에 또다시 자식을 잃을 뻔했습니다...
하오나 상대는 영의정과 대비마마십니다.
정녕 모친을 벌하실 수 있겠습니까?
이호 (선뜻 대답하지 못한다. 괴롭고...)
화령 전하께선 이 일의 진실을 아셔야 하기에 말씀드린 것입니다.
한 번만 더 이런 일이 벌어진다면 저 또한 그냥 넘어가지 않을 것입니다.
그땐 상대가 누구건 간에 반드시 책임을 물어야겠지요.

일어나 예를 갖춘 뒤 나가는 화령.
이호, 눈에 핏발이 설 정도로 고뇌하다가 자백서를 집어 들더니 일어선다.

6 대비전 복도 (낮)

자백서를 움켜쥔 채 복도를 가로지르는 이호.

이호 아뢰거라.
남상궁 전하... 대비마마께서 몸이 편치 않으시어 지금은 만나실 수 없사옵니다.

이호 잠깐만 뵙고 갈 것이다. 문을 열거라.
남상궁 (어쩔 수 없이 문을 연다)

7 대비전 침전 (낮)

향로에선 연기가 피어오르고... 돌아선 채 누워 있는 대비에게 다가서는 이호.

이호 대체 왜 이런 일을 벌이신 겁니까?
대비 ......
이호 다른 사람도 아니고 어마마마의 손주입니다.
(점점 치닫는 감정) 원하는 왕자를 국본으로 만들기 위해서라면
어마마마께선 무슨 짓이라도 하실 수 있는 겁니까?

이호, 서안 위로 자백서를 거칠게 내려놓자
힘겹게 일어나는 대비, 그런데 안색이 좋지 않고 식은땀으로 흠뻑 젖었다.
잠시 앉아 있기도 버거운 모습으로 자백서를 드는데... 콜록콜록.

이호 (생각보다 병색이 짙은 모습에 놀라자)
남상궁 (다가와 숙이는) 전하... 아뢰옵기 송구하오나
대비마마께서 천남성을 드시어 하마터면 큰일 날 뻔했사옵니다.
대비 (몸을 가누지 못하면서도 만류) 그만두게...
이호 (남상궁 본다) 천남성이라니?! 그건 사약의 재료가 아니더냐?
남상궁 중전마마께서 천남성을 대비마마께 올렸나이다.
이호 중전이...?!
대비 (자백서 든 채 가련한 표정으로) 주상...
정녕 이 어미가 이런 극악무도한 짓을 저질렀다 생각하십니까?
어찌 중전의 말만 믿고 이 어미를 의심하십니까...? (콜록콜록)
이호 (그저 보는데)
대비 (가슴 부여잡고) 예... 성남대군을 어여삐 여기지 않은 것은 사실입니다.
주상도 그 아이가 어떻게 태어났는지 아시지 않습니까...?

이호 (예민하게 본다!!)

대비 하지만 할미가 손주를 죽이려 했다니요... (눈물 흘리더니 픽 쓰러진다)

남상궁 (달려드는) 마마! 마마!!

8 궐내 거리 (낮)

다급히 이동하는 화령, 심각한 표정으로 따르는 신상궁.

9 대비전 침전 (낮)

대비를 진찰하는 조국영 보이고, 그 옆에 이호 앉아 있다.

조국영 (진맥을 멈추며) 고비는 넘기셨사오나 아직은 만분위중한 상태시옵니다.

이호 어마마마께서 기력을 회복하실 때까지 한시도 긴장을 늦추지 말게.

10 동 복도 (낮)

이호, 밖으로 나오는데 소식 듣고 급히 걸어오는 화령과 마주친다.
마주 선 화령과 이호.

이호 (참담한) 중전. 어마마마께 천남성을 올린 게 사실입니까?

화령 예... 천남성은 제가 올린 것이 맞습니다.
하오나 경고의 의미였사옵니다.

이호 아무리 화가 나더라도 그건 참으셨어야 했습니다.
어마마마께 빠져나갈 구실을 줘버렸습니다.

화령 .....

이호 (괴로운 심정) 어마마마는 손주를 죽이려 하고
중전은 시어머니를 죽이려 하고...

이제 내가 이걸 누구에게 말할 수 있겠습니까?

화령 .....

이호 (잠시 보다가 지나쳐 가버린다)

11 대비전 침전 (낮)

문이 열리며 화령이 들어선다.
화령, 걸어가 누워 있는 대비 앞에 멈춰 서자 조국영이 침통을 들고 나간다.

화령 (보다가) 이제 그만 일어나시지요 대비마마.

눈을 뜨는 대비. 그 모습을 응시하는 화령.
대비, 쓱 일어나더니 허리를 꼿꼿이 펴고 앉는다.

대비 (경대를 보며 머리를 다듬는다) 중전은 아직 멀었습니다.

화령 마마께서 이렇게 낮은 수를 두실 줄은 미처 몰랐습니다.

대비 하하하. 많이 놀라셨습니까?

화령 예. 하마터면 국장도감에 기별을 보내 장례 준비를 할 뻔했사옵니다.

대비 (웃음기 싹 사라지고) 중전께서 손수 올린 천남성을 어찌 관상용으로만 썩히겠습니까? 갸륵한 효심에 화답을 해야지요.

화령 이러실 줄 알았으면 제가 직접 달여서 올릴 걸 그랬습니다.
진짜 죽음의 문턱까지 갔다면 광대처럼 싸구려 연희(演戱: 연기)를 펼칠 필요는 없으셨을 텐데요.

대비 중전!!

화령 대비마마!! 아직은 수의보다 당의가 더 어울리십니다.
그러니 재주는 이 정도만 부리시고 속히 털고 일어나시옵소서.
제 아들이 왕세자가 되는 모습까지는 보셔야 하지 않겠습니까?

대비 봐야지요. 그런데 중전... 아셔야 할 게 있습니다.
왕세자는 내가 정해요. 그러니 잘 지켜보세요. 내가 누굴 세우는지.
성남대군 일로 내 손발이 묶였다고 착각하지 마세요.

화령 (너무 당당하게 나오자 불안한)

12 대비전 전각 외부 (낮)

전각을 빠져나오던 화령이 찜찜한 듯 멈춰 선다. 신상궁도 멈추는데.

화령 왜 저렇게 자신만만하지? (알 수 없는 위기감) 분명 뭔가 있어...
신상궁 요즘 부쩍 태소용 마마의 대비전 출입이 잦사옵니다.
아무래도 대비마마께서 보검군을 염두에 두신 게 아니겠습니까?
화령 겉으로 보기엔 그렇지만 아직 알 수 없어.
(신중히 생각해보는) 정말 보검군으로 말을 갈아타신 건지
의성군을 세우기 위해 보검군을 이용하는 건지
그것도 아니라면 두 개의 말을 굴리시려는 건지...
진짜 심중을 알아내야 한다.
신상궁 방법이 있겠사옵니까?

13 바다, 배 위 (낮)

푸른 바다 위로 유유히 떠가는 배 한 척.
배 위에는 백합 소쿠리가 가득 실려 있고
그 주변으로 박경우, 보검군, 약장이 앉아 있다.
그들과 거리를 둔 배 끝에는 도민들과 함께 대화하는 성남 보인다.

성남 (놀라) 구전을 2할이나 뗀단 말인가?!
왜 굳이 구전을 떼면서까지 박경우에게 백합 판매를 맡기는 것인가?

[자막] 2할: 20%, 구전(口錢): 수수료

도민1 (샐쭉) 왜긴요. 그게 우리 만월도의 법입니다요.

성남　법이라니? 그런 법을 누가 정했단 말인가?
도민2　(왜 자꾸 물어) 누구긴요. 효명선생님께서 정하셨지...
성남　저 선생이 나랏님이라도 되는가?
아무리 판매를 대신해준다 해도 구전을 2할씩이나 떼란 법은 없네.
도민1　(도민2에게 눈짓하며) 아, 저쪽으로 가자고...

도민1, 2 자리를 옮겨버리자 쓰개치마를 두른 청하의 모습이 드러난다.
성남과 눈이 마주치자 씽긋 웃는 청하.

성남　(진중) 설마 절 따라오신 겁니까?
청하　(도리도리) 전~ 무역항 구경 가는 길입니다~ (또 씽긋)

14　무역항, 경매장 (낮)

쓰개치마 내리며 토끼눈으로 "와~~" 하고 돌아보는 청하.
이곳은 치열한 백합 경매장.
현란한 수화를 펼치는 중개인, 눈치게임 하는 판매자.
외계어 같은 추임새를 빠르게 외치는 경매사.

경매사　자이모~ 자이모~ 자이모! (중매인 한 명 찍으며) 닷 냥 칠 전!!
자~이모~ 자이모~ 자이모! (또 찍으며) 닷 냥 이 전!!

치열함 속 평온한 박경우, 맹인 지팡이를 짚고 백합 소쿠리 사이를 걷는다.
백합 껍질을 만져보고, 냄새도 맡아보며 백합 상태를 파악한다.
그 뒤를 바짝 따르는 보검군.
박경우를 주시하다가... 똑같이 백합을 만져보고, 냄새도 맡아보는 성남.

경매사　자이모 자이모~~ (중매인 한 명 찍고) 넉 냥 오 전!!
판매자1　아이고! 방금 전까지 닷 냥이었는데! (탄식) 아까 팔걸!
판매자2　(애가 타고) 아니 왜 자꾸 가격이 떨어져?!

어느새 한쪽에 자리 잡고 앉아 있는 박경우.
그 옆에는 만월도에서 가져온 백합 소쿠리가 가득 쌓여 있다.
"넉 냥!! 넉 냥!! 석 냥 닷 전!!!" 경매사가 금액을 말하면,
상황을 주시하던 약장이 박경우 쪽으로 다가선다.

박경우 그래. 얼마에 거래되고 있나?
약장 상품(上品)은 넉 냥 일 전, 하품(下品)은 석 냥 닷 전에 거래되고 있습니다.
박경우 (끄덕이고는 말이 없다)
경매사 자이모 자이모~ 석 냥 석 전! 자이모~ 석 냥 일 전!!
보검군 (초조해지고) 가격이 계속 내려가는데 언제 파실 겁니까?
박경우 (벌떡 일어서는) 시장하구나~! 밥 한술 뜨러 가야겠다..
보검군 (이해 불가) 이 와중에 밥이라니요? 저 많은 백합을 다 어쩌시려 합니까?
박경우 (무시하며 이동한다. 약장에게는 뭔가를 지시하는데)
보검군 (쌓여 있는 백합 소쿠리를 걱정스레 돌아보다가 결국 따라나선다)
성남 (경매장을 나서는 박경우와 보검군을 본다)

15 동은사, 서함덕의 거처 앞 (낮)

계성을 안내하는 행자, 어느 거처 앞에 멈춰 선다.

행자 안에서 기다리시지요. 혜암스님께선 저녁이 돼서야 돌아오실 겁니다.
계성 고맙습니다.

계성, 잠시 주변을 둘러보는데 어디선가 희미하게 들려오는 기합 소리.
소리 나는 곳을 향해 돌아보는 계성.

16 서함덕의 천막 안 (낮)

"색즉시공 공즉시색 수상행식 역부여시..." 목탁 두드리며 염불 외는 서함덕,
어느 여자와 마주 앉아 있다. 그 옆엔 항아리에 넘치도록 쌓인 엽전들.

서함덕 (마무리 목탁 똑 또르르~ 지그시 보는) 아직도 회임 소식이 없다구요~?
여자 (주고받는 은밀한 눈빛) 지난번 부적이 효험이 없었나 봅니다~
서함덕 (손금을 보듯 손을 쓱 가져오며 능글맞게) 땅은 이리 비옥한데
씨가 없으니 열매를 맺을 수가 있나~

그때 갑자기 들이닥치는 최씨!!

최씨 (다짜고짜) 너 이 땡중 쉐끼!! 내 마누라 어디로 빼돌렸어?!

17 서함덕의 천막 밖 (낮)

우당탕탕. 서함덕의 멱살을 잡아끌고 나오는 최씨!!
행인과 대기하던 아녀자들 모두 놀라고
근방에 있던 의성군도 그 상황을 유심히 지켜보는데.

최씨 부적 쓰러 온 아녀자한테 감히 아랫도리를 써?
(두 손으로 멱살 더욱 움켜쥐며) 말해! 내 마누라 어딨냐구?!
서함덕 니 아랫도리가 부실해서 마누라가 바람난 걸 왜 나한테 와서 난리야?!

눈 돌며 주먹 날리는 최씨! "이런 씩..." 하더니 받아치는 서함덕!!
거친 주먹다짐에 구경꾼들 몰려들며 에워싸는데
최씨, 결국 서함덕에게 한 대 크게 맞고 바닥에 나뒹군다.
옷 탁탁 털더니 천막에서 엽전 항아리 챙겨 드는 서함덕, 유유히 간다.

최씨 (쓰러진 채 발악하듯) 저놈 좀 잡아주시오!
점 봐준다고 아녀자들 꼬여내서 붙어먹는 천하의 잡놈이오!!
서함덕 (멈추는 걸음. 살기 띤 표정으로 허리춤에서 단도를 뽑아 든다!)

구경꾼들 (경악) !!!!

최씨 (겁에 질려 뒤로 기어가는데)

서함덕 (최씨 목에 단도를 들이댄다. 섬뜩하게) 니 마누라 간수는 니가 해야지... 한 번만 더 내 눈에 띄면 다음번엔 네놈 목을 따주마. (가버리는데)

그 모습을 재밌다는 듯 지켜보던 의성군.
그런데, 서함덕 쪽이 아닌 하얗게 질린 최씨를 응시한다.

의성군 일이 재밌게 돌아가는데...?

수하3 (다가와 뒤에서 조용히) 쫓을까요?

의성군 아니. 넌 기다렸다가 저 사내의 뒤를 밟거라.

수하3 예? (의아한 눈으로 최씨 보는데)

의성군 (묘한 표정으로 서함덕의 뒤를 따라간다)

18 동은사 일각 (낮)

무술을 연마하는 스님들의 모습이 보인다.
흡사 칼 군무처럼 한 치의 오차도 없이 권법을 수련하는데...
그 모습을 지켜보는 계성, 뭔가 이상함을 감지하는 묘한 표정.

19 서함덕의 방 안 (낮)

끼-익 문이 열리며 은밀히 거처 안으로 들어서는 계성.
내부를 찬찬히 둘러보는데 서안 위에 목탁과 염주가 놓여 있고.
책장에는 경전만 빼곡히 꽂혀 있는데, 그중 표지가 다른 서책이 눈에 띈다.
뽑아서 보면 월인석보(月印釋譜)라 쓰여 있다.
페이지를 몇 장 넘겨보다가 놀라는 계성, 무기와 병법 삽화가 섞여 있다.

계성 (E) 경전 안에 병서를 숨겼다...?

페이지를 더 넘기며 무술 삽화를 살피던 계성이... 놀란다!!
삽화의 동작이 스님들의 무술 장면(18씬)과 겹쳐 보이며
권법 동작과 일치함을 눈치채는 계성!! 심각해진 얼굴로 방 안을 더 유심히
살피기 시작하는데... 벽지 귀퉁이가 떨어져 너덜거리는 것을 발견한다.
계성, 다가가 벽지를 확 뜯어내면 벽에 붙은 동궐도형이 드러난다!

계성 (놀란 눈으로 보며) 동궐도형이 왜 여기 있지...?

[자막] 동궐도형(東闕圖形): 궁궐 도면, 평면배치도

20 중궁전 침전 (낮)

쪼르르 차를 따르는 화령.
그 앞엔 평소와는 다른 당당한 눈빛의 태소용 있다.

태소용 중전마마~ 저는 왜 부르셨사옵니까?
화령 (따른 찻잔을 쓱 건넨다) 보검군에게 대통은 잘 전달했는가?
태소용 (눈 동그래진) 대통이라니요~?
제가 무슨 정보가 있다고 대통을 전달하겠사옵니까~?
화령 (씩 웃으며) 정보는 병판과 형조참판이 준 거 아닌가?
태소용 (어떻게 알았지?!)
화령 태소용은 깨끗한 사람이라 얼굴에 다 보이네~
태소용 (당황. 내 얼굴에 다 보인다고?)
화령 괜찮아~ 내가 그걸 전하께 알리기라도 하겠는가?
더구나 보검군은 대비마마께서도 아끼는 왕자가 아닌가?
태소용 에이 뭐~ 대비마마께서 보검군만 아끼시겠습니까? 근데~ 제대로 왕세자
교육만 받으면 전하 못지않은 성군이 될 거라고 말씀은 하시더라구요~
화령 그런 말씀까지 하셨는가?
태소용 예... 뭐.

화령	태소용. 자넨 보검군이 진짜 세자가 될 수 있다 생각하는가?
태소용	(꿀꺽) ......
화령	이 경합이 나한테는.. 단순히 누가 세자가 되느냐의 문제가 아니란 걸 자네도 잘 알고 있을 걸세.
태소용	그럼요 알죠~! 혹여나 보검군이 국본의 자리에 오르더라도 마마의 중전 자린 제가 꼭 지켜드리겠습니다~
화령	(뼈 있게 웃는) 내가 태소용 신세를 안 지려면 대군들이 반드시 세자가 되어야겠네. 참... 대비마마께서 아프시다는 얘긴 들었는가?
태소용	예-에?
화령	몰랐는가? 오늘 대비마마께서 많이 편찮으셔서 몸져누우셨네.
태소용	어머! 편찮으시다구요?! 어디가 아프신데요?
화령	글쎄... 가서 한번 여쭤보게. 자네가 가면 아주 좋아하실 거야.

태소용, 인사 올리더니 급히 나가면 화령에게 쓱 다가서는 신상궁.

신상궁	(우려) 어찌 태소용 마마를 대비전으로 보내셨사옵니까?
화령	(생각이 있는 듯 차를 음미하다가 잔을 내려놓는다)

21 황원형의 사랑채 방 안 (오후)

보료에 앉은 황원형, 그 앞에 앉아 있는 수하1.

황원형	부두령을 가로챈 자가 누군지는 알아봤느냐?
수하1	백방으로 알아보고 있으나 아직 진척이 없사옵니다.
황원형	그 도적놈이 행여 입이라도 잘못 놀리면 어쩌려구?!
행랑아범	(다급히, E) 대감마님! 좀 나와보셔야겠습니다.

22 황원형의 사가, 마당 (오후)

황원형이 마루로 나와 서면, 마당 한가운데 화령과 신상궁이 서 있다!

23 동 누마루 (오후)

찻상을 사이에 두고 마주 앉은 화령과 황원형. 주변엔 수하1도 서 있다.

황원형 (노회한 미소) 내명부의 일만으로도 바쁘실 텐데
어찌 이리 누추한 곳까지 드셨사옵니까?
화령 내 요즘 영상께 각별히 주의를 기울이고 있어서요.
그러다 대감께서 도성 안팎을 샅샅이 뒤지며
찾고 있는 자가 있다는 걸 알게 됐습니다.
황원형 (모르쇠) 그게 무슨 말씀이십니까?
화령 만월도로 가는 왕자들에게 보낸 도적패의 잔당들 말입니다.
황원형 도적패라니요. 당치도 않습니다.
그런 천인공노할 일이 어찌 저와 연관 있겠사옵니까?
화령 그러십니까? (하더니 마당을 향해) 데려오거라!

포박된 부두령(눈 밑 상처)을 끌고 오는 부요와 무사.
수하1, 부두령의 얼굴을 보자 사색이 되는데!

부두령 (수하1 가리키며) 저잡니다! 우리 두령에게 지시를 내린 자가 분명합니다.
황원형 !!!!
화령 (부요 본다. '이만 됐으니 데려가' 눈짓)

부두령을 다시 끌고 내려가는 부요 일행.

화령 (매섭게 황원형 주시) 조사가 시작되면
성남대군을 살해하려 한 혐의를 피해 가긴 어려울 겁니다.
황원형 의성군이 불리한 상황도 아닌데 제가 왜 그런 무모한 짓을 했겠습니까?

화령 예. 대감은 아니십니다.
영상께선 그저 길목을 막아 시간만 좀 늦추려 하신 것뿐이니까요.

황원형 (너무 자세히 알고 있으니 놀라고!)

화령 그럼 대체 누가 성남대군의 살해를 지시하고
그 누명을 대감께 씌우기까지 한 걸까요?
답을 못 찾고 계신 듯하여 알려드리려 합니다...

황원형 (반응하면)

화령 대비마마십니다.

황원형 (배신감... 나한테 감히!!)

화령 내 마음 같아선 다 찢어 죽여도 시원찮지만
세자 경합이 진행되고 있는 중요한 시점이니 이쯤 하는 것입니다.

화령, 일어서서 나가려다가 멈춰 선다. 돌아보며 내려본다.

화령 근데 왜 대비마마께선 대감께 모든 걸 뒤집어씌우려고 했을까요?
요즘 태소용을 대비전으로 자주 불러들이는 것도 그렇고...
설마 세자로 보검군을 염두에 두신 건 아니겠지요?

황원형 (어금니 꽉) !!!!

화령 (뼈 있는 농담) 이러다 영상대감과 제가 손을 잡아야 할 일이 생길지도
모르겠습니다... (유유히 나간다)

황원형 (노기충천! 수하1 본다) 당장 입궁할 채비를 하거라.

24 대비전 침전 (오후)

점수를 따기 위해 죽을 쒀 온 태소용.
서안 위로 쓱- 올리면 누워 있던 대비가 자리에서 막 일어선다.

태소용 (걱정 가득한 얼굴로 만류) 더 누워 계십시오~

대비 아닙니다. 이제는 괜찮아졌어요.

태소용 세상에... 편찮으시다는 말을 듣고 한달음에 달려오고 싶었는데

제 손으로 직접 죽을 만들어 드리고 싶어 늦어졌사옵니다.
따뜻할 때 한술이라도 드시옵소서~~

대비 우리 태소용이 자식만 잘 키우는 줄 알았더니 이리 효심까지 깊습니다.
참으로 국모의 그릇을 지닌 사람이 아닌가 싶네요.

태소용 (눈 동그래지며) 구, 국모요? (나도 중전이 될 수 있는 건가?)

대비 (쓱- 보며 미소로 죽을 한술 뜨는데)

25 대비전 침전 복도 (오후)

상기된 표정으로 복도를 가로지르는 황원형과 황귀인, 남상궁 앞에 멈춰 선다.

황원형 대비마마께 고해주시게.

남상궁 지금 대비마마께선 태소용 마마와 함께 계시옵니다.

그때 안에서 들려오는 태소용과 대비의 웃음소리.

황원형 (확 굳는) 다음에 들겠다 전해주시게.

황귀인 아니요. 기다리겠습니다.

황원형 (보면)

황귀인 (오히려 더 냉정해진 얼굴로 서 있다)

26 궐내 거리 (오후)

궁중으로 휭~ 불어드는 바람. 걸어가다가 두 눈이 휘둥그레지는 내관들.

내관들 어?!

담소를 나누던 궁녀들도 흠칫.

궁녀1 어머!! 대체 무슨 일을 겪었길래...

보면, 호랑이 발톱에 찢긴 도포자락을 나부끼며 나타나는 두 왕자.
곶감 다발이 걸린 장대를 어깨에 턱 걸친 호동군과
호피(虎皮) 쪼가리를 걸친 일영이 궐을 가로지른다.

호동군 (이글대는 눈빛) 형님. 전 이번 여정으로 진정한 사내가 된 것 같습니다.
일영 (무협지 대사 읽듯) 내 너와 함께한 시간을... 결코 잊지 않을 것이다!

27 동궁전 마당 (오후)

둥둥둥 북소리 울리는 가운데
'日映大君, 好瞳君' 호패를 빼내는 일영과 호동군.
이제 남은 호패는 成枏大君, 啓晟大君, 武矸大君, 義聖君, 寶芡君, 心昭君.
그 모습을 지켜보는 고귀인, 숙의, 소의, 박씨, 옥숙원, 문소원.

[자막] 성남대군, 계성대군, 무안대군, 의성군, 보검군, 심소군

고귀인 (쯧쯧) 경합이 시작된 지 얼마나 됐다고
벌써 낙오되는 왕자들이 이리도 많은지...
옥숙원 (훌쩍이는) 어찌 말씀을 그리 야박하게 하십니까?
호동군이 경합에서 떨어져 가뜩이나 속상한데... 어흑. (옷고름으로 닦고)
박씨 이제는 만월도에 두 명, 계룡산에 두 명만 남았네요~
고귀인 남은 호패가 여섯 갠데, 무슨 근거로 그런 얘길 하시는가~?
박씨 심소군은 아직 계룡산에 도착하지 못했다던데~ 모르셨어요?
고귀인 !!!!!!

28 한성 거리 (오후)

덜컹!! 남자가 끄는 소달구지가 지나는데
수레 위에는 만신창이가 된 심소군이 누워 있다.
반 시체처럼 입술도 마르고, 겨우 눈만 뜨고 있는 모습.

남자 곧 한성에 도착하니 조금만 참으시오...

29 무역항, 상점 앞 (오후)

분주한 상점가. 도민1, 2, 3이 서로 다른 가게에서 판매를 하고 있는데.
포목전, 어물전, 곡물전 등 품목도 다양하다.
도민들의 상점을 쓱 둘러보는 성남, 청하는 인근에서 상점들을 구경한다.

성남 (물건도 만져보며) 자네들은 여기서 점원으로 일하는 것인가?
도민2 점원이요? 에이~ 아닙니다.
성남 그럼 이 상점의 주인들인가?
도민1 주인도 아닌뎁쇼.
박경우 (목재가방 들고 걸어오며) 손님 계신데 웬 잡담인가?!

보검군은 박경우를 따르며, 때로는 기록도 한다.
그런데 박경우가 상점 앞을 지날 때 희한한 상황이 펼쳐진다.
도민들이 상납하듯 박경우에게 엽전 다발을 주는 모습.

도민1 이번 달 판매금입니다요...

박경우, 수금한 돈을 바로 목재가방에 넣는데
이미 가방 안엔 꽤 많은 양의 엽전이 들어 있다. 성남, 유심히 보는데...
그때 "스승님~ 스승님." 하며 달려오는 약장.

약장 (숨차고) 스승님~~ 백합을 다 팔았습니다!
박경우 그래 얼마에 팔았느냐?

약장 (박경우에게 엽전 다발 건네며) 소쿠리당 일곱 냥을 받았습니다.

보검군 (놀란) 정말 일곱 냥을 받았단 말인가?

박경우 (피식) 궁금하시오?

(판을 깔듯) 그럼 어떻게 된 연유인지 어디 한번 맞춰보시든가.

보검군 헐값에 팔지 않기 위해 값이 다시 오를 때를 기다렸다 판 게 아닙니까?

그런데 오늘은 운이 좋았지만, 너무 위험 부담이 큰 방식이었습니다.

성남 운이 아니라 예측해서 내놓은 겁니다.

오늘 하품(下品)으로 나온 백합은 많았지만 상품(上品)으로 나온 백합은

별로 없었습니다. 반면 만월도 백합은 최상품이었지요.

좋은 물건 살 사람들은 돈을 더 주고라도 사 갈 테니

시간이 갈수록 상품의 값은 결국 올라가게 되어 있는 것 아니겠습니까?

박경우 맞췄소! 이번엔 그쪽이 이겼구만.

(지팡이로 보검군 가리키며) 분발해야겠습니다.

보검군 (긴장감을 느끼며 성남을 보는데)

백합 판 돈도 목재가방에 넣는 박경우. 유심히 보는 성남.

박경우 이동하자, 그 뒤를 따르는 두 왕자.

그런데 성남은 걸어가면서도 뭔가를 찾듯 두리번거린다.

청하 (그 앞에 뿅!! 나타난다. 수줍) 혹시~ 저 찾고 계셨습니까~?

성남 아니요. 산가지함을 찾고 있습니다. (그대로 걸어가며, 간간이 두리번)

청하 (멈춰 선 채) 산가지함...?

30 무역항, 나루터 (늦은 오후)

어느새 살짝 어둑해진 무역항.

성남의 앞으로 쌀가마가 가득 실린 수레 3대가 지난다.

박경우의 지시 아래 배 위로 옮겨지는 쌀가마.

지켜보는 성남, 그 옆에서 수첩(手帖)에 기록하는 보검군.

성남　　백합 판 돈에 상점에서 벌어들인 돈까지
전부 다 박경우 주머니로 굴러 들어가는 것 같지 않냐?
보검군　　속고만 사셨습니까?
성남　　이런 걸 합리적인 의심이라고 하지.

그때, 점포를 닫고 온 듯 봇짐을 메고 걸어오는 도민1, 2, 3 보인다.
박경우를 보고 극진히 인사하는데 그 모습을 유심히 보는 성남.

성남　　봐. 여전히 맹인 행세를 하고 있어. 백합을 팔 땐 독점대행을 하고.
보검군　　(그 말에 박경우 쪽을 본다)
성남　　근데 도민들은 고리이자보다 심한 2할의 구전을 떼이고도
박경우를 은인이라 믿고 있단 말이야.
(수상해...) 도민들한테 백합 값을 제대로 쳐서 나눠주긴 할까?
보검군　　우린 뒷조사나 하러 온 게 아닙니다.
저자를 궁으로 데려가는 것이 우리 임무입니다. (쌩하고 가버린다)
사공　　(배에서 소리치는) 다 오셨습니까?
성남　　(주변 둘러본 뒤) 어? 아직 한 명 안 왔습니다~ (무역항 쪽을 보는데)

31　　대비전 침전 (늦은 오후)

다 먹은 죽그릇 옆으로 옥가락지를 쓱 내미는 대비.

태소용　　(놀라) 설마 저 주시는 것이옵니까~?
대비　　(미소) 예. 아끼는 것인데 태소용에게 잘 어울릴 것 같네요.
태소용　　(껴본다. 감격) 너무~~ 마음에 듭니다.
저희 모자를 이리 아껴주시니~ 이제 보검군만 잘해주면 되겠습니다~
대비　　보검군만 잘한다고 되는 일이 아닙니다... 왕세자는 철저하게 짜여진
판 위에서 한 치의 오차도 없어야 만들어지는 것이니까요.
때로는 엄마들의 정보 싸움이 승패를 가르기도 하지요.
태소용　　정보 싸움이요~?

대비 (자극) 내 그런 의미에서 중요한 정보 하나 드릴까요?

태소용 (욕망에 차오른 눈빛으로 끄덕끄덕)

대비 (몸을 기울이더니 귓속말)

태소용 (듣다가 점점 커지는 눈. 입을 막는다!)

32 대비전 복도 (늦은 오후)

침전문이 열리고 쟁반에 빈 죽그릇을 들고 나오는 태소용.
복도에 서 있는 황원형, 황귀인과 마주친다.

태소용 (은근 경계하는) 어머~ 아직도 계셨습니까?

황원형 (무시. 침전 안으로 휙 들어가버린다)

황귀인 (태소용이 든 죽그릇을 본다)

태소용 (겸연쩍어) 대비마마께서 편찮으셔서 죽을 좀 쒀 왔습니다.

황귀인 (피식 웃는)

태소용 (뭐야?! 기분 나쁘게) 아니 왜 그렇게 웃으십니까?

황귀인 쟁반을 들고 계신 모습을 보니 옛날 나인 시절에
종종걸음으로 다니시던 모습이 생각나서요.

태소용 저라면~ 그런 쓸데없는 생각을 할 시간에 뭐라도 하나 들고 오겠습니다.
가는 것이 있어야~ 오는 것이 있는 거 아니겠습니까? (자랑하듯 옥가락지
낀 손을 들어 인사) 그럼 이만~ (하더니 가버리면)

황귀인 (표정 서늘해지며 멀어지는 태소용을 보다가 들어간다)

태소용 (가다가 신경 쓰이는지 돌아본다. 견제하는 느낌)

33 대비전 침전 (늦은 오후)

대비의 서안 위에 다기 세트가 놓여 있다.
황원형과 황귀인은 이전 손님이 마시던 찻상 앞에 앉아 있는데
태소용의 입술 자국이 남겨진 잔이 아직 치워지지 않은 상태.

대비　공사다망하신 두 분께서 이 늙은이를 보겠다고
이리 기다리셨습니까? 다음에 드시면 될 것을요...

황귀인　다음이 없을 수도 있으니까요.
오랜만에 대비마마께서 직접 내려주시는 차 맛을 보고 싶어 기다렸습니다.

대비　(탕관을 만지는) 물이 이미 식었는데 어찌 차가 우러나겠습니까?
모든 것에는 걸맞은 시간이 있기 마련인데요...

황귀인　하오나 차호(茶壺: 찻잎을 담는 독)에 아직 찻잎이 남아 있다면
다기를 다시 예열해 주실 수도 있는 것이 아니겠습니까?

대비　(피식. 남상궁을 보는) 온수를 들이고, 다기를 다시 차려드리게.

남상궁　예. (황부녀 앞에 놓인 찻상을 들고 나간다)

황귀인　(단도직입) 묻고 싶사옵니다.
이번 택현은 국본의 자리뿐 아니라 국모의 자리도 걸려 있질 않습니까?
마마께선 대체 누구를 마음에 두셨습니까?

대비　글쎄요... 한 가지 확실한 건 반드시 중궁전의 주인이
바뀌어야 한다는 겁니다. 기왕이면 그게 황귀인이면 좋겠구요.
그러려면 의성군이 세자가 되어야겠지요.

남상궁　(서안 위로 온수가 담긴 탕관을 가져다 놓는다)

황원형　요즘.. 대비전에서 보검군에게 힘을 실어준다는 소리가 들리던데
제가 신경 안 써도 되겠습니까?

대비　하하하. 왜요? 보검군이 세자가 되지 말라는 법이 있습니까?

황원형　....!!!

대비　세자가 누가 되든 그 자리는 내가 정해야 합니다.
그러니 영상은 괜히 딴생각 마시고 제가 시키는 대로만 하세요.
그럼 좋은 일이 생길 겁니다.

황원형　시키는 대로요? 마마... 영의정은 대비마마의 부하가 아닙니다.
그리고 국본의 자리는 조정 대신들과 주상께서 정하는 것입니다.

대비　그 주상을 앉힌 게 누군지 잊으셨습니까?

황원형　(꾹꾹 참고 있다가 폭발) 해서 성남대군을 죽이고 그걸 다 저에게
뒤집어씌우려고 하신 겁니까?! 보검군을 염두에 두신 게 아니라면
대체 왜 그런 짓을 벌이신 겁니까?

양손에 떡을 쥐고 잔치라도 벌이실 작정이십니까?!!

대비　중전이 여기저기 다니면서 별걸 다 얘기했나 봅니다.

황원형　마마. 노욕이 지나치면 추해질 뿐이옵니다.

대비　(굳는. 김이 오르는 탕관을 들더니 퇴수기에 다 쏟아부어 버린다)

황귀인　마마께서 다례를 멈추셨으니 저희도 이만 물러가겠사옵니다.

예를 갖추더니 흐트러짐 없이 나가버리는 황귀인.
황원형도 휙 나가버린다. 이내 서늘해지는 대비!!

34　중궁전 복도 (늦은 오후)

단 한 명의 궁녀조차 없이 싹 비워진 복도.

35　중궁전 침전 (늦은 오후)

화령 앞에 발이 쳐져 있고, 그 건너편에 윤수광이 앉아 있다.
윤수광, 발 건너의 화령을 보지만 표정조차 가늠할 수 없고 긴장감 흐른다.

화령　병판대감께선 누가 국본이 되길 바라십니까?

윤수광　백성을 위하는 왕재가 되어야 하지 않겠습니까?

화령　그럼. 그런 왕재가 누구라 생각하십니까?

윤수광　제가 대비마마의 사람이라는 걸 누구보다 잘 아시지 않습니까?
제 답에는 대군마마들은 없다는 걸 아실 텐데요.

화령　(옅게 웃더니) 요즘 대감을 찾는 이들이 많아졌을 겁니다.
이럴 때일수록 처신을 잘하셔야 하지 않겠습니까?

윤수광　중전마마. 무슨 말씀이 하고 싶으신 것이옵니까?

화령　윤왕후가 폐서인이 되고 유일하게 살아남은 윤가이시니
신의를 지키는 것보다 더 중요한 게 살아남는 거라는 걸 잘 아시겠지요.

윤수광　(본다!)

화령 지금이라도 대비마마와 영상대감 사이에서 중립을 지키신다면 대군이 세자가 됐을 때 대감께도 기회가 올 것입니다.

윤수광 (흔들리는 눈빛)

화령 잘 생각해보십시오. 사람 일은 모르는 거니까요.

36 무역항, 나루터 (늦은 오후)

성남, 걱정스러운 얼굴로 무역항 쪽을 보는데

박경우 (언짢은 목소리) 그냥 출발하게나!!

노를 젓기 시작하는 사공. 배가 바다로 막 출발하려는데...
저쪽에서 청하가 달려오는 것이 보인다. 손엔 뭔가 들려 있고.
성남, 안 되겠는지 청하 쪽으로 뛰어간다.

청하 (숨이 차 색색대며, 기대에 차서) 혹시 저 기다리신 겁니까~?

성남 아니요.

하더니, 청하의 손을 잡고 무작정 달리는 성남!
놀라고도 행복한 표정의 청하!! 설레는 모습으로 달린다.

37 배 위 (늦은 오후)

겨우 배에 오른 두 사람. 헉헉... 숨을 고르며 마주 서 있다.
성남, 잠시 서 있다가 제일 끝자리로 이동해 앉는다.
청하, 잠시 서 있다가 포르르 가더니 성남 옆에 자리 잡는다. 수줍.

사공 하고 아씨~ 어사나리 아니셨으면 배 놓치실 뻔했습니다~~

청하 (그 말에 귀엽게 쓱 보며) 기다린 거 맞네~

성남 (정색) 아닙니다.

청하 (뭔가를 건넨다) 자요.

성남 (보면 산가지함이다. 놀란) 설마 이거 사느라 늦으신 겁니까?

청하 (씽긋하더니 묻지도 않는데 조잘조잘) 갑자기 만월도로 오는 바람에 있는 돈을 다 써버렸거든요~ 도투락댕기 팔아서 사 온다고 좀 늦었습니다~

성남 (자신도 모르게 피식) 고맙습니다.

청하 기다려주셔서 제가 더 고맙습니다~ 근데 그건 어디에 쓰시려구요?

성남 (산가지함 보는) 선물입니다.

청하 아~~ 누군지 몰라도 참 좋겠습니다~ (씽긋 웃는)

성남 (순간 예뻐 보이자 획 시선 돌린다. 그런데 보검군과 눈 마주치는)

보검군 (경합 중에 여자라니. 한심하군... 하는 표정)

성남 (잠시 본분을 잊었구나. 긴장감 갖고 마음을 다잡는 눈빛)

청하 (그런 성남을 턱 괴고 보는 청하. 꿈같고~ 옅은 미소)

성남 (손에 쥔 산가지함을 본다)

보검군 (대나무통을 손에 쥐고 생각에 잠긴다)

ins 》무역항 상점 거리 (당일 낮)

장옷을 쓴 여인이 보검군 옆으로 바짝 다가선다.

여인 (불쑥 대나무통을 건네며, 낮게) 태소용 마마께서 보내셨습니다.

하더니 빠르게 인파 속으로 사라지는 여인.

현재 》고뇌하는 보검군, 대나무통을 쥐고 있다가 성남을 의식하며 소매에 넣는다.

38 한성거리 담벼락 앞 (늦은 오후) _ 地囉詩

비방서가 붙은 담벼락 앞에 몰려든 사람들, 경악한 얼굴로 웅성웅성.

아낙1　그럼 주상전하의 친자가 아니라는 거야?
아낙2　그렇다니까... 어우 망측해라!

쑥덕이는 군중들 사이에 서 있던 여자 한 명이 돌아선다.
그 길을 지나는 장옷 두른 태소용에게 목례하는 여자. 답례하는 태소용.
옥가락지 낀 태소용, 은밀한 일각에 서서 주변 반응을 지켜본다.

39　대비전 침전 (늦은 오후)

창을 향해 서 있는 대비의 뒤에 남상궁이 서 있다.

남상궁　어찌 태소용 마마를 움직일 생각을 하셨사옵니까?
대비　태소용은 생각이 단순하니 욕망에 불이 붙으면
하나만 생각하고 직진하는 사람이다.
차도살인... 이번엔 내 손에 피는 묻히지 말아야지.

[자막] 차도살인(借刀殺人): 남의 칼을 빌려 사람을 죽인다

40　한성, 궐 정문 앞 (늦은 오후)

수문장들에게 애원하고 있는 심소군이 보인다.
거지꼴에 만신창이인 심소군을 무시하는 수문장들.

심소군　나 정말 왕자라니까... 내가 심소군이란 말일세...
수문장1　(아놔 정말 귀찮고) 아니 그러니까.
정말 왕자님이시면 신분을 증명할 호패를 보여달라니깐!
심소군　전하께서 거둬 가셨네. 어찌하면 믿어주겠는가...?
수문장1　(버럭) 안 믿는 게 아니라 증거를 대라고 이 사람아!!
심소군　동궐 후원에 있는 부용지 동쪽엔 영화당이...

서쪽엔 사정기비가, 북쪽엔 어수문이 있지 않은가?

수문장들 (서로 마주 보며 놀라는) !!!

41 궐내 거리 (늦은 오후)

다급히 달려가는 고귀인, 사색이 된 얼굴!!

42 한성, 궐 정문 앞 근방 (늦은 오후)

정문과 좀 떨어진 일각에, 고귀인과 심소군이 서 있다.
거지꼴의 심소군, 상처가 난 듯 옷에 피도 비친다.
그 모습 보니 속상하고 마음 아픈 고귀인...
그러나 자신들을 보고 있는 수문장들이 신경 쓰이기도 한다.

고귀인 (낮게 다그치는) 네가 왜 여기 있어?!

심소군 배가 너무 고픕니다 어마마마. 한 끼도 제대로 먹지 못하였고...
돈도 마패도 모두 도둑맞았습니다.

고귀인 (마음을 다잡으며 매섭게) 어서 돌아가. 돌아가서 계속 경합에 임하거라!!

심소군 (애원) 이대로는 안 될 것 같습니다... 들여보내주십시오.
몸이... 너무 안 좋습니다 어마마마...

고귀인 (예민하게 주변을 의식하며. 낮게) 네 신분이 왕자라는 것이 밝혀지면
넌 이대로 탈락이다.

심소군 어마마마...

고귀인 몸이 부서지고 숨이 끊어지더라도 궁으로 돌아오진 말았어야지.
(차고 있던 노리개를 뚝 끊어내더니 손에 쥐여주며)
당장 네가 있어야 할 자리로 가거라!!

심소군 ......

힘겹게 맘을 먹는 고귀인, 매몰차게 돌아서더니

정문 쪽으로 걸어가 수문장들 앞에 멈춰 선다.

고귀인 내 가여워 말은 섞었다만. 어찌 저런 자를 심소군이라 하는가?!!
수문장들 (푹 숙이며, 어찌할 바를 몰라) 죽을죄를 지었습니다.
고귀인 죄는 묻지 않을 것이니 저 걸인이나 당장 치우게!!

43 궐 근방 거리 (밤)

거리에 내동댕이쳐지는 심소군, 배고픔과 통증에 정신마저 흐려지는데...
그 와중에 고귀인이 준 노리개를 꽉 쥐고 있다.

44 기방 (밤)

가야금 소리 들려온다.
고급 비단옷을 입은 양반사내(30대)가 기생을 양옆에 낀 채 술을 마시는데
사내의 끈적한 시선은 가야금을 켜는 초월에게 향해 있다. 행수, 신경 쓰이고.
양반사내, 음식을 상 위로 내려놓는 소녀(15세)의 손목을 확 잡는다.

행수 (굳는) 나으리. 그 아인 부엌일을 하는 아입니다.
양반사내 기방에 있는 계집이 다 기생이지. (소녀 손을 잡아끌어 앉히며) 따라봐.
소녀 (겁먹고 어쩔 줄 몰라 눈치 본다)
양반사내 (소녀의 손목을 확 잡으며) 술 한잔 따르라는데 뭐 해?!
초월 (연주를 멈추고) 제가 한잔 올리겠습니다. 그러니 그 손은 놓아주십시오.
양반사내 (반색) 콧대 높은 우리 초월이가 술을 올리겠다구~?
행수 초월아. 넌 나서지 말거라!
양반사내 어허! 왜 이래 행수? (초월이 음흉하게 보며) 어서 따라보거라~
기왕이면 오늘 밤 수청까지 들겠느냐?
초월 그럼 이제 아이는 보내주시지요.
양반사내 (소녀에게) 넌 가봐.

소녀 (겁에 질려 급히 나간다)

이내 술병과 빈 술잔을 들더니 술상을 밟고 넘어가는 양반사내.
놀라는 기생들!!

양반사내 (초월에게 다가서며) 삼 년을 기다리니 이런 날도 오는구나...

하며 초월의 어깨에 손을 올리려는데
그 손을 부채로 탁 막아내는 누군가. 무안이다!!

무안 어허~ 나쁜 손!!
양반사내 너 뭐야 새끼야?
무안 (그 입도 부채로 톡!! 때리는) 알아서 좋을 거 없고.
양반사내 (확 씨! 멱살이라도 잡을 기세로 달려드는데)
무안 (팔을 딱 잡아서 뒤로 휙 꺾는다)
양반사내 (윽! 발악) 너 내가 누군지 알아?! 이조판서가 내 숙부야 새끼야.
근데 감히 날 건드려?!
무안 허. 족보를 까시겠다?
우리 아버지는 이 나라 임금이다 이 새끼야! (팔을 두둑 꺾는다)

45 혜월각, 초월의 방 (밤)

문고리를 만지작거리며 문 앞에 서 있는 무안.
가야금을 만지작거리며 앉아 있는 초월.
그렇게 서로 딴 곳을 응시한다. 한참 동안 말이 없다가.

초월 (굳게 마음먹고 차갑게) 가십시오. 모친께서 아시면 큰일 납니다.
무안 그래... 내가 여기 있는 줄 아시면 아마 기절하실 게다.
사실 내가 지금 되게 큰일을 앞두고 있거든. 근데 너한테 온 거야.
초월 (본다)

무안 (본다)

초월 그렇게 몸이 빠르신 줄 몰랐습니다.

무안 (웃겨주듯) 그치~? 내 오늘은 말보다 몸이 빨랐다~ 난생처음으로.

초월 (웃지만... 이내 마음 다잡고) 이제 그만 돌아가십시오.

무안 아니. 니 대답 듣기 전엔 안 가. (본다) 대답해. 기생 안 하겠다고.
난 니가 다른 사내와 함께 있다는 생각만 해도... 너무 화가 나.

초월 (빤히 본다) 절 좋아하십니까?

무안 (1초의 망설임도 없이) 그럼~ 좋아하지~~

초월 여인으로 좋아하느냐 묻는 것입니다.

무안 ....내 생각은 안 해봤다만. 좋아하는 것 같다.
(진중한) 아니 좋아해. 좋아한다!!

초월 (피식. 무안의 고백에 약간 흔들리지만) 전 사내를 믿지 않습니다.

무안 무슨 소리냐? 내 너를 찾아 이리 달려왔는데-에!
이래두~ 내 마음을 모르겠느냐~?

초월 (귀여운 듯 자신도 모르게 옅게 웃는) 도련님은 매번 절 웃게 하십니다.

무안 (본다)

초월 (본다)

무안 너 근데. 원래 이렇게 예뻤느냐?

초월 예.

무안 (피식)

초월 (피식)

무안 (웃는데 눈이 충혈되는) 보고 싶었다.

46 연지네 집 앞 (밤)

연지에게 산가지함을 건네는 성남.

연지 (받아 들더니 성남을 본다) 이 산가지함 저 주시는 거예요~?

성남 어. 그러니까 다음엔 잃어버리지 마.

연지 (끄덕끄덕) 저는요~ 나중에 크면 꼭 서당에서 산학 가르칠 거예요~!!

(자신이 생각해도 웃긴) 이힛 말도 안 되죠? 그냥 한번 생각해봤어요~

성남 그 생각 놓지 말거라. 도망가는 건 꿈이 아니라 늘 자기 자신이거든~

이동하다가 그 모습을 보는 박경우.
근방에서 눈빛 총총 그윽하게 성남을 보는 청하도 보인다.

47 박경우 집 마당 (밤)

성남, 보검군, 박경우 세 남자가 황당한 얼굴로 서 있다.
보면 청하가 마당 한가운데 예쁜 표정으로 서 있다.

박경우 (미간 찌푸리며) 방금 재워달라 하셨습니까?

청하 예~~ 신세 좀 지겠습니다~ (씽긋)

박경우 (성남 쪽 보며 버럭) 그쪽 손님이니 그쪽이 알아서 하시오!

성남 (나?) 예?

48 박경우의 방 안 (밤)

'하...' 지친 모습으로 들어서는 박경우, 진이 다 빠지는데...
곧이어 문이 열리며 성남과 보검군이 들어선다.
서안 위에는 작성하다 만 듯한 저서가 놓여 있다.

박경우 또 뭐요?!

성남 (옷 벗어 걸며) 남녀가 유별한데 어찌 한 방을 쓰겠습니까?

보검군 (이불을 깔며) 불 좀 꺼주십시오. 전 해시 전엔 자야 합니다.

성남 (이불 냄새 맡으며) 아 거... 이불 좀 빠시지... 알 만하신 분께서... 쯧.

보검군 (후!! 호롱불 끄면)

박경우 (분노 게이지 완충. 손가락 떨며 가리키는) 당신들... 삼 일째 되는 날
첫닭 울기 전에 나가!!!!

49 궐 근방 거리 (밤)

노리개를 움켜쥔 채 추위에 덜덜 떠는 심소군.
점차 의식까지 흐려지는데... 희미해진 눈앞에 누군가 나타난다. 신상궁이다!

50 중궁전 곁방 (밤)

모양새가 여전히 지저분한 심소군.
손곱 낀 손으로 노리개를 꽉 쥔 채 허겁지겁 밥을 먹고 있다.
그 앞에 앉아 있는 화령, 안쓰러운 표정으로 보다가.

화령 누가 안 뺏어 먹는다~ 천천히 먹거라.
그리고 그 노리개는 왜 그리 꽉 쥐고 있어~?
심소군 (정신이 온전하지 않은 느낌으로 웃는) 이건....
모친께서 태어나 처음으로 제게 주신 선물입니다. (기괴한 웃음)
몸이 부서지고 숨이 끊어지더라도 돌아오진 말라셨는데...

하더니, 눈이 멍해지며 입에 밥을 쑤셔 넣듯 우걱우걱 먹는 심소군.
심소군의 상태가 온전치 않음을 느끼는 화령, 걱정스럽게 보는데.
갑자기 문이 발칵 열리며 고귀인이 들어선다.
심소군을 확인하자 분노하는 고귀인!! 밥상을 뒤엎는다.
겁먹으며 부들부들 떠는 심소군.
급히 고귀인을 막아서며 그 앞에 서는 화령.
심소군의 시선에선 고귀인의 모습은 가려지고 화령의 뒷모습만 보이는데.

화령 (낮게) 대체 이 무슨 짓인가?!
고귀인 제 자식입니다. (이빨 악물며) 그러니 상관 마십시오!!
화령 왕자를 관리하는 것도 중궁의 임무임을 모르는가?!

고귀인 차라리 솔직해지십시오!!
심소군이 낙오돼서 고소하다. 다행이다 말입니다!!!

화령 그래 다행이네...!! 어리석게 아픈 몸으로 무모한 강행을 계속했다면
지금 저 아이가 어찌 됐겠는가?

고귀인 아니요!!! 중전마마께서... 궁으로 데리고 오지 않았다면
다시 돌아가 경합에 임했을 것입니다.

화령 (심소군을 의식하며 조심스럽게 얘기하는 느낌) 이제 그만하시게.
자네도 심소군이 걱정돼서 온 것이 아닌가?

고귀인 (분노로 부릅뜨며) 고상한 척하지 마십시오!
중전마마의 자식이라도 이리 데려오셨겠습니까?

화령 (낮고 강하게) 적어도! 만신창이로 돌아온 아이를
다시 궁 밖으로 내몰진 않았을 것일세!

고귀인 (눈이 돌아서 내지르는) 마마는 자식이 여럿이잖아!!!
난.. 저 아이 하나뿐입니다.
나한테 오늘은 모든 게 무너진 날이란 말입니다!

화령 (상궁들 본다) 고귀인을 당장 처소로 모시거라!!!

상궁들이 다가서지만 확 밀쳐내는 고귀인,
숨죽여 눈물 흘리고 있는 심소군을 본다!!

고귀인 너 때문에 이 어미와 가문의 명예가 실추되었다...
이 꼴을 보일 거면 차라리 죽지 그랬느냐?
(심소군을 향해 내뱉는) 널 낳은 게... 후회돼... 이 천하의 쓸모없는 놈.

심소군 .....

매섭게 노려보더니 그대로 가버리는 고귀인.
남겨진 심소군... 상처받은 얼굴로 멍하니 앉아 있다.
지켜보는 화령도 괴로운 심경인데.

51 고귀인 처소 (밤)

분노로 부들부들 떠는 고귀인, 어떻게 갚아줄지 고민하는데...!

52 주막 (밤)

서안 위에 동궐도형을 펼쳐 자세히 살피는 계성,
손으로 그 위에 그려진 붉은 선들을 따라가면
그것들이 정확히 왕의 침전과 편전으로 가는 길을 가리키고 있다!
확연히 굳는 계성, 동궐도형을 이리저리 보다가 뒷면을 넘겨보면
붉은 좌표점 두 개 찍힌 지도가 그려져 있다.

계성 (강한 의혹) 이건 뭐지...?!

53 계성대군 처소 (새벽)

주인 없는 어두운 처소에 은밀히 들어서는 고귀인, 뭔가를 찾기 시작한다.
곳곳을 뒤지다가 서안 밑에서 나전칠기 상자를 발견한다!
열면 비단 두루마리가 들어 있다. 뭐지 싶은 고귀인, 두루마리를 펼치는데

ins 》 풀어지면서 모습을 드러내는 여인의 모습을 한 계성의 초상화 (*3부 64씬).

기대 이상의 수확인 듯 초상화를 보며 씩- 웃는 고귀인.

54 황귀인 처소 (아침)

비장하게 들어와 자리에 앉는 고귀인!! 손엔 나전칠기 상자가 들려 있다.
황귀인, 보료에 앉아 고귀인을 묘하게 보는데.

황귀인 이른 아침부터 고귀인께서 무슨 일이십니까?
고귀인 계성대군의 추악한 비밀을 밝히러 왔습니다.

상자를 열어 비단 두루마리를 꺼내더니 내미는 고귀인!!
뭐지 싶은 황귀인, 받아서 쓱 펼쳐보는데
여인의 모습인 계성의 초상화가 드러난다!!

황귀인 (경악) !!!!!
고귀인 계성대군은 남자의 껍데기를 두른 여인입니다.
궁에 밀실을 만들어 여인의 옷을 입고,
분을 바르며 왕실의 명예를 더럽혀왔습니다.
황귀인 (점점 흥미로워지는 얼굴)
고귀인 그런데도 중전께선 이를 은폐하기에 급급했지요...
그리고 이 모든 걸 대비전에서도 알고 있습니다.
황귀인 (반응!) 대비마마께서도 알고 있다구요?
고귀인 (미소) 예. 대군의 치부는, 낳고 기른 중전의 치부이기도 하니
황귀인께서 중전이 되시는 데도 분명 쓸모가 있을 것입니다.
문제가 생기더라도... 대비마마께서 힘을 보태주실 거구요. (어때?!)
황귀인 (입꼬리 쓱 오르는데)
고귀인 (맛만 보여 준 듯 황귀인의 손에서 쓱 두루마리를 빼간다)
황귀인 ('뭐 하는 짓이야?!' 하듯 보면)
고귀인 (두루마리를 나전칠기 상자에 다시 넣는다) 이건...
제 청이 이루어지면 그때 넘겨드리겠습니다.
황귀인 (갖고 싶어 미치겠고) 원하는 게 뭡니까?
고귀인 (광기 어린) 중전 눈에서 피눈물이 나는 걸 제가 꼭 봐야겠습니다!!

55 그 시각, 심소군 처소 복도 (아침)

복도를 걸어오는 화령과 신상궁, 화령을 발견하고 고개를 숙이는 임내관.

화령　　심소군은? 조반(朝飯)은 올렸는가?

임내관　　(숙이며) 예, 마마... 하오나 상이 나오지 않는 걸 봐서는
아직 주무시는 듯싶사옵니다.

화령　　(어쩐지 걱정되고)

신상궁　　여독을 풀 시간도 없이 추위에 시달리셨으니
많이 노곤하셨을 것이옵니다. 이만 가시지요 마마.

화령　　(잠시 망설이지만) 아니다. 내 눈으로 확인해야겠다. 열거라.

임내관, 곧 문을 여는데
손에 노리개를 쥔 채 목을 맨 심소군의 모습이 드러난다!
신상궁과 임내관 경악하는데. 달려드는 화령!!!

56　　내의원 거리 → 마당 (아침)

중궁전 궁인들이 둘러싼 가운데
심소군을 업고 뛰는 임내관. 화령도 미친 여자처럼 달린다.
곧 내의원 마당으로 들어서는 화령 일행.
심소군, 내의원 마루에 눕혀지면 몇 명의 어의들이 놀라 달려든다.

화령　　맥이 잡히지 않는다. 서두르거라. 어서!!!

거친 숨을 몰아쉬는 화령, 의식 없는 심소군을 바라보는데!

57　　심소군 처소 (낮)

흡족한 얼굴로 걸어오는 고귀인, 그런데 문 앞에 담당내관이 없다.
“다들 어디 간 거야?!” 하더니 문을 확 열어젖히는데
바닥은 흐트러져 있고 심소군은 보이지 않는다.

한편에서 의복을 챙기던 임내관이 깜짝 놀라 돌아본다!

고귀인 심소군은 어딨어?

임내관 (대답 못 하고)

고귀인 (이상한 낌새) 뭐야?! 심소군이 어디 있냐 묻질 않느냐?!

58 중궁전 곁방 (낮)

열린 문밖엔 의녀들과 궁녀들이 서 있다.
화령이 지켜보는 가운데, 의식 없는 심소군을 진맥하는 어의.

어의 마마! 다행히 맥이 돌아왔습니다. 이제 안심하셔도 될 것 같사옵니다.

화령 (잘 버텨준 심소군을 보며 안도의 숨을 내쉰다)

59 그 시각, 중궁전 복도 (낮)

흙으로 엉망이 된 버선발로 미친 여자처럼 걸어오고 있는 고귀인. 그 위로-

화령 (E) 다들 듣거라.

60 다시, 중궁전 곁방 (낮)

화령 (눈빛 변하며 함구령 내리듯) 궁중에서 이번 일에 대한 소문이 돈다면
이 자리에 있는 너희들 모두가 화를 면치 못할 것이다.

모두 (!! 겁먹는 얼굴)

화령 오늘 심소군은 여독이 풀리지 않아 치료를 받았느니라.
한동안 중궁전에서 머물 것이니 그리 알거라. 나가들 봐.

어의와 의녀들 숙인 뒤 곁방을 나서는데... 문 앞에 서 있는 고귀인.
넋이 나간 듯 곁방으로 들어서더니 심소군을 본다.

화령 ...심소군이 깨어나면 신상궁을 통해서 전달할 테니
자네도 그만 돌아가 있게.

고귀인 (눈을 부릅뜨며) 저 아이의 모친은 접니다!! 제가 곁에 있을 겁니다.

화령 (어떤 마음인지는 안다. 하지만) 자네가 오늘 일을 알게 된 걸
심소군이 알게 되면... 저 아이는 감당하기 힘들 것이네.

고귀인 허! 끝까지 잘난 척이십니까?

화령 맘대로 생각해. 난 앞으로도 고귀인이
심소군이 잘못했을 때 혼을 내는 모친이었으면 좋겠네.
심소군 역시 잘못을 해서 따끔하게 혼나더라도
고개를 들 수 있어야 되지 않겠는가?

고귀인 (그 말에 심소군을 본다)

화령 저 아이가 끝까지 쥐고 있던 게 뭔지 아는가?
(소매에서 노리개를 꺼내 보인다) 자네가 심소군에게 준 거라 들었네.

고귀인 (노리개를 화령의 손에서 가져간다. 떨리는 손)

화령 (발아래를 보며) 버선발로 뛰어온 걸 보면
자네도 심소군의 안위를 걱정한 것이 아닌가?

고귀인 (괴롭고)

화령 (진심) 너무 자책하진 않았으면 하네.
너무 큰 실수를 저질렀지만, 가장 큰 벌을 받은 사람도... 자네니까.

61 고귀인 처소 (낮)

서안 위에 놓인 노리개를 보는 고귀인.
서랍을 열어 고이 싸여 있던 보자기를 펼치면, 그 안에 배냇저고리가 들어 있다.
떨리는 손으로 배냇저고리를 만지는 고귀인, 가슴에 품더니 소리 없이 흐느낀다.

62 중궁전 곁방 (오후)

눈을 뜨는 심소군, 얼굴에 좀 생기가 돈다.
문을 열고 들어오던 화령, 아무 일 없었다는 듯 심소군을 대한다.

화령 깼구나.
심소군 (벌떡 일어나 앉는다... 내가 꿈을 꾼 건가 싶고)
화령 (다가와 앉는다) 푹 잤느냐?
심소군 (민망한 듯 고개 푹 숙이며 끄덕)
화령 심소군.
심소군 (눈 못 마주치고 여전히 고개 숙인 채) 예.. 마마...
화령 술 마셔본 적 있느냐?
심소군 (놀란 눈으로 고개 들며) 예? 술이요? 한 번도... 마셔본 적이 없습니다.
화령 (미소) 그럼 내가 가르쳐주마.

점프, 간단한 술상이 차려져 있고, 심소군과 화령 마주 앉아 있다.

화령 신기한 것을 보여줄까?

계영배(戒盈杯)에 술을 따라주는 화령.
그런데 술이 일정한 한도에 차오르자 새어 나가는 모습.

심소군 우와~!! 이게 뭡니까?
화령 계영배라는 것이다.
잔에 술을 7할 이하로 따랐을 때는~ 술이 조금도 새지 않지만
7할 이상 따르는 순간~ 모두 새어버려 아무것도 남지 않는다.
심소군 (신기하다는 듯 본다)
화령 (본다) 사람은 누구나 완벽하지 않아.
어쩌면 이 계영배처럼 작은 구멍이 뚫려 있을지도 모르지.

사실 국모인 나도 구멍이 숭숭 나 있다~!!

심소군 (피식)

화령 스스로 만족한다면 꽉 채우지 않아도 썩 잘 사는 것이다.
그러니 평범한 것이 젤루 어렵다는 말이 있질 않느냐.

심소군 하지만... 늘 뛰어넘지 못하는 제가 너무 한심스럽습니다...

화령 너도 왕세자가 되고 싶었느냐?

심소군 (고개 저으며 수줍게 웃는) 아니요. 그건 생각만 해도 머리가 아픕니다.

화령 그럼 넌 국본이 못 된 게 아니라 하지 않은 것이다.
근데 뭐가 한심해. 하기 싫은데 억지로 하는 것이 더 한심한 짓이지.

심소군 (본다)

화령 사람들은 이 계영배에서 넘침을 경계하지만.
난 말이다. 이 숭숭 뚫려 있는 구멍이 좋다.
비울 건 비우고, 필요 없는 건 새어 나가니까.
그러니 너도... 하고 싶은 건 해보고 맘에 안 들면 확 들이박고
고집도 좀 부리거라. 그래야 숨통이 트이지.

심소군 (슬며시 웃더니 끄덕. 그런데 웃는데 슬픈 눈)

화령 (보다가) 참. 그거 아느냐?
왕자들 중에 글을 가장 먼저 깨우친 게 너였다.

심소군 (눈 커지며) 정말입니까?

화령 (끄덕) 네 모친이 정말 자랑스러워했어.
그래서 너에 대한 기대가 컸던 것이기도 하다...
네가 글을 읽어줄 때. 정말 행복해 보였어. 네 엄마는...

심소군 (그제야 편하게 웃는다)

63 동궁전 마당 (오후)

까치발을 들고 높이 있는 '心昭君' 호패를 빼내는 심소군.
이제 호패틀에는 成柵大君, 啓晟大君, 武矸大君, 義聖君, 寶芡君이 남아 있다.
심소군 호패를 손에 쥔 채 뒤돌아선다.

[자막] 성남대군, 계성대군, 무안대군, 의성군, 보검군

64　동궁전 앞 (오후)

심소군이 나오다 멈춰 선다. 보면 그곳에 고귀인이 서 있다.
아무 말 없이 한동안 서로를 바라보는 두 사람.
심소군, 먼저 앞장서면 그 뒤를 따르는 고귀인.
마치 심소군이 가는 대로 엄마가 따라주는 느낌...
그 모습을 멀리서 지켜보는 화령과 신상궁.

신상궁　심소군과 고귀인 마마는 괜찮을까요?
화령　부모 자식 간에도 상처가 아무는 데는 시간이 필요하지 않겠느냐?
하지만 부모 자식 간에는 말로 다 설명하지 않아도 아는 게 있기도 하다.

멀어지는 심소군 모자를 바라보는 화령.

65　동은사, 서함덕의 거처 앞 (오후)

교지를 들고 결연한 표정으로 마당에 서 있는 계성.

계성　혜암스님 계십니까? 뵙기를 청합니다.
서함덕　(문 열고 나오며) 뉘시오?
계성　출가 전의 존함이 서함덕 되십니까?
서함덕　(서늘히 본다) 당신 누구야?
계성　(교지를 펼치며) 서함덕은 듣거라!
내 너를 어영대장에 임명하니 즉시 교지를 받들고 가마에 올라 입궁하라.
서함덕　(실소) 승려에게 어영대장이라니요? 사람을 잘못 보신 듯합니다.
계성　어명은 그러하나, 난 당신을 곱게 궁으로 데려갈 생각이 없어.

계성, 품에서 종이 꺼내더니 서함덕 앞에 펼쳐 보인다.
보면, 궁궐 평면배치도인 동궐도형이다!!

서함덕 (딴 사람 된 듯 살기 띠는) 어젯밤 내 방 뒤진 쥐새끼가 너구나....
계성 (매서운 눈빛) 경전 안에 왜 병법서를 숨겼는지, 벽지 뒤엔 왜 이 동궐도형을 숨겨뒀는지 그 이유부터 설명해야 할 것이다.

눈 돌며 동궐도형을 빼앗으려 달려드는 서함덕.
그 순간 들이닥치는 관군들!! 순식간에 포위되는 서함덕과 계성.
관군들의 창끝이 일제히 그들을 겨눈다!! 놀라는 두 사람.
그때 뒤에서 그들을 통솔하는 관군1이 다가선다.

관군1 (서함덕을 지목하며) 살인자 승려 혜암을 추포하라!!

그 말에 관군들의 창끝이 서함덕 쪽으로 향한다.

서함덕 (코너로 몰리며) 살인이라니?! 무슨 소리야?!
계성 (당황) 대체 무슨 일인가?
관군1 어젯밤 발생한 최길명 살인사건의 용의자요. (관군들에게) 끌고 가라!!

"이거 놔!! 놓으라고!!!" 몸부림치며 끌려가는 서함덕.
끌려가는 서함덕을 보는 계성의 당혹스러운 얼굴.

66 관아 마당 (오후)

복부에 자상이 선명한 최씨의 시신이 놓여 있다.
마당 의자엔 포박된 서함덕 보이고, 구경꾼들 사이엔 계성 보이는데.
증인(남자 30대)에게 다가서는 현감.

현감 저자가 죽은 최길명과 싸우는 걸 본 적이 있느냐?

증인	예... 어제 장터에서 아주 난리가 났습죠. 칼로 최씨 목을 겨누고 한 번만 더 눈에 띄면 목을 따버린다고 했습니다!

피 묻은 단도를 서함덕에게 내미는 현감, 손잡이엔 '慧菴'이 음각돼 있는데.

현감	네놈 것이 맞느냐?
서함덕	(멈칫. 이게 왜 여깄지?!) 맞긴 하지만.. 난 죽이지 않았소!!
현감	아니! 네놈은 죽은 자의 아내와 간통한 것이 들키자 이를 감추기 위해 싸우다가 결국은 살인을 저질렀다!
서함덕	(억울한데)
의성군	(E) 잠깐!!

사람들 일제히 소리 나는 쪽을 보면 발을 걷고 마당으로 내려오는 의성군 보인다.
의성군의 등장에 계성은 놀라는데...!!

의성군	현감... 자기 이름이 새겨진 칼을 현장에 놓고 가는 범인이라? 뭔가 이상하지 않소?
구경꾼들	(웅성웅성)
의성군	내 보아하니 죄인의 항변에도 일리가 있소. 죄인의 행적을 증명해줄 증인을 찾아 한번 더 심사숙고하기를 권하오.
현감	(숙이며) 알겠사옵니다. 어사나리...
계성	(그 모습을 의심스럽게 보는데)

67 옥사 내부 (오후)

의성군이 옥사 문을 열고 들어오자, 얼른 숙이는 서함덕.

서함덕	고맙습니다! 어사나리가 아니었다면 꼼짝없이 누명을 쓸 뻔했습니다.
의성군	한데 말일세... 사형을 면하긴 어려울 것 같네.

자네가 보기에도 증거와 증인이 너무 완벽하질 않은가?

서함덕 (고개 든다) 저는 아닙니다!

의성군 맞아. 자넨 아니야. 어제 자넨 최길명과 몸싸움을 벌이고 곧장 주막으로 갔어. 술을 먹고 나온 시각이 유시, 바로 동은사로 돌아갔지.

서함덕 예, 예!! 맞습니다.

의성군 그리고 최길명이 살해된 시각에 자넨 거처에서 자고 있질 않았는가?

서함덕 (쎄한 표정) 어째... 직접 본 것처럼 말씀하십니다?

의성군 (본색을 드러내며 낄낄 웃는다) 맞아. 자넨 내가 판 함정에 빠졌어.

ins 》길 일각 (어젯밤)

푹!! 최씨의 배를 찌르는 단도. 윽! 쓰러지는 최씨.

피 묻은 단도를 들고 있는 살인자 고개 들면 서서히 드러나는 얼굴, 의성군이다!!

현재 》

서함덕 너 이 새끼 정체가 뭐야?!!

의성군 (서함덕에게 교지를 보이며) 이 교지를 받고...

날 따라 궁으로 간다면 살인 누명은 벗게 해주지.

서함덕 (긴장하며 순간 멈칫하는!!)

의성군 두 발로 걸어서 나갈지 죽어서 나갈지는... 자네가 결정하게.

68 계룡산 숲길 → 동굴 앞 (오후)

동궐도형 뒷면에 그려진 지도를 확인하며 다급히 산길을 오르는 계성.

길을 알려주는 심마니와 동행한다. 지도엔 두 개의 붉은 좌표점이 찍혀 있고 그중, 한 군데 좌표를 짚으며 찾아가고 있는 모습인데.

앞장선 심마니를 따라가다 보면 어느새... 계성의 눈앞에 동굴이 하나 나타난다.

계성 여긴가?
심마니 (꺼리는) 예... 마을 사람들이 가끔 올라와서 기도하는 곳인데
어휴~ 영 꺼림칙해서 전 안 들어갈랍니다요.

69 동굴 내부 (오후)

음산한 기운이 감도는 동굴로 들어서는 계성.
내부는 무속인의 기도터인 듯 울긋불긋한 깃발이 걸려 있고
촛농으로 범벅된 제단엔 과일과 촛불이 놓여 있다.
계성, 제단 뒤에 걸린 무신도(巫神圖)를 묘한 눈길로 보다가 확 뜯어내자
숨겨진 뒤편의 모습이 드러나는데.
창, 화살, 도검 등 온갖 무기가 가득 쌓여 있다. 충격으로 바라보는 계성!!
급히 지도를 펼쳐 붉은 좌표점을 의미심장하게 바라본다.

계성 이건 무기고의 위치를 표시해둔 지도였어...
(고개 들며 날 선 표정) 서함덕이 역모를 꾸미고 있다...!!
권의관 (E) 마마...

70 황귀인 처소 (오후)

상기된 표정으로 서찰을 읽고 있는 황귀인.

권의관 (E) 아주 오랫동안 기다려온 일을.. 이제야 이룰 수 있을 것 같습니다.

71 관아 옥사 (오후)

삿갓을 쓴 권의관이 토지선생과 어딘가를 걸어간다.

권의관 (E) 곧 궁으로 돌아갈 것이니 그때까지 조금만 기다려주십시오.

그리고 멈춰 선 곳에 서함덕 있다!!
옥사를 사이에 두고 마주 선 권의관, 토지선생, 서함덕.

72 중궁전 침전 (오후)

놀란 얼굴의 화령, 오상궁을 본다.

화령 권의관이 황귀인을 담당한 적이 있단 말이냐?
오상궁 예. 몇 해 전 황귀인 마마의 위병증(胃病證: 위궤양)을
치료한 적이 있다 하옵니다.
화령 (혼잣말로 되짚는) 두 사람이 이미 알고 있는 사이였다...?
오상궁 그뿐만이 아니옵니다. 권의관을 동궁전 담당의관으로 추천한 이가
바로 황귀인 마마라 합니다.
화령 (확연히 굳는) 황귀인이?!

강한 의혹을 느끼는 화령의 얼굴에서_ 엔딩!!

10부

1 관아 옥사 (오후)

위기감이 고조된 모습으로 서 있는 권의관, 토지선생, 서함덕.

권의관 동궐도형을 뺏기다니요?!
무기고의 위치가 노출되면 우리 계획이 탄로 날 수도 있습니다.

서함덕 (급히 교지를 권의관에게 내민다) 그리고 이것도 한번 보셔야겠습니다.

권의관 (받더니 읽는데, 놀라는 눈빛) 이건 교지가 아닙니까?

토지선생 (놀라 서함덕 본다) 어영대장으로 임명했단 말입니까?

서함덕 금상은 대체 무슨 의도로 이런 교지를 내린 걸까요?

토지선생 함정일 수도 있습니다. 절대 섣불리 움직여선 안 됩니다!

권의관 아니요.
위험하지만.. 이게 기회가 될 수도 있을 것 같습니다. (의미심장)

2 황귀인 처소 (오후)

상석에 앉은 화령과 그 앞에 앉은 황귀인.
두 사람 사이에 묘한 긴장감이 흐른다.

화령 권오경 의관을 아십니까?

황귀인　세자저하를 치료했던 자를 말씀하시는 겁니까?
화령　예. 그자를 동궁전 담당의로 천거한 사람이 황귀인이라 들었습니다.
사실입니까?
황귀인　(놀라지만 침착) 일개 후궁이 어찌 왕세자의 담당의를 천거하겠사옵니까?
단지 제가 위병증으로 권의관의 도움을 받은 것을
아버님께 말씀드린 적은 있사옵니다.
화령　(표정 하나까지 놓치지 않고 본다)
황귀인　하온데 그건 왜 물으시옵니까?
화령　혹 황귀인을 통하면 그자의 소식을 알 수 있을까 싶어서요.
권의관을 다시 궁으로 불러들이려 하는데 연락이 닿질 않아서 말입니다.
황귀인　(미세한 반응) 그자를 궁으로 부르시려는 이유를 여쭤봐도 되겠습니까?
화령　(쓱 본다)

3　중궁전 침전 (오후)

고심하듯 깊은 생각에 잠긴 화령.

오상궁　(조심스럽게) 마마. 권의관이 저하의 죽음에 연관되었다
의심하시는 것이옵니까?
화령　뭔가 이상하지 않느냐? 갑자기 사라진 것도 그렇고
어디로 갔는지 자취가 묘연한 것도 그렇고... (아무래도 찜찜한 듯)
권의관의 고향으로 보낸 자에게선 아직 기별이 없느냐?
오상궁　계속 뒤를 캐고 있사오나 과거 행적을 찾기가 쉽지 않은 듯하옵니다.
화령　(굳고) 그럼 영상대감과 권의관 사이에 연관성이 더 있는지 알아보거라.
오상궁　예 마마.

그때 "마마. 마마!" 하며 뛰어 들어오는 신상궁.

신상궁　(숨이 찬) 마마. 무안대군이 지금 한성에 있답니다!
화령　뭐?! 무안대군이?!

신상궁　예.

화령　(대노) 지금 어딨어 그 새끼?!!

4　한성, 도성 거리 (오후)

다다다. 매우 긴박히 이동하는 가마꾼들. (* 1부 첫 등장처럼)
도성 거리를 가로지른다. 사복의 신상궁도 뛴다!!

5　혜월각, 초월 방 (오후)

발칵!! 문을 열고 불륜 현장 덮치듯 나타난 화령.
그런데 이불 속엔 서로를 폭 감싸 안은 무안과 초월 있다.
'저것들이 결국... 잤구나!' 화령, 이불을 확!! 걷어내려다가
둘 다 허연 속살을 드러낸 어깨가 보이자... 파르르 떨며 이불을 놓는다.

6　관아 옥사 (오후)

옥사를 향해 걸어오는 의성군, 서함덕 앞에 멈춰 선다.

의성군　그래.. 내게 할 말이 있다고?

서함덕　당신의 제안을 받아들이겠소. 교지를 받고 궁으로 가지요.

의성군　(눈빛과 태도 바뀌며) 잘 생각하셨습니다.
어명을 받들어 궁으로 모시겠습니다.

서함덕　대신. 조건이 있소이다.

7　옥사 외부 (오후)

의성군 옥사에서 나오는데, 그 앞을 가로막는 계성!

계성 서함덕을 궁으로 데려가선 안 됩니다.

의성군 왜? 내가 경합에서 이길 것 같으니까 불안하냐?

계성 저자는 역모를 꾸미고 있습니다.
승려들을 모아 반란을 도모하고 있는 역적입니다...!!

의성군 (역적?!)

계성 제 눈으로 동굴 속에 숨겨둔 무기까지 확인했습니다.

의성군 (순간 어이없는 웃음) 나보고 지금 네 말을 믿으라고?

계성 (품에서 동궐도형을 꺼내 보인다) 저자의 거처에서 발견한 것입니다.
여기에 왕의 침전과 편전으로 침투하는 길이 표시되어 있습니다!
게다가 지금 서함덕은 살해 혐의까지 받고 있질 않습니까?

의성군 (순간 흔들리지만, 욕망이 더 큰) 상관없어.
서함덕이 역모를 꾸몄든. 살인을 했든!
난 반드시 궁으로 데려갈 거니까.

계성 (벽으로 확 밀치며) 만약 끝까지 저자를 데려가시겠다면
제가 막을 겁니다! 아바마마께 모든 사실을 알릴 것입니다!!

의성군 (멱살 움켜쥐며) 그래 어디 한번 해봐. 대신 최선을 다해야 할 거다.
내 앞길 막으면 전부 죽여버릴 거니까. 그게 너라도...!!

8 관아 일각 (오후)

수하3에게 다급히 서찰을 건네는 의성군.

의성군 쉽 없이 가거라.
반드시 계성대군보다 먼저 도착해야 할 것이다.

9 들판 (오후)

"으랴!!" 말을 타고 질주하는 계성.

계성 (E) 서함덕을 태운 가마가 궁에 닿기 전에 이 모든 사실을 알려야 한다!

말고삐를 내리치며 박차를 가하는 계성.

10 행수 방 (오후)

화령, 뒤돌아 서 있는데 분노의 아우라가 느껴진다.
무안이 들어서면, 감금하듯 문 닫고 그 앞에 서는 신상궁.

화령 (격한 분노로 획 돌아보며) 이런 쌍노무 새끼!
무안 쌍놈이라니요. 엄연히 왕족인데-에!
화령 (아오) 그래! 왕자란 놈이
경합 중에 딴 길로 새서 여자랑 한 이불을 덮고 있어?
무안 사랑에 빠진 게 죄는 아니지 않습니까?
화령 (버럭) 뭐가 이렇게 당당해?!!
무안 (움찔)
화령 됐고!! 너 이미 자격 없어!
당장 동궁전에 가서 호패 회수해. 네 손으로 직접!!
무안 넵! 안 그래도 그럴 생각이었습니다~!
화령 (기가 차고) 뭐-어?
무안 사실 왕세자엔 요만큼도 욕심 없습니다.
까놓고 그건 어마마마 욕심이지~ 제가 하고 싶다고 한 건 아니잖아요~!
화령 신상궁...! 얘 당장 끌고 나가.
내 손으로 죽이기 전에 당장!!!

본능적으로 뒷걸음질 치며 신상궁 뒤에 숨는 무안.

화령 너 그 아인 어떻게 할 거야?

무안　(신상궁을 방패로 삼고) 저 초월이에게 진심입니다...!!
내 여자가 됐으니 끝까지 책임지겠습니다.
화령　내 여자? 여자가 무슨 물건이야? 니 거 내 거 하게?!
무안　그래도 책임은 져야 진정한 사내 아니겠습니까!
초월이를 제 첩으로 들일 수 있게 허락해주십시오!!
화령　(실망) 뭐? 첩?! 아직 혼인도 안 한 놈이
연모하는 여인을 첩으로 들이려는 생각밖에 못 해?!
무안　(살기를 느끼고 더욱 신상궁 뒤로 숨는다)
신상궁　(막아준다) 대군마마... 어서 자리를 피하시지요. 어서!!
무안　(빛의 속도로 사라진다)
화령　(단전에서부터 밀려드는 분노 누르며. 하...) 그 아인 어디 있느냐?

11　혜월각, 초월 방 (오후)

여자 대 여자로 앉아 있는 화령과 초월.

화령　내 너에게 했던 당부를 잊은 것이냐?
초월　잊지 않았습니다.
해서 저도 노력했사옵니다. 노력하면 될 줄 알았사옵니다.
화령　마음을 잘라내는 게 어디 쉬운 줄 알았더냐?
그래서 더 깊어지기 전에 내 막으려 했던 것이다.
초월　.....
화령　저 녀석이 다른 양반사내들과 다를 것 같으냐?
너한테 진심이라면서 고작 첩으로 들인다고 하더라.
내 자식이지만 아직은 네 인생을 맡길 만한 놈은 못 돼.
초월　제 인생을 맡길 생각 없습니다.
전 대군과 마음을 나누는 지음으로만 남아도 족하옵니다.
화령　(한동안 보다가) 지금이라도 무안대군에 대한 네 마음을 끊어내거라.
초월　인연을 정리하라 하시면 그리하겠습니다.
허나. 마음을 끊어내는 것은 약속드릴 수 없습니다.

화령 (본다)

초월 마음을 준 것도 키운 것도 모두 제 선택이었습니다.
마지막도 제가 선택하게 해주십시오.

화령 (참 괜찮은 아이인데 안타깝고) ...

긴 숨 뒤 일어서는 화령, 나가려는데.

초월 마마께서는 다른 분인지 알았습니다.

화령 (멈춰 선다)

초월 신분이 천하다 해서. 또 여자라 해서 그 삶이 다르지 않아야 한다...
그리 가르쳐주신 게 마마라 들었습니다.
해서 이 혜월각도 만드신 것 아닙니까?

화령 (뭔가에 맞은 듯한.. 그러나 마음 다잡고) 차라리 원망하거라.
나도 내 자식 일 앞에선 이기적이고 말뿐인 사람이니까.

화령, 그대로 나가버리면 홀로 남겨지는 초월.

12 혜월각 마당 (오후)

무거운 걸음으로 나와 마당을 걷는 화령과 신상궁.
그때 화령의 눈에 들어오는 여종.
나무 그늘 밑에서 아이를 품에 안고 자장가를 흥얼대며 토닥이는 모습.
화령, 그 모습을 먼발치에서 지켜보는데...

13 양반집 대문 앞 (낮) (몇 년 전 과거)

누군가를 빙- 둘러싼 채 서 있는 사람들.
"처녀가 애를 뱄으면 부끄러운 줄 알아야지!", "낯짝도 두껍네..."
그때 사람들 틈으로 들어서는 화령과 행수.

행수 제가 말씀드린 이가 저 여인입니다.

화령 (쓱 보면)

옷이 찢긴 만삭의 여종(앞 씬 동일)이 죄인처럼 한가운데 앉아 있고
대문 앞 높은 곳엔 젊은양반이 서 있다.

젊은양반 네 이년! 감히 상전에게 누명을 씌워서 관아에 발고를 해?!

여종 누명이라니요? 도련님께서 저를 겁탈하셨질 않습니까...?

젊은양반 (움찔. 더욱 흥분) 아직도 정신을 못 차렸구나! 뭣들 하느냐?

젊은양반의 호통에 돌팔매를 시작하는 노비들.
그런데 구경꾼들은 오히려 여종에게 손가락질한다.
"지가 몸을 막 굴린 게 잘못이지", "창피한 줄 알아야지..."

구경꾼들 (그때 뭔가를 보고 당황) 어? 어?!

보면, 화령이 여종을 향해 걸어가고 있다.
행수 다급히 말려보지만, 날아드는 돌에도 아랑곳하지 않는 화령.
퍽! 퍽! 어깨와 허리에 돌을 맞기도 하는데...
그 모습에 구경꾼들 웅성웅성, 노비들은 흠칫하며 멈춘다.

화령 (여종 앞을 막아선다) 이 뭐 하는 짓입니까?

젊은양반 품행이 방자한 여종을 가르치는 중이니 상관 말고 가던 길이나 가시지요.

화령 가던 길이나 가기엔 서로의 말이 너무 다른 것 같아서 말입니다.
(여종과 눈을 맞춘다. 묻는) 겁탈당했다는 것이 맞느냐?

여종 (잔뜩 겁에 질렸지만, 용기 내서 끄덕끄덕)

젊은양반 저년이...!! (노비들을 획 보며 턱짓)

노비들 (돌을 주워 드는데)

여종 (!!! 다급히) 여기 계시다간 다치십니다. 전 괜찮으니 어서 가십시오.

화령 나도 괜찮다. (웃어주더니) 내 뒤에 바짝 붙어.

여종 (화령의 치마 쪽으로 바짝 붙으며 몸을 숨기면)
화령 나리께서 이 여인을 겁탈했다는 것이 사실입니까?
젊은양반 겁탈이라니요?! 색을 밝히는 저 천한 것이 팔자 한번 고쳐보려고
내게 꼬리를 친 것이오!
화령 (저벅저벅 걸어가기 시작한다)
젊은양반 (멈추지 않고) 몸을 막 굴리는 계집이니
뱃속의 아이도 내 애가 아닐 수도 있지... (하는데)
화령 (젊은양반의 뺨을 날린다)
구경꾼들 (경악) !!!!
젊은양반 (뺨 잡고) 네, 네 이년!! 감히 내 몸에 손을 댔느냐?!
화령 그래 대었다! 여인을 겁탈한 것도 모자라 음해하고, 모욕하고
또 다른 가해를 범하고 있질 않느냐?!
젊은양반 (눈이 돌고) 이년이 미쳤나? 뭣들 하느냐?! (노비들에게 턱짓하자)

몽둥이를 들고 화령에게 달려드는 노비들.
그때 퇴청하던 중년양반이 놀라서 소리친다. "중전마마!!"

중년양반 (얼른 달려와 화령 앞에 엎드리며) 아이고 괜찮으시옵니까 중전마마!
젊은양반 (너무 놀라 다리 풀리며 풀썩)
구경꾼들 !!!!!
노비들 !!!!!

구경꾼들 화령을 향해 모두 숙이고,
사색이 된 채 엎드리며 바들바들 떠는 젊은양반.

화령 어찌할까요? 제가 주상전하께 주청을 올려 시비를 한번 가려볼까요?
젊은양반 주.. 죽을죄를 지었습니다. 용서해주십시오 중전마마!
화령 용서를 빌 대상이 틀린 것 같습니다.
젊은양반 (어이쿠. 고개를 마구 조아리며) 내가 잘못했다 어리야. 내 너를 겁탈한
것도 모자라 모든 책임을 뒤집어씌웠느니라... 용서해다오.
여종 중전마마.. 충분히 위로가 되었으니 이제 그만하시길 간청드리옵니다.

마마께서 떠나시면 이년의 삶은.. 더 가혹해질지도 모르옵니다...

여종에게 손을 내미는 화령. 여종 눈이 동그래져서 보면.

화령 내 이미 네 인생에 끼어들었느니라.
여종 (머뭇댄다)
화령 (괜찮다는 듯 끄덕이면)
여종 (손곱 낀 손을 내밀어, 화령의 손을 잡는다)

14 혜월각 마당 (오후) (과거)

여종의 손을 잡고 혜월각으로 들어서는 화령.
행수도 그 뒤를 따른다.

화령 오늘부터 이곳이 네가 지낼 곳이다.

주변을 둘러보던 여종의 입이 벌어진다.
대청마루엔 바느질하는 여인들이 여럿 보이고 마당엔 아이들이 뛰어논다.

화령 (행수 본다) 안내해주게.

아직은 낯설어하며 행수를 따라나서는 여종의 모습.

현재 》이제는 평안한 모습의 여종, 아이를 품에 안아 재우고 있다.
그 모습을 보던 화령, 이내 초월의 방으로 시선이 향한다.

화령 자네도 내가 초월이에게 너무한다 생각하지?
신상궁 (그저 말없이 본다)
화령 (쓰게 웃는) 내게 한마디도 지지 않는 걸 보면
그래도 이곳에서 잘 자라준 것 같구나...

신상궁　(조심스럽게) 아무래도 마마와의 인연이 예사롭지 않은 아인가 봅니다.
이 혜월각도 결국 그 아이로부터 시작되지 않았습니까?

화령　(생각에 잠기는데)

ins 》혜월각 마당 (낮) (20년 전)
햇살에 나른한 두 임신부.
대청마루에는 미혼모와 화령이 나란히 앉아 배에 손을 얹고 있다.
신분의 차이를 넘어선 친구 같은 느낌.

화령　아이 이름은 정했느냐~?

미혼모　예~ 저는 왠지 딸일 것 같사옵니다. 해서 초월이라 할 것입니다~

화령　초월이라... 참 이쁜 이름이로구나~ (하다가 갑자기 피식 웃는다)

미혼모　왜 그러시옵니까~?

화령　(배에 손 톡톡) 이 녀석이 그 이름을 듣더니
갑자기 반응해서 말이다~ (웃는)

대청마루에 앉아 웃음 짓는 젊은 화령과 미혼모.

현재 》두 사람을 보며 옅게 웃는 화령. 그러나 환영은 곧 사라진다.
복잡한 감정으로 마당 한가운데 서 있는 화령.

15　동궁전 마당 (오후)

둥둥둥 북소리 울리는 가운데
'武犴大君' 호패를 빼내는 무안.
호패틀에는 成枏大君, 启晟大君, 義聖君, 寶芡君만이 남아 있다.

[자막] 성남대군, 계성대군, 의성군, 보검군

16　만월도, 바닷가 (오후)

탁 트인 푸른 바다.
그 평화로운 풍경과는 달리 심각하게 고뇌 중인 보검군, 손엔 대통 들려 있다.

ins 》당일 아침, 박경우의 집 마당
새끼줄에 엮인 조기 두 마리 중 한 마리를 확 빼내는 박경우.

박경우　하루 남았소. 약속한 대로 내일 동트면 여기서 나가시오!!

현재 》남은 시간이 얼마 없음을 실감하며 초조해지는 보검군.
당장이라도 열 것처럼 대통을 들어보지만, 차마 그러지 못하고 내려놓는다.

17　민가 마당 (오후)

박경우가 관찰한 가운데, 장부를 확인하며 배분될 양을 알려주는 약장.
도민1은 말(升: 18l, 전통 계량도구)로
도민2는 되(斗: 1.8l, 사각형 나무바가지)로 쌀을 퍼서 자루에 담아 배분한다.

약장　(장부 확인하며) 신백덕 세 소쿠리니까. 네 말 다섯 되(45되) 드리시고~
황순옥은 한 소쿠리니까. 한 말 다섯 되(15되) 드리면 됩니다~

쌀을 배분받은 도민들은 모두 만족한 표정인데
그 모습을 지켜보는 성남의 표정은 쎄하다. 그 옆으로 다가서는 보검군.

성남　이상하지 않냐? 적어도 백합 한 소쿠리당 세 말은 쳐줘야 하는데
실제로 배분되는 건.. 한 말 다섯 되뿐이야.
보검군　(심각) 예. 도민들에게 돌아간 건 수익의 절반밖에 되지 않습니다.
2할은 구전이라 쳐도, 3할이 증발했습니다.
성남　(박경우 날카롭게 주시) 아님. 누가 빼돌렸거나.

두 왕자 (서로 마주 보는데)

18 박경우 집 마당 (오후)

석쇠 위에 백합을 2열 횡대로 나란히 줄 세워 굽고 있는 청하.
장작에 호호 입바람 부는데. 익은 백합이 톡. 톡. 톡 입을 열기 시작한다.

청하 오 열렸다~!!

그때 마당으로 들어서는 성남과 보검군.

청하 (막 자랑하고 싶어서) 이거 제가 구운 건데~~ 맛 좀 보시겠습니까~?
성남 (정중) 괜찮습니다.
보검군 (손으로 사양)

청하를 지나쳐 각자 흩어지는 두 왕자.
보검군은 안방으로 들어서고, 성남은 쇄금이 굳게 내걸린 창고로 향한다.
그런데 성남, 닫힌 창문을 힘으로 열더니 훽!! 넘어 안으로 들어간다.
놀라는 청하! 창문을 들여다보면 곳곳을 뒤지기 시작하는 성남 보인다.
딱 도둑질하는 모양새.

청하 (!!! 헐) 뭐 하십니까? 이러시면 아니 되옵니다!
성남 (그러나 아랑곳하지 않고 샅샅이 뒤지자)
청하 주인도 없는데 이리 막 뒤지시면... 망을 봐드리겠사옵니다!!!

하더니 미어캣처럼 망을 보기 시작하는 청하.

19 동 창고 내부 (오후)

성남, 쌓여 있는 쌀가마를 들춰보는데 내용물은 평범한 곡물이다.
그런데 높은 선반에 놓인 광주리가 하나 보인다.
쌀가마를 딛고 올라서는 성남, 광주리 안을 보면 보자기에 싸인 뭔가가 있다.
얼른 풀어보는데...

20 박경우 집 창고 앞 (오후)

창고 앞에서 망을 보던 청하의 눈이 커진다. "어?!"
박경우와 약장이 언덕으로 올라오고 있기 때문!!

21 동 창고 내부 (오후)

성남, 보자기 안의 내용물을 살피면 여러 권의 장부다.
그 순간. 쿵쿵쿵! 마구 문을 두드리는 소리.

청하 (E) 얼른 나오세요!! 사람들 올라오고 있어요~!

성남, 급히 몇 권을 들어 살펴보면 '滿月島 置簿冊'이라 쓰여 있고
각 권마다 癸酉年, 甲戌年, 乙亥年... 연도가 기재돼 있다.

성남 만월도 치부책? (장부를 넘기며 기록을 살피기 시작하고)

[자막] 치부책(置簿冊): 돈이나 물건이 들고 나는 것을 기록한 책

성남 (얼굴이 점점 굳는) 박경우....!!
대체 이 많은 돈을 어디다 빼돌린 거야?

22 동 마당 (오후)

황급히 창문을 넘어 착!! 착지하는 성남. 그런데 느낌이 쎄하다.
성남 앞에 박경우가 화난 얼굴로 서 있다. 난감한 얼굴의 청하.

점프, 바닥으로 내동댕이쳐지는 봇짐과 소지품들.
그 앞엔 성남과 보검군 서 있다.

박경우　(확연히 굳은) 이 무슨 근본 없는 짓입니까?!
남의 집을 멋대로 점거한 것도 모자라 함부로 뒤지기까지 하다니요?
두 왕자　(뭔가 말하려는데)
박경우　당장 이 섬에서 나가시오!!!

23　만월도 일각 (오후)

흙 묻은 짐을 털고 있는 보검군, 막막한데.
자신의 짐을 흙바닥에 툭 던지더니 품에서 치부책을 꺼내 드는 성남.

보검군　그건 뭡니까?
성남　(치부책 펼친다) 만월도 치부책.
저자가 도민들한테 받은 돈과 나눠준 돈이 여기 다 정리돼 있어.
보검군　하지만 그걸로 뭘 알아낸다 해도
이리 쫓겨난 마당에 저 선생이 꿈쩍이라도 하겠습니까?
성남　(치부책 넘겨보며) 이 많은 돈을 편취한 게 맞다면
이 섬에서 당장 쫓겨나야 할 사람은 우리가 아니라 저자야.
보검군　자격을 판가름할 권한은 우리에게 없습니다.
박경우를 궁으로 데려가는 것까지가 저희 임무 아닙니까?
차라리 설득할 방법을 찾으시지요.
성남　아니. 난 저자를 설득해서 궁으로 데려갈 생각 없어.
백성들 등쳐 먹는 양반이 있는 걸 알았으니 어떻게든 바로잡아야지!
난 끝까지 파헤칠 거야.

보검군 (성남을 보는 눈빛이 조금 달라진다)
성남 그러니까 너도 함께할 생각이면 품에 숨긴 것 좀 꺼내봐.
보검군 (보다가 품에 숨겨둔 저서를 꺼낸다)

두 왕자, 눈이 마주치는 순간
교환하듯 들고 있던 서책을 서로에게 던진다.
성남은 저서를, 보검군은 치부책을 받아 들더니 펴서 읽기 시작한다.
그렇게 한동안 각자의 서책을 보는 두 왕자. 점점 표정이 묘해진다.

성남 (저서를 보니 퍼즐이 맞춰진다)
보검군 (치부책 보다가) 이제야 조각이 좀 맞춰지네요.
성남 (흥미롭다는 듯) 박경우 이 사람.. 진짜 재밌는 사람이네.

잠시 생각에 잠겼던 보검군, 소매에서 대통을 꺼내더니 멀리 던져버린다.

성남 뭐냐?
보검군 형님과 끝까지 함께한다는 뜻입니다.
성남 (보다가. 피식)

24 궐내 부용지 (오후)

생각에 잠긴 채 부용지를 바라보는 이호.
화령, 그 옆으로 다가와 나란히 선다.

화령 무슨 생각을 그리 골똘히 하십니까?
이호 (쓰게 웃는) 대신들의 반대를 어떻게 무마할지 궁리 중입니다.
결국 그것이 이 경합의 마지막 산이 되겠지요. (멀리 본다)
화령 (같은 곳을 보며) 예. 그 산을 넘어서야
택현의 의미를 살릴 수 있을 것이옵니다.
이호 (끄덕인다. 다시 한번 마음을 다잡는 표정) 어마마마께서 자리를 털고 일어나셨으니 가만히 계시지는 않겠지요.. 허나 이번만큼은 누구의 뜻에 의해서가 아니라 진짜 실력으로 왕재를 찾아내야 합니다.

25 만월도, 약장의 집 마당 (늦은 오후)

이곳은 시끌벅적한 잔치 분위기.
그 주위를 뛰어놀고 있는 연지와 아이들도 보인다.
도민들 사이에 앉아 기분 좋게 술을 한잔 마시고 있는 박경우. 뿌듯한 미소.
그런데 마당으로 들어서는 성남과 보검군.

박경우 (차갑게) 왜 아직도 안 떠난 거요?
성남 선생께 아직 볼일이 좀 남아서요.
박경우 더 볼 일이 있소?
날 의심해서 뒷조사나 하러 다니고 집까지 뒤질 땐 언제고.
성남 백성의 등골이나 빼먹는 부패한 자라면
속곳까지 뒤져서라도 사실을 확인해봐야 하지 않겠습니까?
박경우 해서 뭐 좀 찾아내셨소이까?
성남 예. 도민들에게 구전을 곱쳐서 폭리를 취하고, 심지어 3할을 더 착복한 정황이 여기 있더라구요. (치부책을 술상 위에 올린다)
박경우 (여유 있게 자작하며) 인재를 임용하는 것은 그릇을 쓰는 것과 같다 했습니다. 내가 백성을 수탈한 것을 알게 되셨다 하니, 깨진 그릇은 이만 버리시지요.
성남 버리는 것도 방법이겠지만, 그 전에 조각난 파편들을 하나로 모아 봤습니다. 그랬더니 선생이 빼돌린 돈의 행방이 보이더군요.
보검군 예. 구전으로 떼간 돈은 마을 사람들의 의창 빚을 갚는 데 쓰였습니다.
오늘이 의창에서 대출받은 곡식을 마지막으로 갚는 날이더군요.

[자막] 의창(義倉): 흉년과 비상시에 저장한 곡식으로 백성을 구제했던 구호 기관

성남 그리고 추가로 뗀 3할의 행방은 이 자리에 있습니다.

박경우　(흥미롭다는 듯 보면)

성남　(도민들을 쭉 본다) 선생께선 그 돈으로 마을 조합을 만드셨고
상점을 운영해 백합을 채취하지 않는 비수기에도
생계를 유지할 수 있게 했습니다.

보검군　결국 3할은 도민들이 자립할 밑천이 됐습니다.
이제 만월도는 선생이 안 계셔도 잘 돌아갈 겁니다.

성남　예. 목표하신 대로 경제적 자립을 이뤘으니까요.

박경우　(피식 웃더니) 맞소. 그쪽들 말이 맞습니다.
근데 이걸 어쩌나? 난 나랏님을 위해 일할 생각 없는데?

보검군　나랏님이 아니라 백성을 위해서라면요?

박경우　(본다)

성남　저희와 함께 궁으로 가신다면
(저서를 치부책 위에 포개 올리며) 선생께서 지금까지 만드신 이론을
백성들을 위해 쓸 수 있도록 돕겠습니다.

마당에서 뛰어노는 연지와 아이들을 보는 성남.

성남　그러니 이 땅의 또 다른 연지와 아이들을 위해 일해주십시오.

박경우　(보다가) 하하하. 아버지 닮아 두 분 다 똑똑하십니다.

보검군　(신분을 알자 놀라는) 저희 아버님을 아십니까?

일어나더니 예를 갖추는 박경우, 이전과는 다른 눈빛과 태도.

박경우　내 비록 주상의 신하는 되지 못했지만
한때는 뜻을 함께했던 벗이었습니다.

두 왕자　(놀라서 본다)

박경우　(본다) 좋습니다. 내일 아침에 바닷길이 열리면 출발하시지요.

서로를 바라보는 성남과 보검군. 피식 미소.
그런 왕자들을 지켜보는 박경우의 얼굴 위로-

이호 (E) 내 자식들이자, 다음 왕세자 후보를 보내네...
자네의 눈으로 직접 왕재를 선발해주게.

ins 》박경우의 방 안 (낮) (며칠 전)
옥쇄가 찍힌 이호의 서찰을 읽고 있는 박경우.

이호 (E) 나의 신하는 될 수 없다 했지만,
세자의 스승은 될 수 있지 않겠는가? 벗으로서 부탁하네.

서찰을 접어 나무 상자에 넣는 박경우.
그런데 그 안에 꽤 많은 양의 서찰이 들어 있다.

현재 》왕자들을 바라보는 박경우.

26 황원형 사가, 사랑채 방 안 (밤)

비방서를 보고 있는 황원형.
그 앞엔 우의정과 이판이 앉아 있다.

우의정 (경악) 성남대군이 전하의 친자가 아니란 말입니까?!
이판 예, 게다가 중전마마께서 회임하신 시기가.. 선왕의 상중이었다 합니다.
황원형 (비방서 내려놓으며) 전하의 씨가 아니라면 당장 궁에서 쫓아내야지요.
이판 이렇게 대군 하나가 또 날아갑니다. 하하.
황원형 웃기엔 이릅니다. 아직 최종 심사가 남아 있습니다.
우의정 한데 주상께선 최종 심사를 어떤 방식으로 하려는 걸까요?
이판 배동 선발과 동일한 방식 아니겠습니까?
황원형 그럴 리가 있겠습니까? 주상이 어떤 사람인데요...
저리 자신만만하다는 건 필시 다른 꿍꿍이가 있다는 겁니다.
택현에 경합을 끌어들였을 때부터 뭔가 계획했을 수도 있어요...
대신들 (잔뜩 긴장하는데)

27　왕의 침전 (밤)

비방서를 거칠게 내려놓는 이호!! 그 앞에 민승윤 앉아 있다.

이호　정녕.. 이 비방서가 도성에 돌고 있단 말이냐?!
민승윤　예, 전하. 이미 심산유곡부터 궐 안까지 파다하게 퍼진 상태이옵니다.
이호　(두려운 느낌도) 도성을 샅샅이 뒤져서라도 모두 수거하거라!

28　중궁전 침전 (밤)

비방서를 확 구겨버리는 화령. 그 앞엔 신상궁이 서 있다.

신상궁　소문이 걷잡을 수 없이 돌고 있사옵니다.
화령　(순간 불안함으로 굳는) ....

ins 》민가 마당 (낮) (세자빈 시절 과거)
갓난아이를 안아 들고 멀어지는 대비의 뒷모습.
뛰어나온 화령이 소리친다.

화령　제 아일 돌려주십시오...!!

멈춰 서는 대비. 서서히 고개를 튼다.

대비　계보에 오를 수 없는 불길한 왕잡니다.
세상에 없다 생각하세요...

갓난아이를 데리고 돌아서는 대비. 그 아이의 목엔 점이 있다.
화령 뒤쫓아보지만 곧 여인들에게 붙잡히고 만다.

"이거 놔!!" 울부짖지만. 유유히 멀어지는 대비.

현재 》기억을 떠올리는 것만으로도 괴로운 화령.

화령 (위기감과 분노) 대비마마께서 그리 자신만만했던 이유가
바로 이거였어...!!

29 만월도, 박경우의 집 (이른 새벽)

푸르스름한 새벽녘의 바다 풍경.
성남은 마루에 앉아 바다를 보고 있는데. 그때 뒤에서 삐그덕. 삐걱.
마루 밟는 소리 들려오더니 성남 옆에 쓱- 앉는 청하.
청하가 옆에 앉는 것을 느끼지만, 바다만 보는 성남.
앞에 있는 바다는 안 보고, 옆에 있는 성남만 보는 청하.

F.B 》4부 43씬. 약방 내부 (오후)

성남 전 지금 그 약이 꼭 필요하단 말입니다...!! (중략)
값은 나중에 와서 꼭 치를 테니 약을 지금 주시면 안 되겠습니까?

성남, 절박하게 약재상에게 애원하는데.

청하 제가 담보를 걸겠습니다.

놀란 얼굴의 성남이 청하를 본다.
옷에 걸린 노리개 형식의 장도를 손으로 뚝 끊어내는 청하.

청하 (약재상에게 장도 건네는) 저자가 약값을 치르면, 다시 제게 돌려주시고
그러지 못하면 그냥 팔아서 쓰세요.

쓰개치마 다시 두르며 돌아서 가는 청하.
성남, 멀어지는 그녀 본다.

현재 》조심스럽게 묻는 청하.

청하　근데... 그때 아프셨던 분은 어찌 되셨습니까?
성남　(잠시 말을 못 잇다가) 약을 먹고 잠시 쾌차했으나
형님은 결국 병이 악화되어 돌아가셨습니다.
청하　아... 형님이셨구나.
(실례가 된 것 같고) 죄송합니다. 괜한 얘길 꺼내서.
성남　아니요. 담보를 걸어주신 덕분에 약을 샀고
잠시나마 형님과 대화를 나눌 수 있었습니다. 고맙습니다.
청하　(그렇다면 다행이고)
성남　(진중히 본다) 근데 정말 저 때문에 만월도까지 오신 겁니까?
청하　네. 선비님이 만월도에 계신다고 해서 바로 달려왔습니다~
성남　(청하 본다. 정말 궁금한 듯) 왜요?
청하　쿵. 쿵. 쿵. 이게 원래 제 심장 뛰는 속도거든요.
근데 그쪽만 보면 쿵쿵. 쿵쿵. 쿵쿵. 정상으로 뜁니다.
성남　(도무지 이해가 안 가고) 무슨 소리십니까?
청하　제가 좋아한다구요~ 선비님을요. (씽긋)
성남　(....당황!! 얼른 바다 쪽으로 다시 고개 돌려버린다)
청하　(뭔가를 보고) 우와~~!!

보면 먼동이 트며 바다에서 서서히 해가 떠오르고 있다.
웅장하면서도 아름다운...

청하　예쁘다~~~
성남　(자신도 모르게 그런 청하를 보는데)
청하　(시선 느끼고 쓱 성남을 보면)
성남　(피하지 않고 보다가 다시 바다를 본다) 진짜 예쁘네요...
청하　다음에 또 이렇게 예쁜 일출을 보게 되면~

분명 제 생각이 나시겠지요? (씽긋)

그렇게 한동안 말없이 일출을 바라보는 두 사람.
그때 발칵! 안방 문이 열리며 등장하는 박경우, 말끔하게 의복을 정제했다.

박경우 (성남을 향해) 안 가십니까?

성남, 청하 돌아보면 마루로 나오는 박경우와 보검군.
그 모습을 보는 성남.

30 몽타주 (낮 → 오후)

 # 만월도 노둣길 → 대동여지도
박경우의 궁가마가 이동하면 펼쳐지는 대동여지도.
지도 위엔 목적지인 궁궐이 보이고,
왕자들의 이동로가 붉은 선으로 나타나는데
그중 계룡산에서부터 이동한 좌표 속으로 빨려 들어가면...

 # 민가 거리
서함덕의 가마가 보인다. 그 뒤로는 말을 탄 의성군이 따르는데.

 # 산길
"으랴!!" 질주하는 계성.
밤새 달려온 듯 지친 모습이 역력하지만 끝까지 힘을 내본다.

31 황원형의 사가, 대문 앞 (오후)

막 도착한 수하3, 다급히 말에서 내려 대문으로 뛰어 들어간다.

32 동 마당 툇마루 (오후)

확!! 서찰을 펼치는 황원형, 툇마루에 서 있다.

수하3 (거친 숨 몰아 내쉬며) 의성군께서 서함덕을 궁가마에 태워 한성으로 오고 있사옵니다.

반색하는 황원형, 급히 서찰을 읽어보는데... 점점 굳어가는 얼굴!!

의성군 (E) 서함덕을 회유하기 위해 양민을 살해했습니다.
한데 그자가 제게 조건을 하나 제시했습니다.

ins 》6씬. 관아 옥사 (오후) 이어지며-
마주 서 있는 의성군과 서함덕.

서함덕 같이 온 어사 놈을 죽여주시오.
그리고 죽었다는 증좌를 내게 가져다주시지요.
그걸 가져와야 입궁할 것입니다.

33 황귀인 처소 (늦은 오후)

서찰을 다 읽고 내려놓는 황귀인!
그 앞엔 혼란스러운 표정의 황원형 앉아 있다.

황귀인 빨리 움직여야겠습니다. 대비마마까지 딴맘을 품고 있으니 이참에 계성대군을 확실히 처리해야겠어요.

황원형 대체 무슨 생각을 하시는 겁니까?! 또다시 대군을 건드렸다가 일이 잘못되면 멸문지화를 당할 수도 있습니다.

황귀인 그렇다고 의성군을 살인자가 되도록 내버려둘 순 없지 않습니까?!

계성대군을 엮어서 중전까지 끌어내릴 수 있는 절호의 기회입니다.

F.B 》9부 54씬. 황귀인 처소 (아침)
나전칠기 상자에서 비단 두루마리를 꺼내더니 내미는 고귀인.
황귀인, 받아서 쓱 펼쳐보는데 여인의 모습인 계성의 초상화가 드러난다!!

현재 》기회의 미소를 짓는 황귀인.

황귀인 그러니 아버님은 입이 무거운 무사들을 서둘러 보내세요.
계성대군은 한성으로 오는 가장 빠른 길을 택했을 겁니다.

34 돈의문 근방 (밤)

어둠 속, 말발굽 소리 가까워지며 모습을 드러내는 계성.
곧 돈의문을 지나는데... 순식간에 진로를 막아서는 자객들!
놀라는 계성!! 말에서 내려 골목으로 도주하는데...
그 뒤를 자객들이 바짝 추격한다. 그러나 막다른 골목에 이르고 만다.
뒷걸음질 치는 계성, 모든 칼날이 그를 겨누고 더 이상 도망칠 곳도 없는데!!

황귀인 (E) 절대 몸에 상처를 내서는 안 될 것입니다.
일단 생포하는 것이 첫 번째입니다.

계성의 목을 뭉툭한 검 끝으로 세게 내리치는 복면의 수하1.
정신을 잃고 쓰러지고 마는 계성!!
수하1, 계성의 품에서 동궐도형을 찾아 꺼내 든다.

35 다시, 황귀인 처소 (늦은 오후)

황귀인 증좌를 손에 쥐고 나면 제가 나설 차례입니다.

전 계성대군이 죽어 마땅한 이유를 만들 것입니다...

36 왕의 침전 내부 (밤)

고조된 긴장감 속에 이호를 보는 황귀인!

이호 (본다!!) 방금 무어라 하셨습니까?

황귀인 (죽음을 각오한) 계성대군은 절대 세자가 될 수 없다 말씀드렸습니다.
추악한 본성과 부도덕한 마음을 품고 있지요.

이호 대체 무슨 근거로 그런 말씀을 하시는 겁니까?!

황귀인 (승부수를 던지듯 본다!!) 증좌가 있습니다.
가보시면 알게 되실 것이옵니다.

37 깊은 숲속 (밤)

나무에 걸린 밧줄이 당겨지면, 목에 밧줄이 감긴 계성이 쭉- 올라간다!!
의식을 찾으며 컥컥대는 계성.
바닥엔 신발이 가지런히 놓여 있고. 그 옆엔 유서가 보인다.

황귀인 (E) 시신과 함께 유서가 발견된다면..
아무도 의심하지 않을 겁니다.

38 황귀인 처소 (늦은 오후) (회상)

모든 게 완벽하다는 듯 미소 짓는 황귀인.

황귀인 결국 계성대군은 자신의 비밀이 탄로 나서
스스로 목숨을 끊은 왕자가 될 것입니다.

황원형 (흠.... 끄덕)

황귀인 주상도 계성대군의 비밀을 알게 된다면 조용히 덮으려고 하겠지요.

39 고귀인 처소 (밤)

이호와 함께 처소로 들어서는 황귀인!!
놀라 일어서는 고귀인.

황귀인 고귀인, 그 그림을 전하께 보여드리세요.

고귀인 (막상 이호를 보자 두려워지는 눈빛)

황귀인 (뭐 해?! 어서 내놔) 전하를 언제까지 기다리게 하실 겁니까?

잠시 머뭇대던 고귀인, 나전칠기 상자에서 비단 두루마리를 꺼내 드는데
문이 열리며 화령이 다급히 들어선다. 놀라는 고귀인!!

이호 중전께서 여긴 어인 일이십니까?

화령 계성대군의 물건을 찾으러 왔습니다.
(고귀인 손에 들린 두루마리 보며) 고귀인, 그걸 이리 주세요.

고귀인 (난감. 화령과 황귀인 두 사람 사이에서 눈치를 본다)

화령 어서 이리 내지 못하겠습니까?

이호 대체 그것이 무엇이기에 이러시는 겁니까?!

화령 아무것도 아니옵니다 전하.

황귀인 아무것도 아니라니요?
언제까지 계성대군의 추악한 비밀을 감추려 하십니까?

화령 추악한 비밀이라니요?!
이게 대체 무엇이길래 그런 허무맹랑한 소리를 하십니까?

황귀인 (죽음을 각오한 긴장감으로) 여인의 초상화입니다.
전하!! 계성대군은 껍데기만 남자일 뿐 속에 여인을 품었습니다!

이호 !!!!!

화령 황귀인!! 방금 한 말을 증명하지 못한다면 결코 용서치 않을 것입니다.

황귀인 (승부수를 던지듯 본다) 좋습니다. 하지만 제 말이 사실로 밝혀진다면
왕실의 권위를 더럽히고 욕보인 계성대군과
그 아이를 낳고, 기르고, 바로잡지 못한!!
중궁에게도 그 죄를 물어주시옵소서. 전하.

화령 !!!!!

이호 (고귀인에게 손 내미는) 이리 가져오시오.

고귀인 (미치겠고)

이호 어서요!!

이호에게 두루마리를 올리는 고귀인.
긴장하는 화령!
이호, 떨리는 손으로 비단 두루마리를 확 펼치는데!!

40 깊은 숲속 (밤)

나무에 목이 매달린 계성.
그때 그를 향해 날아온 화살이 밧줄을 끊는다.
바닥으로 떨어지는 계성!!

41 다시, 고귀인 처소 (밤)

심각하게 두루마리를 보던 이호가 황귀인을 서늘히 본다.
황귀인 '뭐지?' 하고 두루마리를 보면
계성의 초상화가 아니라 호작도(虎鵲圖)다!!

황귀인 (경악) !!!!

이호 황귀인 설명해보십시오.
이 그림과 계성대군이 무슨 관계가 있단 말입니까? 아무리 세자 경합이
치열하다 해도 감히 이런 식으로 대군을 욕보이다니요?!!

황귀인　(사색) 전하.. 그것이 아니오라...
이호　(OL) 내 이번 일은 절대 그냥 넘어가지 않겠습니다...!!
화령　(나선다) 전하. 황귀인의 죄를 내명부의 규율로 처리해도 되겠습니까?
이호　(분을 참으며) 그리하시지요.
황귀인　(당했구나) .....!!
화령　이만 가시지요.

이호, 황귀인을 실망한 얼굴로 보다가 화령과 나가버린다.
치를 떠는 황귀인, 죽일 듯이 고귀인을 노려본다.

황귀인　그 초상화 어딨어? 어디로 빼돌렸냔 말이야?!
고귀인　황귀인... 대체 무슨 말씀을 하시는 겝니까?
황귀인　여인의 모습을 한 계성대군의 초상화 말이야!
고귀인　(놀라) 미치셨습니까? 어찌 그런 흉측한 말씀을 입에 올리십니까?
그리고 황귀인, 같은 귀인인데 예를 좀 갖추시지요.
황귀인　(이를 악문다)

42　안가 방 안 (이른 아침)

계성이 막 눈을 뜬다! 목엔 선명한 멍자국.
누워 있는 계성 앞엔 밤새 옆을 지킨 듯한 화령이 앉아 있다.

화령　이제야 정신이 드느냐? 괜찮은 거야?
계성　예 어마마마... 대체.. 어떻게 된 일입니까?
화령　(본다)

ins 》중궁전 침전 (어제 늦은 오후) (회상)
화령 앞에 무릎 꿇는 고귀인!!

고귀인　용서하십시오. 저로 인해 계성대군이 위험해졌습니다!

화령 (본다) 그게 무슨 소리십니까?

고귀인 제가 계성대군의 비밀을 황귀인에게 발설했습니다.
서둘러야 합니다!! 계성대군의 목숨이 위험합니다!!!

점프, 화령 앞에 고귀인, 부요, 신상궁이 앉아 있다.
은밀히 각자의 임무를 지시하는 모습.

화령 (호작도 건네며) 고귀인께선 그림부터 바꿔놓으세요.

고귀인 예, 중전마마. (급히 나간다)

화령 (바로 부요 본다) 반드시 계성대군을 구해야 한다. 서두르거라!!

부요 예, 마마! (부복하더니 급히 나간다)

화령 (곧 신상궁 본다) 그리고 자넨...

현재 》모든 이야기를 듣고 먹먹한 얼굴이 되는 계성. 일어나 앉은 상태.
소매에서 비단 두루마리를 꺼내더니 건네는 화령.
계성, 펼쳐보는데... 그 그림은 여인의 모습을 한 자신의 초상화다.

화령 대비마마와 영상대감이 너의 일을 알고 있다.
궁 안의 많은 사람들이 알게 됐어.

계성 (초상화를 든 채 잠시 멍한)

화령 이젠... 평생을 숨기고 살아야 한다.

계성 ......

화령 (진심을 담아 본다) 그러니 몸이 회복될 때까지
다른 생각 말고 여기 잠시만 몸을 숨기고 있거라.

계성 (고개 저으며) 아니요. 이럴 시간이 없습니다...!
서함덕이 역모를 일으키려 합니다.
이 사실을 당장 아바마마께 알려야 합니다.

화령 이미 알고 계신다.

계성 (놀라는데!)

43 편전 내부 (낮)

용상에 앉은 다부진 눈빛의 이호.
편전 중앙에 서 있는 박경우와 성남, 보검군을 본다.

이호 (왕자들을 보며) 수고했다.
두 왕자 (숙인다)
이호 (고개 틀어 박경우 본다. 여러 감정 담긴) 오랜만이네.
박경우 강녕하셨사옵니까?
이호 (끄덕) 그래. 두 왕자 중에 누구의 교지를 받았는가?
두 왕자 (긴장하는데)

44 동궁전 마당 (낮)

'啓晟大君' 호패를 빼내는 화령.
계성의 호패를 보는 화령의 눈빛에서 여러 가지 감정이 스친다.
이제 남은 호패는 세 개 뿐이다. 成枏大君, 義聖君, 寶芡君.

[자막] 성남대군, 의성군, 보검군

45 중궁전 복도 (낮)

화령이 복도를 걸어오는데

성남 (E) 어마마마.

화령, 소리에 고개 들면 침전 앞에 성남이 서 있다.
성남을 보자 자신도 모르게 눈가가 충혈되는 화령.
화령을 향해 저벅저벅 걸어오는 성남.

예전보다 끈끈해진 느낌으로 서로를 바라보는 모자.

화령 고맙다. 수고했어.
성남 수고했다는 말은 경합이 다 끝난 뒤에 해주십시오.
화령 (대견하고 많이 성장했구나 느낀다) 그래. 그러마.
성남 (미소)
화령 (미소)
성남 (보다가) 어마마마. 계성대군은 어찌 된 것입니까?

46 편전 내부 (낮)

서함덕과 의성군이 편전 중앙에 서 있다.
용상의 이호가 서함덕을 본다.

이호 서함덕은 듣거라.
내 너를 어영대장에 임명하고자 한다. 받아들이겠느냐?
서함덕 (숙이며) 성은이 망극하옵니다.
의성군 아바마마. 어명을 거두어주시옵소서!
소자 경합 수행 중에 서함덕의 역모 정황을 포착하였나이다.
서함덕 !!!!
의성군 (계성이 알아낸 정보를 가로채듯) 이자는 승려들을 모아 반란을 도모한 역적입니다!!
서함덕 역적이라니요?!! 당치 않습니다.
이호 닥치거라!!
서함덕 (놀라 보면)
이호 (눈으론 서함덕을 주시, 밖을 향해) 역적 서함덕을 추포하라!!

내금위 군사들이 들이닥친다.
"이거 놔! 이건 모함이야!!" 발악하며 끌려 나가는 서함덕.

의성군 (당당) 소자 계룡산에서 저자를 추포하고자 했으나, 경합의 임무를 수행하고 궁까지 데려오기 위해 지금껏 감춰왔사옵니다.

이호 (본다) 의성군.

의성군 (칭찬을 기대하며 고개 든다) 예 아바마마.

이호 서함덕이 역적임을 알았다면, 저자를 데려오는 것이 네 임무였다 해도 임금인 내 앞에는 데려오지 말았어야 했다.

의성군 (당황) ...송구하옵니다.

이호 (그런 의성군을 본다)

의성군 (긴장)

47 움막촌 내 아지트 (낮)

하급관리(사복)의 보고를 받으며 놀라는 권의관과 토지선생.

토지선생 서함덕이 추포되었단 말입니까?

하급관리 예. 주상이 이미 눈치채고 불러들인 것 같습니다.

토지선생 (위기감) 결국 이 모든 것이 함정이었습니다...!!
서함덕의 꼬리가 밟혔다는 건
우리도 언제든 노출될 수 있다는 겁니다.

권의관 예... 고신이 심해져서 입을 열면 우리까지 위험해질 수 있습니다.
(급히 하급관리 본다) 서함덕이 지금 어디에 갇혀 있는지
누가 심문하는지 알아봐주십시오. 은밀히 움직여야 할 것입니다.

48 고귀인 처소 (낮)

고귀인과 숙의, 소의가 찻상 앞에 앉아 있다.

숙의 (살짝 흥분) 혹시 다들 그거 보셨습니까?
계성대군의 호패가 쏙 빠진 거 말입니다.

소의 어머! 그럼 계룡산 쪽은 의성군이 이긴 게 확실하네요.
숙의 근데 계성대군은 돌아왔습니까? 궁에선 안 보이던데...
고귀인 (화령 편에 선 느낌) 뭐 돌아오는 데 시간이 걸리나 보지요~
혈기 왕성한 사내가 궁 밖에 나갔으니 얼마나 하고 싶은 게 많겠습니까?
소의 하긴... 저도 궁 밖에 나가면 바로 들어오긴 싫드라구요.
고귀인 (눈썹 씰룩)

49 태소용 처소 (낮)

태소용, 옥숙원, 문소원이 찻상 앞에 모여 앉았다.
그런데 태소용은 손톱을 살짝 물어뜯기도 하는 초조한 모습.

태소용 어우... 왜 이렇게 안 와..

그때 "결정 났습니다! 결정 났어요!!" 하며 박씨가 막 뛰어 들어온다.

박씨 (숨차고) 보검군과 성남대군이 모두 올랐답니다~

"꺅!" 격한 기쁨에 박차고 일어서는 태소용과 후궁들.
순식간에 축제 분위기로 돌변하는 처소. 벅찬 감격에 젖는 태소용.
기쁘면서도 부러운 옥숙원, 축하하는 문소원 "경하드리옵니다~~"
태소용에게 줄 잘 섰다 싶은 박씨의 미소.

옥숙원 그럼~ 총 세 명의 왕자가 최종 심사에 올랐단 말인가?
박씨 예. 보검군, 성남대군, 의성군 이렇게 올랐습니다.
태소용 (두 손 모으며 한껏 기쁨에 취하고) 장하다 내 아들~~
옥숙원 (아부) 아유~ 보검군은 당연히 오를 줄 알았습니다.
문소원 예~ 왕자들 싹 다 제치고 배동까지 했던 보검군이 아닙니까?
박씨 (냉철하게) 근데. 이제부턴 실력보다는 세 대결이 될 겁니다.
배동은 몰라도 보검군이 왕세자까지 오를 수 있을까요?

태소용 (!!! 그 말에 걱정되고) 그럼 난 이제 어찌해야 되는가~?

박씨 것보다. 지금 다 같이 가셔야겠습니다.

태소용 (???) 어디를?

50 중궁전 부속, 내명부 회의실 (낮)

모든 후궁들이 모여 있다. 웅성웅성.
"갑자기 내명부 소집이라니요?", "무슨 일이랍니까?", "경합 때문인가?"
황귀인은 고귀인을 의식하며 매섭게 보는데
화령이 들어서자, 모든 후궁들이 일제히 일어선다.
화령이 중심에 앉자 후궁들도 모두 착석한다.

화령 (쭉 둘러본다)

후궁들 (긴장하는데)

화령 (황귀인에게서 멈추는 시선) 오늘부로 황가 초연의 품계를
종1품의 귀인에서 종4품 숙원으로 강등할 것입니다.

황귀인 !!!!

후궁들 (경악. 웅성웅성) 숙원?

숙의 (낮게) 숙원이면 후궁들 중에 제일 낮은 품계가 아닙니까?

소의 (낮게) 어머머. 이게 뭔 일입니까?

태소용 (입꼬리 오르고. 피식)

황귀인 중전마마. 이럴 수는 없사옵니다!

화령 적통대군을 비방하고 음해한 죄는 죽음으로 다스려야 마땅하나
의성군의 생모인 점을 감안해 선처를 베푸는 것입니다. 황숙원.

황귀인 ....!!!

일어서는 화령, 황귀인에게 서서히 다가선다.
화령, 황귀인의 코앞까지 바짝 붙어서며 속삭인다.

화령 널 못 죽이는 게 아니라. 안 죽이는 거야.

내 아들의 비밀을 지켜주기 위해서...

황귀인 ......!!

화령, 매섭게 보더니 기품 있는 모습으로 나가버리자
하나둘 그 뒤를 따라 나가는 후궁들.
간택후궁들도 슬며시 일어나 나가버린다.
홀로 남겨진 황귀인, 치욕감에 젖는다.

51 동 복도 (낮)

복도로 나오는 황귀인, 그런데 그 앞에 태소용이 서 있다.
마치 기다렸다는 듯이.

태소용 (팔짱 끼더니 조소) 황숙원... 어쩌다 이리 되셨습니까? 쯧쯧.

황귀인 (매섭게 노려본다)

태소용 어허! 어디 감히 숙원 따위가 정3품에게 눈을 똑바로 뜬단 말인가?
앞으로는 궁중 법도를 지켜 예로써 나를 대하세요!

고개 치켜올리더니 가버리는 태소용.
황귀인, 치욕과 분노로 부르르 떤다.

52 황귀인 처소 (낮)

광기에 휩싸여 서안 위의 물건을 다 쓸어버리는 황귀인.
그것도 모자라 주변에 놓인 물건들과 도자기도 죄다 집어 던진다.
와장창 깨지는 도자기와 물건들.
그때 문을 열고 뛰어 들어오는 의성군, 놀란 얼굴로 달려들어 말려보지만
황귀인의 광기는 멈추지 않는다.

의성군 어마마마. 진정하십시오.

황귀인 (피가 흐르는 손으로 의성군의 옷을 움켜쥔다) 이 치욕을... 반드시 되갚아줄 것이다. 네가 꼭 세자가 되거라.

의성군 (모친의 모습에 놀라면서도 복수를 다지는 눈빛) 예. 어마마마. 반드시 제가 세자가 되어 어머니의 원래 자리를 돌려드리겠습니다.

53 중궁전 침전 (낮)

짝! 짝!! 짝!!! 놀라서 뺨을 잡고 바라보는 남상궁.
때린 사람은 신상궁이다. 무표정으로 물러나고...
마치 일전(* 7부 17씬)의 상황을 그대로 재현하는 느낌.
보료에 앉은 화령은 남상궁을 매섭게 본다.

남상궁 (경직된 모습인데)

화령 (유서를 눈앞에 보인다) 계성대군이 자결한 것으로 위장된 현장에서 나온 유서다. 그런데.. 이 유서의 글씨체가 남상궁 자네의 글씨로 밝혀졌어.

남상궁 (글씨체를 확인. 경악을 감추지 못한다) ...!!

화령 남상궁. 누구의 명을 받아 유서를 조작하였는지 당장 실토하거라. 그렇지 않으면 네 목숨뿐 아니라 너의 주변까지 위태로워질 것이다.

남상궁 (놀라지만 침착하게) 전 절대 아니옵니다. 이건 분명 누군가 제 글씨체를 모사한 것입니다...!

54 중궁전 복도 (낮)

분기충천한 얼굴로 다급하게 다가오는 대비.

55 다시, 중궁전 침전 (낮)

문이 발칵 열리며 들이닥치는 대비!

대비 대체 이게 뭐 하는 짓입니까 중전?!

보료에서 여유 있게 일어서는 화령.

화령 기다리고 있었습니다.
대비 (꼿꼿) 남상궁. 무슨 일인지 자네가 고하게.
남상궁 마마. 저 유서가 제 글씨체로 쓰였다 하는데
저는 그런 짓을 결코 한 적이 없사옵니다.
대비 (그 말에 화령 본다) 중전. 이 무슨 장난질이십니까?
화령 예. 제가 장난질을 좀 쳤습니다. 남상궁의 글씨체로 바꿔치기했지요.
대비 !!!!
남상궁 !!!!
화령 (두 상궁 본다) 자네들은 나가보게.

밖으로 나가는 신상궁과 남상궁.

대비 지금 뭐 하자는 겁니까?!
중전이란 사람이 시정잡배들이나 하는 술수를 쓰다니요?
화령 배운 대로 돌려드리는 겁니다.
성남대군을 죽이려 하신 일을
영상대감에게 모두 뒤집어씌우셨질 않습니까?
해서. 이번엔 제가 영상이 계성대군에게 저지른 짓을
마마의 소행으로 만든 것뿐입니다.
대비 이리 저급한 방법을 쓰실 줄은 몰랐습니다 중전.
화령 성남대군에 대한 비방서를 만드셨을 때는.. 이 정도 각오는 하셨어야지요.
대비 (씹어뱉듯) 대체.. 원하는 게 뭡니까?
화령 제 제안을 한번 들어보시겠습니까?

56 시강원 내부 (오후)

많은 대신들이 채점을 위해 2열 횡대로 도열해 있다.
황원형, 윤수광, 여기영, 우의정, 이판, 형조참판... 그리고 박경우도 보이는데.
이호가 들어서자 일제히 바라보는 대신들.

여기영 전하. 이제 최종 심사를 시작해야 하지 않겠습니까?
이호 평가는 이곳에서 치러지지 않을 것입니다.
이 자리는 세자의 스승인 시강관들의 화합을 위해 마련된 자립니다.
대신들 (영문을 몰라 웅성이는데)
황원형 (알 수 없는 표정) .....
윤수광 그럼 대체 누가 어디서 최종 심사를 한단 말이옵니까?

57 어느 전각 내부 (오후)

도열해서 쫙- 배치된 서안 위로
평가자료들이 착 착 착 분류되어 놓인다. 내관들 분주한데.

58 궐내 거리 (오후)

우르르 어딘가로 줄 맞춰 걸어가는 청금단령의 성균관 유생들. 그 위로-

이호 (E) 택현의 최종 결정은 성균관 유생들이 할 것입니다.
대신들 (E) 아니 되옵니다 전하!!

59 시강원 내부 (오후)

반발하는 대신들!

우의정　성균관 유생들이 심사를 하다니요?
그 어린 유생들에게 어찌 평가를 맡기신단 말씀이시옵니까?
이판　이는 있을 수 없는 일이옵니다 전하!!

예상한 반응인 듯 흔들림 없는 이호, 황원형을 본다.

이호　영상의 생각은 어떠하오?

이호를 바라보는 황원형의 얼굴 위로-

이호　(E) 신하란 군주를 비추는 거울이라 하였소.

ins 》편전 내부 (몇 시간 전)
황원형과 독대하는 이호.

이호　그러니 영상의 죄를 알았다 해서
과인이 어찌 그대만 탓할 수 있겠는가?
황원형　......!!!
이호　유생들이 결정해도 한번 붙어볼 만하지 않겠소. 영상?

현재 》침묵하던 황원형이 입을 뗀다.

황원형　(뼈 있는) 전하의 뜻대로 하심이 옳은 줄로 아옵니다.
택현을 경합으로 치르게 된 것도 전하의 결정이 아니었습니까?
대신들　(그 말에 놀란 듯 황원형을 보는데!!)
이판　(놀라 낮은 목소리로) 영상대감 대체 왜 이러십니까...?
황원형　(분하지만 침묵하는데)
이호　(윤수광을 쓱 본다) 그럼 병판의 생각은 어떠한가?
윤수광　새로운 방식이라 우려되는 바가 없는 것은 아니오나
한번 해볼 만하다 생각하옵니다.

이호 (끄덕. 곧 대신들 보며) 반대하는 자가 있다면 지금 말해보시오.
대신들 (서로 눈치 보며 아무 말 못 한다)

60 어느 전각 외부 (오후)

전각으로 우르르 들어가는 유생들.

61 중궁전 침전 (오후)

중궁전을 겸허하게 지키고 있는 화령.

신상궁 유생들이 모두 집결했다 하옵니다.
화령 그래. 이제부터 꽤 바빠지겠구나.
신상궁 마마... 하온데 유생회합은 언제부터 계획된 것이옵니까?
화령 (생각에 잠긴다)

F.B 》 8부 7씬 대나무 숲 (낮) 이어지며-
대숲 한가운데 멈춰 서 있는 화령과 이호.

화령 (놀라 본다) 최종 심사를 유생들에게 맡기시겠다는 겁니까?
이호 예. 어느 당파에도 치우치지 않고 판단을 내릴 수 있는 자들이
바로 성균관 유생들입니다.
그나마 기득권이나 정치색에서 벗어난 이들이지요.

현재 》 우려스러운 얼굴로 화령을 보는 신상궁.

신상궁 하오나 유생들은 대부분 대소 신료들의 자식이거나
연관된 자들이 아닙니까?
화령 그래.. 유생들조차 이해관계에서 완전히 자유로울 순 없겠지.

허나 유생들은 다음 왕의 신하가 될 자들이야.
해서 자신들의 임금을 직접 뽑게 하려는 것이다.
뜻대로만 된다면 성남대군이 불리한 상황은 피해 갈 수 있을 거야.
그래야 어떤 결과가 나오더라도 승복할 수 있을 게다...

신상궁 하오나 대비마마와 대신들이 유생들을 가만 놔두겠습니까?
어떻게든 접촉하려들 것이옵니다.

화령 그렇겠지. 허나 왕세자가 결정되기 전까지는
아무도 그곳에서 나올 수 없다.

62 어느 전각 외부 (오후)

쾅! 쾅!! 쾅!!!
전각의 모든 출입문과 창문이 닫힌다.

63 동궁전 마당 (오후)

이제 호패들에는 成枏大君, 義聖君, 寶芡君만이 남아 있다.
서로 거리를 둔 채 자신들의 호패를 바라보는 세 왕자.
성남대군, 의성군, 보검군.

64 동궁전 침전 (오후)

침전 중앙에 걸려 있는 왕세자복에서_ 엔딩!!

11부

1 어느 전각 외부 (오후)

열린 문으로 요강을 든 무수리들이 우르르 나온다.
곧이어 밥상을 들고 안으로 줄지어 들어가는 수라간 나인들.
서로 교차하며 지나치는 밥상과 요강 행렬의 진풍경.
스치듯 보이는 내부엔, 심사지를 보며 토론하는 청금단령의 유생들이 보인다.
수라간 나인들이 밥상을 놓고 나오자
이윽고 쾅!! 닫히며 봉쇄되듯 굳게 잠기는 출입문.

2 동궁전 침전 (오후)

햇살 드는 텅 빈 침전.
중앙엔 사조룡이 수 놓인 왕세자복이 걸려 있다.

3 동궁전 마당 (오후)

호패틀엔 세 왕자의 호패만이 남아 있다.
成枏大君, 義聖君, 寶芡君.

4 왕의 침전 (오후)

바르게 앉은 성남, 의성군, 보검군.
그들을 위엄 있게 바라보는 이호.
측면엔 민승윤이 앉아 있고, 대화를 기록 중인 사관도 보인다.

이호 세자 경합의 관문을 뚫고 여기까지 잘 와주었구나. 대견하다.
세 왕자 (본다)
이호 자고로 군주는 책문을 통해 인재를 가린다.
조정을 이끌어 갈 자들의 철학과 신념이 그 대답 속에 있기 때문이다.

[자막] 책문(策問): 왕의 질문에 답하는 논술 시험

이호 만약 너희가 임금이라면, 왕재를 가리기 위해 어떤 책문을 내리겠느냐?
의성군 작금의 왕조를 거부한 박경우와 서함덕을
왜 궁으로 데려오라 했는지 그 이유에 대해 논하라 할 것이옵니다.
이호 (끄덕이고는 '다음' 하듯 보검군을 보면)
보검군 능력은 뛰어나나 도덕적으로 문제가 있는 인재의 등용 여부를 묻고,
덕과 능력 중 어디에 우위를 두는지 살필 것이옵니다.
이호 (흐뭇하게 보다가 '다음' 하듯 성남 보면)
성남 전. 궁 밖에서 들은 나랏님에 대한 욕이 무엇인지 물을 것이옵니다.
사관 (작성하던 붓이 멈칫하고)
민승윤 ....!!
이호 (재밌다는 듯이) 백성의 죄를 고하겠다는 것이냐?
임금을 헐뜯는 것이 중죄임을 모르더냐?
성남 임금에게 닿지 못한 백성의 목소리를 듣기 위함이옵니다.
임금을 두려워하면서도 그런 불만이 터져 나왔다면
백성들의 고통이 참을 수 없는 지경에 이른 것이 아니겠사옵니까?
이호 해서. 궁 밖에서 들은 임금에 대한 욕이 있었느냐?
성남 (서슴없이) 예.

없는 놈들한테 고리대를 받아
양반님들 곳간이나 불려주고 있는데
정작 나랏님은 대신들 눈치만 보고 있는 것이 아닌가?
백성의 고통을 헤아리지 못하는 임금이라면 허수아비와 다를 게 무엇인가?

사관 (기록하는 붓끝이 떨린다)

성남 의창에 대한 불만이옵니다.

이호 백성을 위해 만들어진 제도가, 되레 백성들을 괴롭히고 있다...?

성남 예. 본디 의창은 가난한 이들을 진휼하기 위해 만들어졌습니다.
그러나 그 취지와는 달리 변질된 지 오래이옵니다.

이호 (피식 웃더니) 그럼 마침 잘되었다. 너희들이 한번 말해보거라.
의창의 폐해를 만든 원인은 무엇이고, 그 개선방안은 무어라 생각하느냐?

이 모든 상황을 빠짐없이 기록하는 사관의 모습.

5 어느 전각 외부 (오후)

기록지를 들고 전각을 향해 걸어가는 민승윤.
군관들의 삼엄한 경계 속에 굳게 닫혀 있는 출입문이 보이는 가운데
관리 감독하는 이판의 모습도 보인다.
민승윤이 다가서자, 빗장을 치며 가로막는 군관들.

이판 무슨 일이십니까?

민승윤 전하께서 추가하라 명하신 심사자료입니다.
유생들에게 전달해주십시오. (건넨다)

이판 (기록지를 확인하듯 넘겨본 뒤, 군관1에게 주며) 들이게.

받아 드는 군관1, 굳게 닫힌 문틈 아래로 기록지를 반쯤 밀어 넣자
내부에 있는 누군가에 의해 기록지가 안으로 쓱- 사라진다.

6 황귀인 처소 (늦은 오후)

황원형에게 은밀히 보고하고 있는 이판.
상석엔 황귀인도 앉아 있다.

황원형 뭐요?! 주상께서 평가자료를 또 들여보냈단 말입니까?
이판 예 대감. 그런데 유생들의 기류가 심상치 않았사옵니다.
황귀인 주상께서 뒤로 물러나 있는 듯하더니
작정하고 암행 평가를 한 것이 아니겠습니까?
황원형 (긴장) 그 평가자료가 판세에 어떤 영향을 미칠지 모를 일입니다!

7 태소용 침전 (다음 날 낮)

문이 열리며 다급히 침전으로 들어서는 박씨.
초조하게 앉아 있던 태소용이 반응하는데.

태소용 그래. 알아냈는가? (자세 바꿔며 기대) 누군가 그게?
박씨 아무래도 추가로 들어간 평가자료가 영향을 준 모양입니다.
태소용 그러니까! 누가 제일 앞서고 있느냐구?!

8 중궁전 침전 (낮)

화령에게 보고하는 고귀인. 그 곁엔 신상궁이 차분히 서 있다.

고귀인 성남대군입니다!
신상궁 (오! 주먹 쥐며 조용히 나이스)
고귀인 전하의 암행 평가에서 성남대군이 좋은 점수를 딴 거 같습니다~~
화령 (그러나 신중한데)
신상궁 (너무 기뻐 자신도 모르게) 이대로만 유지된다면 성남대군이 정말 세자가

될 수도 있겠사옵니다 마마~ (하다가 얼른 눈치 보며 숙인다)

고귀인 (그 모습에 피식하더니) 유생들이 지금처럼 실력만 보고 끝까지 잘 평가해줘야 될 텐데요~

화령 전. 그들의 소신을 믿습니다. 결국은 자신들의 임금을 뽑는 일이니 충분히 숙고해 판단할 겁니다.

고귀인 (끄덕인다)

화령 (뭔가 찝찝한) 한데.. 유생회합은 외부와 차단된 채 진행되고 있는데 어떤 경로로 이런 정보들을 알아낸 걸까요?

고귀인 (그러고 보니) 그러게요... 숙부님께선 어떻게 아셨지?

9 대비전 침전 (낮)

쾅!!! 서안을 내리치는 대비.
그 앞엔 윤수광과 형조참판이, 측면엔 태소용이 앉아 있다.

대비 (대노) 성남대군이 앞서다니요?! 이리 넋 놓고들 계실 겁니까?

태소용 (초조하게 두 대신을 본다) 이러다 보검군이 더 밀리겠습니다. 뭐라도 좀 하셔야 되는 거 아닙니까?

윤수광 그럼, 어느 쪽에도 서지 않은 중도파 유생들의 부친을 포섭해보겠사옵니다.

대비 그 전에. 만나야 할 사람이 있습니다. 우선 그 사람부터 우리 편으로 끌어들여야 합니다.

10 윤수광 사랑채 방 안 (오후)

윤수광과 마주 앉은 이조정랑,
그 자리엔 형조참판도 배석해 있다.

이조정랑 어인 일로 저를 보자 하신 것이옵니까?

윤수광 삼사(三司)의 인사권을 가진 이조정랑을 뵙고자 하는데 다른 뜻이 있겠습니까? (서안 위로 목재상자를 쓱 내밀며) 대비마마께서 주시는 선물입니다. 열어보시지요.

이조정랑 (열어 보면 금괴가 가득 차 있다) !!!!

윤수광 이조정랑께서 이 정도는 받으셔야 한다는 것이 대비마마의 뜻입니다... (씩 웃는데)

[자막] 이조정랑(吏曹正郞): 사간원, 사헌부, 홍문관의 인사를 담당하는 중요 관직

11 윤수광 사랑채 방 안(밤)

윤수광 앞에 앉아 있는 꼿꼿한 중년양반1, 2, 3.

윤수광 이 나라가 누구에 의해 움직이는지 아십니까?
주상전하요? 영상대감이요?
아닙니다. 바로 대비마마십니다.
(쓱 보며) 부친들께서 이번에 대비마마 쪽에 서신다면
아드님들에게 관직이 내려질 겁니다.

중년양반들 (순간 흔들리지만 여전히 꼿꼿)

중년양반1 아니 대부분의 인사권을 영상대감의 사람들이 갖고 있는데 제가 병판대감의 말을 어찌 다 믿을 수 있겠습니까? 으흠...

윤수광 (끄덕) 부친들께서 불안해하실까 싶어 이 자리에 한 분을 모셨습니다.

문이 열리며 들어서는 이조정랑!

윤수광 아시지요? 이조정랑이십니다.

이조정랑 (앉은 후 본다) 다음 인사 때 좋은 결과가 있을 겁니다.

중년양반들 (이조정랑의 등장에 혹하는 표정을 보인다)

윤수광 (회심의 미소)

12 궐내 집무실 (낮)

황원형에게 은밀히 보고하고 있는 이판.

이판 (심각) 아무래도 이조정랑이 딴짓을 하고 있는 것 같습니다.
병판과 함께 보검군을 위해 움직이고 있다 합니다.

황원형 그래요? (흐음... 끄덕인다) 어차피 그놈은 언젠간 딴맘을 품을 걸
알고 있었습니다. 한데 이렇게 나오시겠다...?

13 황원형 사랑채 방 안 (그날 밤)

찻상을 사이에 두고 누군가와 독대하는 황원형.
그런데 그 상대는 형조참판이다.

형조참판 (경계) 저를 보자 하신 연유가 무엇이옵니까?

황원형 (땅문서를 내민다) 형조참판 정도 되셨으면
도성 안에 금싸라기 땅쯤은 갖고 계셔야 하지 않겠습니까?

형조참판 (보지도 않고 땅문서 다시 물리며) 전 영상대감께 드릴 것이 없습니다.
대비마마와의 신의 또한 저버릴 수 없사옵니다.

황원형 (웃고) 대비마마와의 신의는 지키셔야지요.
전 그저. 집 나간 개 한 마리를 잡는 데 힘을 좀 보태달라는 것뿐입니다.
형조참판만이 할 수 있는 일이지요. (땅문서 다시 쓱 내민다)

형조참판 (보면)

황원형 그리고 또 압니까? 의성군이 국본이 되면
오늘 일이 형조참판께 기회가 될지도 모르지요. (노회한 미소)

형조참판 (흔들리는 눈빛)

14 궐내 집무실 (다음 날 낮)

황원형 앞에 관복 입은 이조정랑이 앉아 있다.
그 자리엔 이판과 우의정도 배석했다.

황원형 사헌부에서 이조정랑의 비리를 고발했습니다.
(이조정랑에게 자료를 쓱 내밀며) 형조에서도 관련 내용을 파악했던데...
조사에 앞서 이조정랑에게 내 물어볼 것이 있어 불렀습니다..

이조정랑 (자료를 확인하더니 사색!! 빼도 박도 못하게 생겼고)

황원형 설마하니 그렇게까지 많이 해 처먹은 건 아니겠지요?
그간 내 사람이라 생각해 자잘한 것들은 눈감아드렸는데
들리는 소문에 의하면 대비마마께 선물까지 받았다구요?
(눈빛 돌변) 감히 날 배신이라도 하려던 겝니까?

이조정랑 (넙죽 바닥에 엎드리며) 잘, 잘못했습니다 영상대감...!!

우의정 (그 모습을 묘하게 보는데)

15 중궁전 침전 (낮)

화령이 누군가와 긴밀히 대화를 나누고 있다.
그들은 조력자 느낌의 고귀인과 우의정이다.

우의정 한쪽에서는 땅과 관직으로 포섭하고 회유하고
또 한쪽에서는 비리를 들춰 협박하고
아주 서로 밀고 당기고 난리도 아니옵니다 마마!

고귀인 (심각) 마마. 저희도 뭐라도 해봐야 하는 거 아닙니까?
대체 왜 저들을 막지 않으십니까?

화령 지금은 저들이 경쟁하도록 놔두는 게 우리한테 더 이익입니다.

고귀인 (어리둥절) 그럼.. 일부러 치고받고 싸우게 놔두시는 것이옵니까?

화령 (판세를 읽듯) 예. 의성군과 보검군의 세가 분산되면
오히려 성남대군에겐 나쁠 것이 없습니다.

우의정　하오나, 내부 정보가 흘러나오는 것도 모자라
이제는 전각 안으로 부친들이 전갈까지 넣고 있는 상황이옵니다.
분명 유생들이 평가하는 데 영향이 있을 것이옵니다.

고귀인　(정말 궁금) 근데 숙부님. 경계가 저리 삼엄한데
대체 무슨 방법으로 연통을 주고받는 것입니까?

16　어느 전각 외부 (낮)

활짝 열린 문으로 밥상을 들고 줄지어 들어가는 수라간 나인들.
밥상 하단, 종지 밑, 수라간 나인들의 손 사이로
숨겨진 쪽지들이 스치듯 보이는데
그 옆으로 무수리들이 요강을 들고 줄지어 밖으로 나온다.

17　퀄내 은밀한 일각 (낮)

요강을 든 무수리1, 주위를 경계하며 인적 드문 곳으로 향한다.
곧 코너를 돌면 그 앞에 태소용과 박씨가 서 있다.

태소용　(예민) 왜 이리 늦었어?!

무수리1　보는 눈들이 너무 많아 따돌리느라... (하는데)

태소용　(요강을 획 뺏어 가더니) 넌 이만 가보거라.

무수리1 가자, 요강을 얼른 내려놓고 뚜껑부터 여는 태소용.

박씨　(급히 만류) 이리 나오십시오. 제가 하겠사옵니다~!

태소용　아니. (머리에서 뒤꽂이 획 빼더니) 보검군을 세자로 만들 수만 있다면
똥오줌이라도 못 뒤질 게 뭐야. (뒤꽂이로 요강을 휘휘 젓는다)

박씨　(욱... 입과 코를 막는데)

태소용　(아랑곳 않고 쪽지를 건진다) 오!!

태소용, 급히 바닥에 내려놓더니 뒤꽂이로 쪽지를 펼쳐보는데.

유생1	(E) 의성군의 표가 늘어서 보검군이 가장 뒤처진 상황이옵니다!!
태소용	(와 돌겠고) 아니! 보검군이 꼴찌라니?! 이게 말이 돼?
박씨	말이 됩니다. 얼마 안 있으면 아마 의성군이 독주할걸요~
태소용	왜?! 의성군의 표가 늘고 있는 이유가 뭔데?
박씨	뭐긴요. 의성군 쪽에서 제일 좋은 걸 줬나 보지요.
태소용	(심각하고 초조한) 보검군이 판을 뒤집을 방법은 없겠는가?!
박씨	딱 한 가지 있긴 한데. 좀 위험한 방법이라...

18 태소용 처소 (낮)

윤수광이 놀란 눈으로 상석의 태소용을 본다.

윤수광	그게 효과가 있겠습니까?
태소용	예~ 유생들이 스스로 등을 돌리게 하는 방법은 그것뿐입니다.
윤수광	허나. 유생들이 당장이라도 결론을 지을 모양새입니다.
태소용	그러니 속히 움직여주세요!

19 어느 전각 외부 (오후)

이판이 제지할 새도 없이
관원들에 의해 전각 안으로 전달되는 자료들.
그리고 곧 전각문이 굳게 닫힌다. 당황하는 이판...!

20 중궁전 침전 (오후)

신상궁에게 보고받던 화령의 낯빛이 어두워진다.

화령 (긴장감) 누구의 머리에서 나온 방법인지는 모르겠지만
우리에게 진짜 위기가 찾아올 것이다...

신상궁 (심각) 그게 무슨 말씀이시옵니까?

화령 이제부터 유생들의 여론이 요동칠 거야.
(예견하듯) 대비전이 꽤 분주해지겠구나...

21 대비전 침전 (오후)

윤수광에게 보고받던 대비의 낯빛이 밝아진다.

대비 수고하셨습니다 대감.

윤수광 (미소로 숙인다)

대비 (쓱 남상궁 본다) 손님이 올 것이니 차를 준비하거라.

22 어느 전각 내부 (오후)

헉!! 유생들이 놀라서 어딘가를 보면
복통을 호소하며 배를 잡고 바닥을 구르는 유생2.

23 황귀인 처소 (오후)

다급히 들어와 황귀인에게 보고하는 상궁.

상궁 마마. 유생 한 명이 급히 뵙기를 청하옵니다.

황귀인 .....?!

24 내의원 치료실 (오후)

황귀인과 황원형을 은밀히 접촉하고 있는 유생2.

황귀인 무슨 소린가?!
분명 오늘 오전까지만 해도 의성군이 제일 앞서고 있었네.
한데 갑자기 가장 뒤처지다니!!
유생2 종부시 기록 때문이옵니다.
황원형 뭐 종부시?!

[자막] 종부시(宗簿寺): 종실의 잘못을 규탄하는 임무를 관장하던 관서

유생2 예. 종부시 기록에서 의성군이 궁인들을 폭행한 내용이 여러 건 나왔사옵니다.
황원형 (하 미치겠고!!)
황귀인 (황원형 본다) 폭행 사건은 그때 잘 처리했다 하셨질 않습니까?
유생2 그걸 은폐하려 했다는 사실까지 다 드러나버렸습니다...
황귀인 (보통 일이 아니구나. 위기감!!)
황원형 분명 대비마마 쪽에서 작당을 하고 일을 벌인 게 분명합니다...!!
시간도 없는데 이를 어찌한단 말입니까?
황귀인 (차분히 생각한다) 이제 이 문제를 풀 수 있는 사람은..
대비마마뿐입니다.

25 대비전 침전 (오후)

상석에 앉은 대비, 황원형과 황귀인을 보고 있다.
황씨 부녀 앞엔 찻상이 놓여 있다.

황원형 이제야 깨달았사옵니다. 대비마마의 도움 없이는

결코 의성군을 세자로 만들 수 없다는 것을 말이옵니다.

황귀인 이번 경합은 결국 마마의 뜻에 달려 있사옵니다.
부디 의성군 편에 서주십시오.

대비 (피식) 숙원이 되시니 겁이 많아지셨습니다.
다시는 제자리로 돌아가지 못할까 두려우신 겝니까?

황귀인 품계 따위가 오르든 내리든 겁나지 않습니다.
다만. 의성군이 세자가 되지 못할까 그것이 두려울 뿐이옵니다.
(간청) 그러니 이제는 마음을 바꾸시어 우리 의성군을 지지해주십시오!

대비 (딱 자르며 단호히) 싫습니다.

황씨 부녀 !!!!

대비 허나.. 성남대군을 이기려면
의성군과 보검군 둘 중에 한 사람만 남아야겠지요.

26 대비전 마당 (오후)

보검군과 태소용이 잔뜩 기대한 얼굴로 대비전을 향해 걸어간다.

태소용 널 직접 오게 하신 걸 보면~ 좋은 소식이 있을 것 같구나~

두 모자가 전각에 다가서면
기다리고 있었던 듯 극진히 맞이하는 남상궁.

남상궁 오셨사옵니까?
대비마마께서 기다리고 계십니다. 어서 드시지요.

보검군 (끄덕)

태소용 (꼿꼿하게 고개 들며 도도한 미소)

27 대비전 침전 (오후)

문이 열리며 보검군이 들어서자
보료에서 일어서며 환한 미소로 반기는 대비.
기특한 듯 어깨를 토닥이며 자리를 안내한다.

대비 어서 앉으세요 보검군~
태소용 (극진한 대우를 받는 자식의 모습에 미소)
보검군 (바르게 앉는다)
대비 (자리에 앉더니 두 사람을 미소로 본다)
태소용 대비마마~ 저와 보검군을 함께 불러주신 것은 처음이옵니다.
참으로 감개무량하옵니다~ 호호호.

웃음이 끊이지 않는 세 사람, 화기애애한 모습인데.

대비 (분위기가 무르익자) 태소용, 부탁할 게 하나 있습니다.
태소용 예. 뭐든 말씀하십시오 마마~
대비 이제 그만 보검군의 호패를 거두세요.
태소용 !!!!!!
보검군 !!!!!!
태소용 (충격으로 말조차 잇지 못하고) 그게.. 무슨 말씀이시옵니까?
대비 경합에서 빠지란 말입니다.
태소용 마마.. 갑자기 왜 이러시는 겁니까...?
대비 갑자기라니요 태소용...
저와 한 약조를 잊으신 겁니까?
태소용 (약조?!) 약조라니요? 대체 무슨 말씀을 하시는 겁니까?!!
대비 정말 기억이 안 나십니까? 저와 하신 약조가...?

F.B 》1부 50씬. 대비전 침전 (오후) 이어지는-

태소용 (!!! 다가와 비책을 품는) 제게~ 제게 이것을 주시는 것입니까~?
대비 그럴까 하는데...
태소용은 제게 무엇을 주실 수 있겠습니까?

태소용 어떤 부탁을 제게 하시든 무조건 들어드릴 것이옵니다~!!
대비 설사 목숨을 내놓으라고 해도요...?
태소용 (순간 놀라지만. 비책을 더욱 꽉 품으며, 끄덕끄덕)

현재 》 흥분해서 눈이 도는 태소용, 따져 묻는다.

태소용 (눈이 돈다) 아니요! 이건 아니지요!! 전 절대 받아들일 수 없습니다!!!
분명 보검군을 밀어주신다 하지 않으셨습니까?!
(내지르며 발광) 근데 왜 우리 보검군에게 포기하라 하십니까?!!!
대비 (확 지르며) 그 입 다무세요!!!!
태소용 (순간 놀라고)
대비 (다시 냉정할 만큼 차분해지며) 밀어준다 했으니 밀어줬던 것이고
이제 주저앉혀야 하니 그러겠다는 것뿐입니다.
성남대군이 세자가 되면, 두 모자 목숨이 온전할 것 같습니까?
지금 경합을 포기하면 내가 목숨만큼은 지켜드리지요.
태소용 (미친 눈동자) 아뇨!!! 전 죽는 것 따윈 두렵지 않습니다.
왜 제가 한 약조 때문에 우리 보검군이 이대로 포기해야 합니까?!
아니요!! 저희 모자는 절대 물러나지 않을 것입니다!!
보검군을 끌어내리시려거든 저부터 죽이셔야 할 겁니다!!!
대비 (태소용을 경멸의 시선으로 보며) 모친께서 이리 상황 파악을 못 하시니
보검군이 세자가 될 수 없는 겁니다...
영특한 보검군은 이 할미 말이 무슨 뜻인지 아시겠지요?
보검군 (한참을 지켜보다가) 할마마마. 여쭙고 싶습니다.
둘 중 한 명이 남아야 한다면
왜 제가 아니라 의성군 형님이어야 합니까?
제가 될 수 없는 이유가.. 정말 모친과의 약조 때문입니까?
대비 (잔인할 정도로 친절히 설명해주는) 말들이 경주를 할 때
다른 말들의 속도를 높여주기 위해 앞에서 뛰는 경주마가 있습니다.
그게 너다.
보검군 ......!!!!
대비 난 단 한 번도 널 세자감이라 생각한 적 없다.

천한 어미의 몸에서 태어난 네가
진짜 세자가 될 수 있을 거라고 생각한 거니?

보검군 (그 말에 체념하는 눈빛. 이젠 더 이상 어떤 것도 묻지 않는다)

태소용 (기어가서 대비의 치맛자락을 잡고 매달린다) 마마! 뭐든지 하겠사옵니다.
생각을 바꿔주십시오. 저 때문에 보검군이 포기할 순 없습니다.
(어떻게든 마음을 돌리려는) 제발. 제발 다시 생각해주십시오 대비마마!!!

28 동궁전 마당 (오후)

떨리는 손으로 호패틀에서 자신의 호패를 빼내는 보검군.
참담함에 두 눈을 감는다. 호패를 꽉 쥐는데.

29 태소용 처소 (오후)

어린아이처럼 털썩 주저앉아 목놓아 우는 태소용.
발길질도 하며 목놓아 엉엉 운다.

30 대비전 침전 (오후)

보료에 위엄 있게 앉아 있는 대비.

ins 》25씬. 대비전 침전 (오후) 이어지며-

대비 허나.. 성남대군을 이기려면
의성군과 보검군 둘 중에 하나만 남아야겠지요.
그럼. 내가 누구를 선택해야 할까요? (쓱 보면)

망설임 없이 무릎을 꿇는 황귀인.

치욕을 누르며 그런 딸의 모습을 아프게 보는 황원형.

황원형 의성군을 선택해주십시오!
대비 (과거 황원형의 질문을 갚아주듯) 그럼 난 뭘 얻지요?
황원형 (고개 들어 강렬히 본다) 제가 가진 인사권을 드리겠사옵니다.
병조판서 하나 움직이는 걸로 되시겠습니까?
육조판서의 자리는 모두 마마의 사람으로 채우셔야지요!!
대비 (성에 안 찬다는 듯 조소) 예.. 인사권 좋지요.
한데 제가 고작 자리 몇 개 더 얻겠다고 이 난리를 쳤겠습니까?
황귀인 (마지막 패를 던지듯) 의성군이 세자가 되더라도
저는 중궁이 되지 않겠습니다.
대비 (반응)
황귀인 중전만이 가질 수 있는 내명부의 모든 권한을
대비마마께 드리겠사옵니다.
그 높은 자리에 계시지만
마마께서 단 한 번도 가져보시지 못한 걸 가지시지요...!!

현재 》만족스러운 듯 씩 웃는 대비, 고개를 들어 앞을 보면
윤수광과 형조참판이 앉아 있다.

대비 의성군을 지지하라는 전갈을 넣으라 하세요.

31 중궁전 침전 (오후)

심각한 표정으로 다급히 보고하는 오상궁.
보료엔 화령이 앉아 있고, 그 옆엔 신상궁이 서 있다.

오상궁 마마...! 보검군이 호패를 거둔 뒤로
판세가 의성군 쪽으로 완전히 기울었사옵니다.
화령 (오히려 더 냉정해지는 눈빛)

신상궁 (미치겠고 가슴 치며) 어우 저는 분통이 터지옵니다. 너무 억울하옵니다!
유생들에게만 맡겨놨을 때는 성남대군이 앞서고 있지 않았사옵니까?
유생들을 회유하고 포섭하는 것도 모자라
이젠 하다 하다 경합 포기라니요..? 이건 야합이나 다름없사옵니다.

화령 흥분하지 말거라. 올 것이 온 것뿐이다.
(뭔가 결단을 내린 듯) 허나 이렇게 진다면 난 승복 못 해.

비장하게 일어서는 화령, 곧 밖으로 이동하자
그 뒤를 급히 따르는 상궁들!

32 어느 전각 근방 (오후)

밥상을 들고 전각을 향해 줄지어 이동하는 수라간 나인들.

화령 **(E)** 잠깐!! 멈추거라.

소리에 놀라 멈추는 수라간 나인들.
보면 위용 있게 다가서는 화령. 모두 당황하는데.
그중에서도 수라간 나인1, 2가 찔리는 게 있는 듯 잔뜩 긴장한다.
순간적으로 캐치하는 화령, 다가와 수라간 나인1이 들고 있는 밥상을 살핀다.

화령 (밥그릇을 열어보는데 그 안에 쪽지가 들어 있다) ....

수라간 나인1 (난 죽었구나 싶은데)

화령 (밥그릇 뚜껑을 다시 닫는다. 뼈 있게 경고) 깨끗하지 못한 음식은
독이 된다 했다. 유생들이 먹고 탈이 나서야 쓰겠느냐?

수라간 나인1, 2 (사색이 되며 숙인다)

그때 다급히 다가서는 이판.
혹시 들켰는가 싶어 수라간 나인1, 2의 밥상을 급히 본다.

이판　중전마마. 대체 여기서 뭐 하시는 겁니까?
화령　(차분) 제가 여기 있으면 안 되는 이유라도 있습니까?
이판　(들킬까 초조) 주상전하께서 전각의 접근을 엄히 금하셨사옵니다.
그러니 이만 가주셔야겠습니다.
화령　그건 안 되겠습니다.
이판께서 관리의 책임을 다하지 않고 계시니 말입니다.
이판　(당황) 대체.. 무슨 근거로 그런 말씀을 하시는 겁니까?
이호　무슨 일입니까?

이호의 등장에 화령과 이판이 예를 갖추며 숙인다.

이판　아뢰옵기 송구하오나. 중전마마께서 어명을 어기시고
전각으로 들어가는 유생들의 밥상을 살피고 계셨사옵니다.
화령　부정행위가 있다는 감찰상궁의 보고가 있어 확인 중이었사옵니다.
이판　(억울하다는 듯) 부정행위라니요 마마...? 증거가 있습니까?
화령　전하. 제가 그 증거를 찾아낼 터이니
전각 안으로 들어가는 걸 허해주시기 바라옵니다.
이호　(잠시 고민하다가) 허합니다.
이판　(!!! 걸리면 큰일인데 난감하고)

33　어느 전각 내부 (오후)

전각문이 열리며 수라간 나인들과 함께 안으로 들어서는 화령.
중전의 등장에 유생들이 놀라 일어서는데
수라간 나인들이 유생들 앞에 밥상을 내려놓고 나가면
문이 다시 쾅!! 굳게 닫힌다.
유생들 사이를 무게감 있게 지나는 화령.
방석 밑과 창틀, 서안 밑에 숨겨진 쪽지들을 하나씩 찾아낸다.
유생들 사색이 되는데...!!
화령, 방금 들인 밥상의 밥그릇과 종지 밑에서도 쪽지들을 찾아낸다.

그렇게 찾아낸 모든 쪽지들을 서안 위에 올리더니
하나씩 펼쳐보며 읽기 시작하는 화령.

화령 (쪽지1 읽는) 내 너의 형조좌랑 자리를 얻어냈으니 아무개를 뽑거라.
이 자리에 미래의 형조좌랑이 계시나 보군요.

유생3 (뜨끔한데)

화령 (쪽지2 읽는) 서촌의 금싸라기 땅 백 마지기를 받았다.
(바로 쪽지3 읽는다) 아무개를 뽑는 대가로 예조 문서직을 받았으니라.

유생들은 자신들의 민낯이 드러난 듯 고개를 들지 못한다.

화령 (쪽지를 들어 보이며) 지금껏 이 전갈의 존재를 묵인했던 건
이걸 옮긴 궁인들의 헛된 희생을 원치 않았기 때문입니다.
또한! 그대들을 믿었습니다.
이깟 종이 쪼가리에 흔들리지 않을 고집과 패기를 기대했습니다.

유생들 ....

화령 그대들은 장차 이 나라를 이끌어갈 유생들이 아닙니까?
한데 어째서 주인이 될 수 있는 기회를 팔아버리려 하십니까?
부정행위에 동참한 그대들이 장차 관리로서 뭘 할 수 있겠느냔 말입니다.

유생들 (부끄럽다) ......

화령 무지한 자가 신념을 가지는 것도 무서운 일이지만
신념을 가져야 할 자가 양심을 저버리는 무지한 짓을 하는 것이
더 무서운 일입니다.

유생들 .... (뭔가 느끼는 바가 있고)

화령 (쪽지를 움켜쥐듯 다시 들어 보이며) 이게 누구에게 온 건지
누구로부터 온 건지 내 묻지 않겠습니다.
어쩌면 그대들이 자신을 지킬 수 있는 마지막 기회가 될 것입니다.

쪽지를 그대로 화로에 넣어버리는 화령.
숨죽인 채 타오르는 쪽지를 보는 유생들.
돌아서는 화령, 전각 밖으로 나간다.

쾅!! 문이 닫히자 각성하는 표정의 유생들.

34 어느 전각 외부 (오후)

전각을 빠져나온 화령이 이호 앞에 멈춰 선다.
이판 잔뜩 긴장하는데...!

화령 전하, 아무것도 찾아내지 못했사옵니다.
이호 (다 알고 있다는 듯 끄덕인다)

35 어느 전각 내부 (오후)

서 있던 유생들이 하나둘 움직임을 보이기 시작한다.
깊숙이 숨겨뒀던 쪽지들을 찾아내더니
자발적으로 화로에 던지는 유생들.
불길이 활활 타오르는 모습을 바라본다. 이전과는 다른 눈빛이고.

36 어느 전각 외부 (오후)

전각문이 열리며 밖으로 나오는 유생대표.
이판과 군관들에게 선언한다.
내부에 서 있는 유생들의 눈빛에서도 결의가 느껴진다.

유생대표 외부로부터의 모든 접근을 차단하겠습니다.
최종결정이 내려질 때까지 음식 또한 일절 받지 않겠습니다!!

다시 들어가는 유생대표, 전각의 문을 굳게 걸어 잠근다.

37 중궁전 침전 (늦은 오후)

"마마. 마마!" 하며 다급히 뛰어 들어오는 신상궁.
보료에 앉은 화령과 서 있던 오상궁은 무슨 일인가 보는데.

신상궁 마마. 유생들이 요청하여
성남대군과 의성군이 방금 전각으로 들어갔사옵니다.

화령 (본다) 무슨 평가를 한다 하더냐?

38 어느 전각 내부 (늦은 오후)

거리를 두고 앉은 성남과 의성군, 사건자료를 보고 있다.
맞은편엔 유생들이 도열해 앉아 있고, 맨 앞줄의 유생대표가 설명한다.

유생대표 (E) 노름빚에 허덕이던 부부가 가족 동반자살을 시도해
아내는 죽고 남편과 아이만 살아남았습니다.
조사 결과 남편은, 아내와 자살하기로 합의한 다음
처자식을 칼로 찌르고 자살을 기도했던 것으로 밝혀졌습니다.

두 왕자 (세필 붓으로 체크하며 자료를 꼼꼼히 살피고 있다)

유생대표 남편 김씨의, 아내를 살해한 죄에 대해서 판결을 내려보십시오.

어느새 판결을 시작하는 두 왕자.
의성군이 포문을 연다.

의성군 아내를 죽음에 이르게 하였으니 엄벌에 처해야 마땅합니다
허나, 죽은 아내와 동반자살을 하기로 합의하였고
김씨에겐 살아남은 아이가 있으니
자녀를 부양할 수 있도록 그 죄를 감형해야 합니다.

유생들 (진중히 듣다가 각자의 평가지에 기록하는데)

성남 (반론) 안 됩니다. 명백한 살인죄로 벌해야 합니다.

의성군, 유생들 (본다)

성남 우리가 놓친 것이 있습니다. 바로 아이의 목숨입니다.
그 부모는 한 번도 아이에게 묻지 않았습니다.
동반자살이라 하지만 아이 입장에선 피살입니다.
아이의 생사여탈권이 부모에게 있다는 그 생각부터 바꿔야 합니다.

유생들 (흠... 생각에 빠진다)

성남 그러니 이번 사건은 동반자살이 아니라
가족 살인사건이라 불러야 할 것입니다.
따라서 아이를 살해하려다 미수에 그친 죄를 물어
김씨를 엄히 벌해야 할 것입니다.
또한 아이를 김씨로부터 분리하여 나라에서 보호해야 할 것입니다.

유생들 (진중히 각자의 평가지에 기록한다)

39 중궁전 침전 (늦은 오후)

보료에 앉은 화령에게 보고하는 신상궁.

신상궁 마마. 방금 평가가 끝났다 하옵니다.

화령 그래.

그때 밖에서 오상궁의 음성이 들려온다.

오상궁 **(E)** 마마. 보검군 들었사옵니다.

화령 들라 하라.

문이 열리며 보검군이 침전으로 드는데
단일화 직후라 좌절감과 열패감이 깃든 얼굴.

보검군 무슨 일로 절 부르셨사옵니까?

화령　(본다) 내 너의 모친을 벌하고자 한다.
보검군　(!! 고개 든다)

40　태소용 처소 (늦은 오후)

밥상에 차려진 음식은 손도 대지 않은 채 그대로다.
무릎을 감싼 채 미동도 없이 앉아 있는 태소용.
모든 의지를 잃은 듯 초췌한 모습.
머리도 삐져나오고 동공엔 생기가 없다.
드르륵. 문이 열리며 신상궁이 들지만 반응조차 안 하는데.

신상궁　당장 중궁전으로 들라는 명이 있으셨사옵니다.
태소용　......

41　중궁전 침전 (늦은 오후)

초췌한 모습 그대로 화령 앞에 서 있는 태소용.
그런데 태소용을 보는 화령의 눈빛이 매섭다.

화령　내 오늘부로 자네를 중궁전 나인으로 강등할 것이다.

!!! 신상궁과 오상궁은 예상치 못한 듯 놀라서 보는데
태소용은 아무런 반응이 없다.

화령　자넨 그간 나를 속이고
대비마마와 병판에게 중궁전의 정보를 흘렸어.
그 죄를 물어 나인으로 강등하니 그리 알게.
태소용　.....예 중전마마...
화령　지금 당장 침전부터 청소하거라. (자리에서 일어나 나가버린다)

태소용 (어떤 의욕조차 없는 표정) ....

42 중궁전 외경 (밤)

어느새 어두워진 밤.

43 중궁전 침전 (밤)

나인 옷으로 갈아입고, 침전 곳곳을 청소하고 있는 태소용.
바닥도 쓸고, 먼지도 털고, 이불도 개고
걸레를 빨아 바닥도 닦고, 선반 위도 닦는다. 땀도 흐르는데..
그때. 화령이 들어서며 손가락으로 선반 위를 쓸어본다.
그런데 손끝에 먼지가 묻자 매섭게 지시한다.

화령 다시 닦거라.
태소용 .....예...

태소용 이동하다가 그만 세숫대야를 건드려 물이 쏟아진다.

태소용 (당황해) 송구하옵니다...
신상궁, 오상궁 (지켜보다가 다가서려는데)
화령 그만두거라. 저 아이의 일이다.
만약 저 아이를 돕다 발각되는 궁인이 있으면 용서치 않을 것이다.
신상궁, 오상궁 (!! 마마가 왜 저러시지? 놀라서 서로를 본다)

44 우물가 (다음 날 낮)

낑낑거리며 겨우 물을 퍼 올리는 태소용.

궁인들, 어찌할 바를 몰라 쳐다만 볼 뿐 돕지는 못한다.

45 중궁전 복도 (낮)

홀로 텅 빈 복도에서 걸레질을 하고 있는 태소용.
그때 화령이 침전에서 나와 선다.

화령 왜 보료를 기워두지 않은 것이냐?
태소용 (당황하는 기색) 예?
화령 내가 돌아올 때까지 모두 기워놓거라.

차갑게 그 옆을 지나가는 화령,
신상궁과 오상궁도 안타깝게 보지만 그대로 지나친다.

46 중궁전 침전 (낮)

보료의 찢긴 부분을 바느질하는 태소용, 가끔 바늘에 찔리기도 한다.
가만히 앉아 바느질을 반복하니 노곤한 태소용.
힘들었는지 하품도 나오고, 눈도 감겨온다.
어느새 보료 위에서 잠이 든 태소용.

47 중궁전 복도 (낮)

복도를 걸어오는 화령과 신상궁.

48 중궁전 침전 (낮 → 오후)

화령이 막 침전으로 들어서는데
태소용이 폭신한 보료 위에 大자로 뻗어 잠들어 있다.
얼른 달려가 깨우려는 신상궁.

화령　깨우지 말거라.
신상궁　예?

시간 경과.
음냐.. 천하태평으로 자다가 순간 번뜩 눈을 뜨는 태소용!!
너무 놀라 폭신한 보료에서 벌떡 일어난다.

화령　(바닥에 앉아 서책을 넘기며) 푹 자고 일어나니 이제 정신이 좀 드느냐?
태소용　(넙죽 숙이며) 소, 송구하옵니다 마마..!
화령　몸이 바쁘니 마음의 시름이 조금은 잊히더냐?
태소용　(깨닫는다. 나를 위해 그런 거구나...)
화령　자네가 정3품의 소용인 것은
주상전하의 소생을 낳았기 때문만은 아니야.
왕자를 잘 돌보라는 어미로서의 책임도 함께 주어진 것이네.
자식이 위험한 길을 가지 않는지 살피는 것도 부모의 역할이야...
태소용　(감정 숨기지 않는) 무슨 수를 써서라도 보검군을 세자로 만들고
싶었습니다. 저희 모자는 그런 욕심을 부리면 안 되는 것입니까?
화령　자식을 위한다는 이유로 잘못된 방법을 택한다면..
오히려 자식을 다치게 할 수도 있어.
결국 자네의 그 욕심 때문에 보검군이 이용당하고
상처를 입게 된 것이 아닌가?
태소용　(가슴이 미어지고) 다 그 아일 위한다고 한 일인데..
아직도 엄마란 자리가 제겐.. 너무 어렵습니다.
화령　나 또한 그 자리가 제일 어렵네.
부모는 앞서 걷는 사람이 아니라
먼저 가본 길을 알려주는 사람이라 하지 않는가?
그럼 적어도 위험한 길로는 가지 않게 해야지...

태소용　(알아듣는 표정)

화령　(진심을 담아) 그러니 정신이 돌아왔으면
이제 뭐부터 해야 하는지 잘 생각해보게.

태소용　(고맙다. 감동이고. 뭔 말을 하는지도 알겠다. 그런데) 보검군이..
저 같은 어미를 보고 싶어 하겠습니까? 저라면 보기 싫을 것 같습니다...

화령　(보더니) 그래. 나라도 그 모습이면 보기 싫겠네.
가서 세수도 좀 하고 평소처럼 곱게 단장도 좀 하게나.
못 봐주겠구나.

태소용　예? (얼른 경대 앞으로 가더니 머리와 얼굴을 본다) 어우...

화령　(그런 태소용을 본다)

49　중궁전 침전 (늦은 오후) (회상)

39씬 이어지며-

화령　(본다) 내 너의 모친을 벌하고자 한다.

보검군　(!! 고개 든다) 대체.. 저의 모친이 무슨 죄를 지었습니까?
제가 왕세자에 도전했기 때문입니까?

화령　그게 무슨 죄가 되겠느냐? 너도 전하의 소생인데.
국본이 되고자 경합에 나선 건 문제가 되지 않는다.

보검군　그럼.. 뭐가 문제란 말씀이십니까?
혹 대비마마의 힘을 빌린 것 때문입니까?

화령　(무언의 동의)

보검군　(본다)

화령　넌 이번 경합과정에서 무엇을 얻었느냐?

보검군　결국은 신분의 벽을 넘어설 수 없다는 걸 깨달았습니다.
(자조적으로) 헛된 욕심을 부린 것 아니겠습니까?

화령　난, 단지 신분의 벽 때문은 아니라 생각한다.
그 과정에 불의가 없었는지..
잘못된 방식을 택하진 않았는지 생각해봤으면 좋겠다.

목적만 쫓는 사람을 이용하려는 자는 늘 있게 마련이니 말이다.

보검군 (뭔가에 맞은 듯 본다)

화령 보검군.. 세자가 되는 것만이 너의 능력을 증명하는 길은 아니야.
왕은 모든 권력을 갖지만, 혼자서 모든 일을 할 수 있는 건 아니다...
난 네가 세자의 곁에서 힘을 보태줬으면 좋겠구나.

보검군 (한참을 보다가) 예 중전마마...

화령 (끄덕)

보검군 청이 하나 있사옵니다.

화령 말해보거라.

보검군 어머니를 벌하지는 말아주십시오.
결국은 제 욕심에서 비롯된 것입니다.
어머닌 이 모든 것이 자신 때문이라고.. 자기 탓만 하고 있을 겁니다.

화령 네 어미가 걱정되는 것이냐?

보검군 ......

화령 넌?
너는 괜찮은 것이냐?

보검군 ....괜찮습니다. 전 아무렇지 않습니다..

화령 (보다가) 힘들면 힘들다고 말해.
아프면 아프다고 티 내거라.
그래야 사람들도 알아. 너도 괜찮지 않다는 거.

50 중궁전 침전 (오후) (현재)

화령 앞에 다소곳이 앉아 있는 태소용.
화장도 하고, 머리도 다시 단장하고, 옷도 차려입은 모습이다.

화령 (훗) 이제야 태소용 같네.

태소용 (배시시)

51 보검군 처소 (오후)

조심스럽게 안으로 들어서는 태소용.

태소용 보검군~~~

평소와 같은 엄마의 모습을 보자 울컥하는 보검군.
그런 모습을 안 보여주려는 듯 고개를 살짝 트는데.
다가와 보검군을 와락 안는 태소용.

태소용 보검군~ 엄마가 미안해~~

보검군, 참았던 눈물이 터지자 아이처럼 울기 시작한다.
태소용, 보검군을 더 꽉 끌어안는데 차오르는 눈물.

52 궐내 거리 (오후)

거의 나란히 걸어가는 화령과 신상궁.

화령 보검군이 아무리 어른스럽다 해도
결국 맘 편히 기댈 수 있는 사람이 엄마밖에 더 있겠느냐...

신상궁 근데.. 마마께서는 태소용이 안 미우십니까?
중궁전에서 시중을 들던 나인이 어느 날 전하 품에 안겼으면
전 부아가 나서 쳐다도 안 봤을 겁니다.

화령 한동안 안 봤어.

신상궁 진짜요?

화령 당연하지. 나도 여인인데.
전하께서 어느 날부터 날 보러 처소에 오시는 게 아니란 걸 알았을 때
눈물도 몰래 흘렸다~

신상궁 (고개 저으며) 아우.. 저는 정말 이해할래도 이해가 안 갑니다.

(두 손으로 찢는 시늉) 저 같으면 사지를 확!!

화령 (피식)

신상궁 아니 그렇잖습니까? 어찌 매번 태소용한테는 그리 관대하십니까?

화령 같이 있음 웃게 되질 않느냐?
저런 사람 잘 없다~ 궁에 태소용이 없으면 심심할 것 같구나.

53 대비전 침전 (오후)

분노하는 대비! 그 앞엔 윤수광이 앉아 있다.

대비 중전이 유생들에게 무슨 말을 했답니까?!
대체 무슨 말을 했길래 유생들이 태도가 바꼈난 말입니다!

윤수광 알려진 바가 없사옵니다...

대비 (서늘해지며) 유생회합 내내 중궁전에 처박혀 있던 중전이
유일하게 벌인 일입니다. 우리는 기껏해야 전갈이나 들여보냈는데
중전은 전각에 난입한 것도 모자라 유생들을 직접 만났단 말입니다...!

윤수광 주상전하께서 허하신 일이니 더 이상 문제 삼을 수는 없사옵니다.

대비 (주먹을 움켜쥔다. 분을 삭이며) 반드시 의성군이 국본이 돼야 합니다...

윤수광 (그 말에 본다) 마마. 설마 처음부터 의성군을 점지해 놓으셨던 겁니까?

대비 예. 제 마음은 한 번도 바뀐 적이 없습니다.

윤수광 그럼.. 왜 그동안 보검군을 밀어주셨던 겁니까?

대비 밀어준 게 아니라 이용한 겁니다.
덕분에 더 많은 것을 얻을 수 있게 됐어요.

윤수광 (무서운 여자구나) 이제.. 보검군과 태소용은 어찌 되는 것입니까?

대비 얻을 건 다 얻어냈으니 그들은 이제 쓸모를 다했습니다.
(조소) 세자라니요? 애초에 그들 모자에게 가당키나 했습니까?

윤수광 (뼈 있는) 마마께서는 저 또한 쓸모가 없어지면 버리실 수 있겠습니다...?

대비 병판은 다르지요.
세자가 누가 되더라도 대감의 여식이 세자빈이 될 테니까요.

54 윤수광 사가 대청마루 (늦은 오후)

누가 봐도 단아한 규수인 동생1, 2가 다소곳이 앉아 자수를 놓고 있다.
그런데 그 앞에서 자기 연애담을 무용담처럼 말하고 있는 청하.
청하도 수를 놓고 있긴 한데, 동생들과 확연히 차이 나는 자수 실력.

청하 아침 해가 딱 떠오르는데.
그때! 선비님이 날 보던 그 눈빛!
(성남 따라 하듯) '진짜 예쁘네요..'
그게!! 해를 보고 한 말이 아니거든~!

동생들 (몸에 밴 리액션. 오...!)

청하 내가 보진 않았지만 그때 선비님의 표정, 숨결, 눈빛!
모두 다 나는 느꼈어~
여인은 말이다. 자신을 연모하는 마음은 알거든.
말하지 않아도 다 느껴진다구. 그게 바로 운명이라는 거야~

동생들 (여전히 듣고는 있지만 점점 약해지는 리액션)

청하 봐~ 내가 너희들 좋아하잖아? 너 느껴지잖아 내 마음?

동생1 (마지못해 끄덕이며) 예 느껴집니다.

청하 (반색) 그치? 느껴지지? 내가 너 좋아하는 거 지금?
봐~ 이런 식으로 내가 느꼈다니까~~

동생2 (이젠 대 놓고 자수만 한다. 영혼 없는 리액션 하는데)

고씨 (다과상 들고 다가오며) 그 사내가 널 그리도 아껴줬단 말이냐~?

청하 예~ 어머니~

고씨 (다과상 내려놓고 앉으며) 참으로 여인을 보는 안목이 높은 사내로구나~

청하 그 선비님은 안목만 높은 것이 아닙니다~
(생각만 해도 행복한) 자신의 과업을 위해서 저에 대한 마음을 숨기고
얼마나 열심히 일을 하시던지. 캬!
그래서 제가 더 빠져들 수밖에 없었다니까요~~

고씨 (웃으며) 우리 청하가 이리도 푹 빠진 사내가 누군지 궁금하구나~
다음 만날 약속은 정했느냐? (하는데)

마당으로 막 들어서는 윤수광.
동생들, 자리에서 일어나 공손히 예를 갖추는데
벌떡 일어나 마당으로 뛰어 내려가는 청하.

청하 아부지 아부지~~ 일찍 왔네~
윤수광 내가 방에서 근신하라 그리 일렀거늘!
고씨 그만하세요 대감~ 무사히 잘 돌아왔으니 된 것 아닙니까?
윤수광 눈에 안 보여도 걱정이고.
눈에 보이면 더 걱정이니! 이거야 원! (쯧쯧쯧 하며 가버린다)

55 어느 전각 외부 (다음 날 낮)

전각 문이 활짝 열리며 유생대표가 걸어 나온다.
손에는 결과가 적힌 비단 두루마리가 들려 있다.
열린 문으로 우르르 나오는 청금단령의 유생들.
그런데 유생3이 다급히 다른 길로 이동한다.

56 궐내 은밀한 일각 (낮)

유생3에게 뭔가를 들은 듯 놀란 눈으로 쳐다보는 황원형.

황원형 확실한가?!
유생3 예 대감...

57 궐내 거리 (오후)

난리가 났다. 소식을 전하기 위해 막 뛰어가는 궁인들.

뛰는 궁인들 사이엔 신상궁도 있다!!

58 중궁전 침전 (오후)

보료에 앉은 화령에게 보고하는 신상궁.

신상궁 (숨차서 거의 넘어가는) 마마.
유생대표가 결과지를 들고 편전으로 향했다 하옵니다.
화령 (끄덕인다. 긴장되는데)

59 편전 내부 (오후)

이호 앞에 놓이는 비단 두루마리.
황원형, 윤수광, 여기영, 민승윤 등의 대신들이 지켜보는 가운데
두루마리를 집어 드는 이호.

이호 세자 결정을 위한 논의를 시작하기에 앞서
유생들의 평가 결과를 공개하겠습니다.

이호, 두루마리를 막 펼치려 하는데...!!

황원형 (잠깐!!) 전하!! 급히 드릴 말씀이 있사옵니다.
궁 밖에서 자란 성남대군이 전하의 친자가 아니라는 소문이 있사옵니다.
모두 (경악. 웅성웅성)
이호 (매섭게) 그게 무슨 소린가?!
지금 나와 중전을 능멸하려는 것인가?
이판 전하!! 만약 그 소문이 사실이라면
성남대군은 절대 세자가 될 수 없사옵니다.
윤수광 (사안의 신중함이 느껴지는) 아뢰옵기 송구하오나

나라의 근본을 세우는 중차대한 일이니 설사 그 소문이 거짓이라 해도
마땅히 짚고 넘어가는 것이 맞다 생각하옵니다.

이호 (날 선) 해서 경들이 원하는 게 뭔가!!

황원형 성남대군이 주상전하의 친자가 맞는지 확인을 요청하는 바입니다.

여기영 전하... 이대로 넘어간다면 계속 시비에 휘말릴 것이옵니다.
이 기회에 바로잡는 것이 옳은 줄 아뢰옵니다.

이호 (눈은 황원형을 매섭게 보며) 상선은
지금 당장 중전과 성남대군을 내의원으로 데려오라!

60 내의원 일각 (오후)

성남과 화령이 서 있다.
그리고 조국영(어의), 황원형, 윤수광, 여기영, 민승윤도 와 있다.
그 중심엔 이호 보인다.

화령 저자에 떠도는 비방서에 현혹되어
조정 대신들이 이리 줄줄이 나서시다니요?

대신들 (어험...)

화령 예! 받아들이겠습니다. 검증하시지요!!

황원형 (걸려들었구나...)

이호 (조국영을 보면)

조국영 신주무원록에 나오는 합혈법(合血法)으로 확인하겠사옵니다.

여기영 합혈법이라니요? 감히 옥체에 상처를 내자는 말씀이십니까?

조국영 지금 할 수 있는 가장 정확한 친자 확인법입니다...

이호 (결단을 내린다) 시작하라!

[자막] 신주무원록(新註無冤錄): 검시 목적의 의학서

어느새 물이 담긴 함지(작은 대야 정도 크기)가 놓이는데.

화령 전하! 잠시 중단해주시옵소서.

모두 (무슨 일인가 보는데)

화령 합혈법은. 두 사람의 피를 물이 든 그릇 안에 떨어뜨려
피가 응결하는지 여부로 판가름하는 친자 확인법입니다.
함지는 육안으로 정확히 식별하기 어려우니
백자 그릇에 나눠 담아주시기를 청하옵니다.

이호 (조국영을 보며) 그리하라.

백자 그릇에 물을 나눠 따라내는 조국영.
그렇게 물이 담긴 그릇은 A, B 두 개가 되는데
그중 A그릇에 이호와 성남의 피가 한 방울씩 떨어진다.

조국영 **(E)** 성남대군이 주상전하의 친자가 맞다면
피가 하나로 섞일 것입니다.

모두의 시선이 쏠리는데 갑자기 동요하는 사람들!
두 사람의 피가 각자 응결되며 하나로 섞이지 않기 때문.

조국영 (놀라며) 섞이지 않았사옵니다...!!

이호, 성남 (믿기지 않는 표정)

61 황귀인 처소 (어젯밤) (회상)

황귀인과 황원형이 마주 앉아 있고
서안 위엔 피가 담긴 종지가 놓여 있다.

황귀인 (작은 약병을 들더니) 살모사 독입니다.
이 독이 피와 섞이면 응고가 되지요.

황귀인이 작은 약병을 열더니 종지에 몇 방울 떨어뜨린다.

반신반의하는 표정의 황원형, 젓가락을 들더니 저어보는데
피가 젤리처럼 응고된다.

황귀인 (미소) 물에 섞어놔도 전혀 티가 나지 않습니다.
주상과 성남대군의 피는 섞이지 않고 응고될 겁니다.
황원형 (기회의 미소를 짓는데)

62 내의원 일각 (오후)

순식간에 아수라장이 된 내의원.
윤수광은 쓱 한 발 빠지듯 상황을 주시하는데
이판이 강한 어조로 소리친다.

이판 그럼 성남대군이 친자가 아니라는 것이 확인된 것이 아닙니까?!
민승윤 합혈법만으로는 단정 지을 수 없습니다.
황원형 도승지.. 이는 의서에 나오는 검증된 친자 확인법입니다.
전하! 성남대군은 왕세자에 오를 자격이 없으니 탈락시켜야 합니다.
성남 .....!!

성남을 비롯한 모든 이들이 충격과 혼란에 빠진 상태인데
이상하게도 크게 동요하지 않는 화령. 반격을 시작한다!!

화령 검사 결과를 받아들일 수 없습니다!
황원형 (뭔 수작이지?!)
화령 이 합혈법은, 물에 다른 불순물이 섞일 경우엔
결과가 달라질 수도 있습니다. 해서 부녀지간인 영상대감과 황숙원의
피로 한 번 더 확인해주시기를 청하옵니다!
또한 앞서 사용한 것과 동일한 물을 써주십시오.
황원형 (당황하는데...!!)

점프, 황귀인이 와 있다.
물이 담긴 B그릇에 황씨 부녀의 피가 한 방울씩 떨어진다.
그런데 섞이지 않는 피! 웅성이는 사람들!!

화령 영상대감. 황숙원이 대감의 친자가 아닙니까?
황원형 (아무 말 못 하는데)
황귀인 (내 꾀에 넘어갔구나. 분하고)
화령 해서 전! 다른 방법으로 우리 성남대군이
전하의 친자임을 증명하겠습니다.
(이호 본다) 이 자리에 의성군과 무안대군, 보검군, 심소군..
그리고 대비마마를 불러주십시오.
황씨 부녀 (대체 뭔 수작이지?!)
이호 (보다가) 그리하시지요 중전.

점프, 어느새 성남, 의성군, 보검군, 무안, 심소군이 도열해 있고
대비도 와 있다!

화령 전하의 귀 뒤에는 돌기처럼 튀어나온 독특한 뼈가 있습니다.
대비마마께서도 주상전하께 그런 특징이 있음을 알고 계실 겁니다.
대비 (탐탁지 않지만) 예. 맞습니다.
화령 특이하게도 전하의 자식들은 대부분 그 특징을 물려받았습니다.
그러니 대비마마께서 직접 손주들의 귀를 확인해주십시오.
대비 (조국영 보며) 조어의, 지금 중전의 말이 가당키나 한 겁니까?
조국영 예 마마. 귀의 뼈는 특이한 신체적 특징으로서 자손에게 전해지는 것이니
그것으로써 부자 관계를 짐작할 수 있사옵니다.
황귀인 (흔들리는 눈빛)

대비가 왕자들의 귀를 한 명씩 확인하기 시작한다.
이호를 비롯한 사람들이 주시하는 가운데...

대비 (귀를 체크하며) 뼈가 있습니다.

왕자들의 귀를 차례로 손수 만져보기 시작하는 대비.
한 명씩 확인하며 뾰족한 돌기가 만져지는 듯 끄덕인다.
성남의 차례가 되자 긴장감 속에 귀를 확인하는 대비.
모두 집중하는데 대비 무표정으로 아무런 반응이 없고!!

이호 성남대군에게서도 확인됐습니까?
대비 (마지못해) 예. 확인됐습니다.

마침내 의성군의 차례가 되는데 귀를 만져보던 대비의 표정이 굳는다.
황귀인을 쓱 보는 대비.
그런 대비의 묘한 눈빛을 눈치챈 황귀인은 극도로 긴장하는데...!!

대비 (잠시 아무 말이 없다가) 모든 왕자들이
주상과 동일한 뼈를 갖고 있습니다.
황귀인 (뭐지...?! 찜찜한데)

한 걸음 나서는 화령.
모두가 보는 앞에서 바로잡고, 과오를 인정하는 느낌으로.

화령 선왕의 상중에 회임된 불결한 아이...
이것이 성남대군이 궁 밖에서 자랄 수밖에 없었던 이유입니다.
성남 (놀라 본다)
모두 (웅성웅성)
화령 하지만 국상 중엔 이미 태중에 있었습니다.
대비마마와 종실 어른들의 억측이
태어나기도 전부터 성남대군을 불결한 아이로 만들었습니다.
어리석게도 전.. 끝까지 맞서 대응하지 못했습니다.
전하께서 왕위에 오르신 지 얼마 되지 않은 시점에
혹여나 이 일로 흠집이 나실까 두려웠습니다.
성남 ......

화령　그때 바로잡지 않은 것이.. 오늘날 친자 논란까지 불러온 것입니다.

이호　(엄숙하고 위엄 있게) 성남대군은 내 아들이다...!
내가 이 말도 안 되는 친자확인을 허한 이유는
헛소문에서 비롯된 이 논란에 종지부를 찍기 위함이었다.
그러니 앞으로 성남대군의 출생에 대해 입을 놀리는 자가 있다면
임금을 능멸한 것으로 간주해 극형을 내릴 것이다!!

모두　.....!!!

대비　(그러나 끝까지 입을 닫은 채 꼿꼿하다)

63　중궁전 침전 (오후)

마주 앉아 있는 화령과 성남.
한동안 말없이 바라보다가.

화령　네가 이리 장성할 때까지
너에게조차 진실을 밝히지 못한 건 결국 내 잘못이다.
내 어리석음이.. 창피하고 부끄러워서 말하지 못했어.

성남　(본다)

화령　엄마라 해서. 어른이라 해서 항상 맞는 건 아니야. 미안하다...

성남　(보다가) 이젠 미안해하지 마십시오.
어린 시절 절 찾아오셨던 거 알고 있습니다.
그리고.. 제게 형님을 보내주셨잖아요.
덕분에 형에게 글도 배우고 무예도 배웠습니다.
보세요. 궁 안에서 애지중지 자라 세상 물정 모르는
순진한 왕자들보다 더 잘 자라지 않았습니까? (긴장 풀어주듯 웃는)

화령　(녀석. 충혈된 눈으로 웃는다)

성남　(미소)

64　편전 내부 (오후)

유생들의 결과지를 확인한 듯 두루마리를 접는 이호.
그 앞엔 긴장한 표정의 대신들이 보인다.

이호 (위엄 있게 공표) 이번 경합으로 국본으로 선발된 왕자는..
성남대군이다!!

분한 황원형!! 그러나 결과에 승복할 수밖에 없고
여기영, 민승윤은 고개를 끄덕인다.
그리고 윤수광의 머릿속은 복잡하다.
성남이 세자가 됐으니 어떤 행보를 걸어야 할지 눈앞이 뿌옇기 때문.

65 궐내 거리 (오후)

무안, 계성, 일영이 성남에게 뛰어간다.
우뚝 서 있는 성남에게 와락 안기는 계성과 무안!

계성 형님!! 정말 고생하셨습니다.
무안 (눈물 찔끔) 저는 형님이 해내실 줄 알았습니다~!

그런데 다 뛰어와서 갑자기 조심스러워지는 일영. 쭈뼛.

일영 이제 왕세자가 되셨는데
귀한 예체에 함부로 손을 대도 괜찮은 것입니까?
성남 (피식하더니) 니들은 괜찮아. (너도 오라는 듯 고갯짓)
일영 (쪼르르 가서 팍 안기며) 형님~~~~

66 황귀인 처소 (밤)

분한 마음을 이기지 못한 채 이를 악무는 황원형.
참담하고 비통한 심정으로 앉아 있는 황귀인.
설욕을 다지듯 매서운 눈빛으로 앉아 있는 의성군.

황원형 눈앞에서 세자가 될 기회를 놓쳤습니다!!
다른 사람도 아니고 성남대군한테 국본의 자리를 뺏기다니요?!
의성군 노여워 마십시오. 아직 제게는 기회가 있습니다.
세자가 되었다고 모두가 왕이 되는 건 아니지 않습니까?
어마마마와 조부께선 무슨 방법을 써서라도
성남대군을 그 자리에서 끌어내려주십시오.
황귀인 (눈빛 바뀐다) 그래. 꼭 그리하마.
황원형 (대체 무슨 생각이지? 하듯 황귀인을 보면)
황귀인 (의미심장) 한 번 했는데 두 번은 못 하겠습니까?
의성군 한데 서함덕은 어찌 되었습니까?
그자는 제가 양민을 살해한 것을 알고 있습니다.
혹시라도 그 사실을 발설하는 날엔 제게 더는 기회가 없을지도 모릅니다.
황원형 그자는 제가 알아서 처리하겠습니다...

67 의금부 옥사 (밤)

복통이 있는 듯 배를 잡고 구르고 있는 서함덕! 군관들이 놀라서 달려온다.

68 의금부 복도 → 옥사 (밤)

군관1의 뒤를 따라 복도를 빠르게 걸어오는 의관.

군관1 곧 추국이 있을 것이니 한번 봐주시오.

옥사 앞으로 다가서는 의관.

서함덕 고개 들어 보면... 의관 복장을 한 권의관이다!!

69 동궁전 침전 (밤)

세자의 손때가 묻은 물건들을 하나하나 만져가며 쓰다듬는 화령.
그 아이가 보던 서책, 벼루, 서안...

세자 (E) 어마마마. 약속해주십시오...

F.B 》1부 29씬. 궐내 일각 (오후)
화기애애. 웃으며 다정히 걸어가는 화령과 세자.

세자 (E) 무너지지 않겠다고.
그래야 편히 눈을 감을 수 있을 것 같습니다.

F.B 》2부 20씬. 궁 연못가 (낮)
세자, 연못 건너에 있는 아우들을 발견하더니 반기는 맏형의 모습.
서로 손인사 하는 대군들과 세자. 그 웃는 얼굴에서-

세자 (E) 바람이 되어서라도 곁에 머물겠습니다.
그러니 원손과 아우들을... 지켜주십시오.

현재 》세자의 온기를 느끼듯 보료를 어루만지는 화령.
그때 열린 문으로 바람이 든다.

화령 (E) 내 너와의 약속을 이제 조금은 지킨 것 같구나.

동궁전을 찬찬히 둘러보는 화령.
세자를 온전히 떠나보내는 의식처럼 세자에게 얘기하듯 담담하게.

화령 (E) 네가 다섯 살이 되던 해에 이곳에서 처음으로 혼자 잠을 잤다.
밤새 이 엄마 손을 꼭 붙잡고 잤어.
이제는.. 엄마가 우리 아들 손을 놓아줘야 할 것 같구나..

70 동궁전 복도 (밤)

신상궁과 오상궁, 그리고 청소도구를 든 궁인들이 서 있다.
잠시 뒤 침전문으로 나와 서는 화령.

화령 동궁전의 물건을 모두 비우고
보료도 새것으로 갈거라.

71 동궁전 마당 (새벽)

호패틀 가로목 중앙에 성남대군의 호패가 걸려 있다!
成枏大君.

72 동궁전 침전 (새벽)

사조룡이 수놓인 왕세자복이 입혀지는 성남의 뒷모습.
왕세자 성남이 위용 있게 돌아선다!
눈빛부터 이전과 확연히 다른 성남의 얼굴에서_ 엔딩!!

12부

1 동궁전 침전 (새벽)

사조룡이 수놓인 왕세자복이 입혀지는 성남의 뒷모습.
성남이 위용 있게 돌아선다!
눈빛부터 이전과 확연히 다른 왕세자 성남.

2 동궁전 복도 (새벽)

문이 양쪽으로 열리며 복도로 등장하는 성남.
기다리고 있었던 듯 복도 중간에 서 있는 화령.
다가서는 성남.

성남 어마마마.
화령 (의관을 정제한 모습을 눈에 담는) 세자로 첫발을 내딛는 날인데
어미가 안 와 볼 수 있겠습니까~? (그런데 자꾸만 웃음이 난다)
성남 어찌 계속 웃으십니까?
화령 이 어미는 세자 얼굴만 봐도 이렇게 웃음이 납니다~
성남 (그 모습에 웃는) 그리 좋으십니까?
화령 그럼요~~
아니 보세요~ 어쩜 이리 곤룡포가 잘 어울린단 말입니까?

아무리 바빠도 궐 한 바퀴 쭉- 돌아가십시오.
그래야 궁녀들도 웃을 일이 있지 않겠습니까~ 호호.

성남 (미소 보이는데)

소매에서 뭔가를 꺼내 성남에게 건네는 화령.
성남, 받아 보면 직접 수놓아 만든 호슬(護膝)이다.

성남 이건.. 무릎 보호대인 호슬이 아닙니까?

화령 예, 세자.
앞으로 대군일 때보다 숙이는 일이 더 많을 것입니다.
시강원에서 교육이 시작되면 스승들에게 무릎을 꿇고 절을 올려야 하고
서안도 없이 바닥에 엎드려 책을 봐야 할 때도 있습니다.
왕세자는 스승도 임금도.. 백성도 섬겨야 하는 자리니까요.

성남 (그 뜻을 알고) 예 어마마마. 항상 낮은 자세로 소임을 다하겠사옵니다.

화령 모두가 오르고 싶어 하는 자리지만
매 순간 헤쳐나가야 하는 장애물들도 있을 겁니다.

성남 각오하고 있사옵니다.

화령 (미소로 끄덕인다)

성남 어마마마. 이제 가야 할 시간이옵니다.

화령 예~ 어서 가보세요.

예를 갖춘 뒤 걸어가는 성남.
화령, 첫걸음마를 하는 자식을 바라보듯 대견하면서도 걱정스런 시선으로 본다.

3 대비전 침전 (아침)

대비 앞에 바르게 앉아 있는 왕세자 성남.

성남 밤새 강녕하셨사옵니까? 문안 인사드리옵니다.

대비 (말투는 격식을 갖추지만 날카로운) 의관을 정제하신 모습을 보니
사뭇 달라 보이십니다 세자.

성남 이제 소손도 궁에 적응을 했나 봅니다.
본 것은 눈에 담고, 들은 것은 기억하고,
할 말이 있으면 거침없이 직언하는 세자가 되겠사옵니다.

대비 예.. 늘 긴장하고 매사에 정진하세요.
(곤룡포에 박힌 용보를 보며) 왕세자의 가슴엔 네 개의 발톱을 가진
사조룡이 새겨져 있습니다. 임금이 되었을 때에야 비로소
제왕을 상징하는 오조룡(五爪龍)을 새겨 넣을 수 있지요.
발톱 하나 차이가 별거 아닌 듯 보이지만
끝내 그 발톱 하나를 얻지 못하고 쓰러져간 인물들이 꽤 많습니다...

성남 발톱의 개수보다 그 쓰임새가 더 중요한 것 아니겠습니까?
소손. 그 발톱을 백성 위에 군림하며 상처 주는 데 쓰지 않고,
백성을 지키는 데 쓰겠사옵니다.

4 대비전 복도 (아침)

문이 열리며 성남이 나오는데, 그 앞을 가로막듯 서 있는 의성군과 황귀인!
두 사람, 왕세자 성남을 향해 숙인다.

의성군 (고개 든다)

성남 의성군 형님, 그간 잘 지내셨습니까?

의성군 예. 세자저하.

그런 자식의 모습을 보는 황귀인, 눈빛에서 치욕과 분노가 느껴지는데
그들을 지나쳐 가는 성남.
복도를 빠져나가는 성남을 보는 의성군, 눈에서 살기가 느껴진다.

5 편전 내부 (아침)

위엄 있게 누군가를 보고 있는 이호.
그 앞엔 박경우가 서 있다. 독대한다.

박경우 무슨 의도로 서함덕과 저를 궁으로 부르신 겁니까?
눈엣가시 같은 정적을 소탕하기 위한 계책이시옵니까?
이호 (당돌함에 피식) 임금을 거부한 죄를 물어 죽이면 그뿐인데
내가 왜 그런 어쭙잖은 방법을 쓰겠는가?
박경우 언제라도 그 칼날이 저를 향할 수 있겠지요.
이호 자네는 달라. 호조판서가 되어 어려워진 경제를 다시 일으켜주게.
박경우 (보다가) 제가 맡고 싶은 직책은 따로 있사옵니다.
그걸 들어주셔야 궁에 남을 것이옵니다.
이호 임금에게 협상이라도 하려는 것이냐?
박경우 궁 밖에서 굴러먹던 장사치의 흥정이옵니다.
이호 (순간 웃고) 그래 말해보거라. 원하는 직책이 뭔지.
박경우 서연관이옵니다.

[자막] 서연관(書筵官): 왕세자의 스승

이호 (본다) 호조판서를 겸한다면 서연관으로 임명하겠다.
궁 안에서의 협상은 적당히 타협하는 것이 아니라
상대를 포기시키는 것이다. 그러니 과인도 물러나지 않겠다.
박경우 (순간 웃고) 많이 변하셨사옵니다.
이호 (농과 진담) 그러니 자네도 정신 바짝 차리게. 이 궁에서 살아남으려면.

6 대비전 침전 (아침)

대비에게 큰절을 올리는 의성군.
그런데 황귀인의 시선은 대비에게 향해 있다.
친자검사를 한 이후 첫 만남이라 의중을 살피는 느낌.

의성군 할마마마. 부디 강녕하시옵소서.
대비 의성군이 출합한다 하니.. 이 할미가 참으로 섭섭합니다...
황귀인 전하께서 궐과 가까운 사가를 내주시었으니 너무 섭섭해 마시옵소서.
대비 (의미 있게 보며) 우리 의성군은..
제가 처음으로 안은 손주가 아닙니까?
저에겐 아주 특별한 아이지요...

F.B 》11부 62씬. 내의원 일각 (오후)
친자검사 당시, 의성군의 귀를 만져보던 대비의 표정이 굳는다.
황귀인을 쓱 보는 대비.
극도로 긴장한 황귀인의 표정을 포착하는 대비의 서늘한 표정.

현재 》씩 입꼬리 오르며 의성군을 미소로 보는 대비.

대비 이 할미는 의성군을 늘 지켜보겠습니다.
황귀인 (어쩐지 불안한 시선)

7 궐내 정문 근방 (아침)

사복 차림의 의성군, 결연한 표정으로 궐을 나서고 있다.

의성군 (마음의 소리, E) 반드시 궁으로 다시 돌아올 것입니다.

궐 안에 서서 떠나가는 의성군을 지켜보는 황귀인,
그 모습을 보며 설욕을 다진다.

황귀인 (마음의 소리, E) 그래 반드시 돌아오거라.
이 어미가 꼭 그렇게 만들어주마.

8　중궁전 침전 (아침)

화령에게 보고하고 있는 신상궁.

신상궁　마마. 막 조강이 시작되었사옵니다.

화령　(그런데 우려하는 눈빛)

[자막] 조강(朝講): 왕세자의 아침 정규 수업

신상궁　(표정 읽고) 왜 그러시옵니까 마마...?

화령　시강원 첫 수업이 신방례(新榜禮)가 될까 걱정이구나.

신상궁　신방례라면.. 성균관 신입 유생들을 환영하는 자리가 아닙니까?

화령　공식적으론 그렇지만 선진들이 합격 축하를 핑계로
무리한 과제를 주고 망신을 주기도 하지.
환영회이자 혹독한 신고식이야.

신상궁　(아...)

화령　시강원의 첫날 수업도 마찬가지다.
학문에 정진하라는 의미로 어려운 질문을 던지곤 하는데
그걸 이용해 세자의 책을 잡으려는 경우도 더러 있으니까.

신상궁　(!!) 다른 사람은 몰라도 영상대감은 그냥 넘어가지 않겠사옵니다.

화령　(끄덕) 세자가 호된 신고식을 잘 넘길 수 있을지 걱정이구나...

9　시강원 내부 (아침)

시강관들과 마주 앉은 성남의 모습.
그 옆엔 배동으로 참석한 보검군도 보인다.
맞은편엔 황원형, 윤수광, 민승윤, 박경우, 이판 등의 시강관들이 보인다.
시강관들, 성남을 공격하듯 꼬리에 꼬리를 물며 질문을 던진다.

황원형 난세와 치세의 차이가 무어라 생각하십니까?

성남 성군 명군의 시대를 치세(治世)라 하고
암군 혼군의 시대를 난세(亂世)라 합니다.

윤수광 그럼 난세의 임금의 도리는 무엇입니까?

성남 전쟁에 대처하는 자세가 현명해야 한다고 생각합니다.

이판 어찌 대처해야 하겠습니까?

성남 난세의 군주는 함부로 군사를 일으키지 않는 법입니다.
손자가 말하기를, 득이 없으면 기동하지 않고
위태롭지 않으면 싸우지 않는다 하였습니다.

보검군 맞습니다. 전쟁을 피하기 위한 외교전이 먼저여야 합니다.

황원형 아닙니다. 난세에는 그렇지 않습니다.
무력 시위를 통해 적군을 한발 물러서게 하는 것 또한 외교작전 중 하나입니다. 그래야 전쟁에서 이길 수 있고 나라의 이익이 있는 것입니다.

성남 싸워야 한다면 싸워서 이겨야겠지요.
허나, 승리보다 더 중요한 것은 전쟁을 빨리 끝내는 것입니다.
결국 전쟁 중에 상하는 것은 백성이기 때문입니다.

박경우 영상께선 지금이 난세라 생각하십니까?
요즘 같은 치세에 난세의 임금의 도리가 무엇이 중요하다고
이리 질문을 하시는 겁니까?

황원형 국가가 태평한 때일수록 경계를 늦추게 되면
군정이 해이해져 반드시 위태로워지는 법이니까요.

성남 군주다운 군주가 있고 재상다운 재상이 있다면
어떤 위태로움에도 명민하게 대처할 수 있지 않겠습니까?
제게 거는 기대가 크다는 뜻으로 받아들이겠습니다.

10 한성 거리 (낮)

세자책봉과 금혼령 벽보를 바라보는 여인의 뒷모습이 보인다.
청하다!

청하 (읽는) 세자가 책봉됐으니.. 결혼 적령기에 있는 처녀의 혼인을 금한다..
(헙! 눈 커지며) 벌써 금혼령이 내려진 거야~?!

[자막] 금혼령(禁婚令): 왕비, 세자빈을 간택하는 동안 혼인을 금하는 법

11 중궁전 침전 (낮)

화령에게 서류를 건네는 신상궁.
3장의 서류엔 규수들의 본관, 사주, 내외사조(內外四祖)가 적혀 있다.

신상궁 대비마마께서 삼간택 후보로 밀고 있는 세 명의 규수이옵니다.
화령 (받더니 서류를 한 장씩 넘겨보며) 이조판서의 첫째 여식..
한성부판윤의 조카.. (마지막 서류 보며) 병조판서의 둘째 여식.
(허. 서안 위로 서류 거칠게 내려놓는다)
신상궁 (보면)
화령 세자빈 자리가 대비마마의 사람으로 채워지면
세자가 자리를 잡는 데 어려움을 겪을 것이다. 그것만큼은 막아야 돼.
신상궁 방법이 있겠사옵니까...?
화령 (본다) 대비마마와 연이 없는 규수들의 명단을 가져오거라.
우리도 강력한 후보를 찾아서 올려야지.

12 포목점 내부 (오후)

외부엔 명주 원단과 비단 천이 깔려 있고
내부엔 예복들이 쭉 걸려 있는 포목점이다.
한쪽엔 탈의실처럼 접이식 파티션으로 막아놓은 공간도 보인다.
모친들과 규수들을 상대하는 가게 주인도 보이는 가운데
화령과 고귀인은 수렴으로 반쯤 가려진 내실에 앉아 있다.

고귀인　(속삭이듯) 좌상대감의 손녀입니다.

화령　(여유 있게 부채 부치며 보면)

여가 규수가 송화색 저고리를 입어보고 있고, 모친이 지켜본다.

여가母　(강남 사모 느낌) 그 송화색은 피부가 너무 칙칙해 보이는구나. 벗거라.

여가 규수　예 어머니. (그 말에 탈의실로 들어간다)

그런데 벗어서 파티션에 걸어놓는 저고리에 화장품이 묻어 있다.
밖에서 끌어내려 옷을 정리하는 가게 주인.

여가母　(말투는 교양 있게) 입어보니 영 별로네. 안 사는 걸로 하지.

가게 주인　(당황) 마님... 아씨의 몸에 맞춘 예복이 아닙니까?
값은 치러주셔야 합니다...

여가母　그럼 어울리지도 않는 옷을 사란 말인가?!

가게 주인　(정중히 저고리 보이며) 분과 연지까지 묻었습니다.
다른 이에게도 팔 수 없게 되었습니다...

여가 규수　(자기 옷으로 환복하고 나오며. 뻔뻔) 난 묻힌 적 없는데?

가게 주인　예...? 착용하시기 전에 분명 옷 상태를 확인했습니다.

여가 규수　지금 내가 거짓말이라도 하고 있다는 건가?

화령, 더 볼 것도 없다는 듯 부채 확 접어버리자
고귀인, 세필 붓으로 수첩에 쓰인 '좌상대감 손녀'를 찍- 그어버린다.
그러다 어딘가를 보더니. 반색한다.

고귀인　오~ 왔습니다. 참하고 음전하기로 소문난 우찬성의 첫째 여식입니다.

화령　(그 말에 입구 쪽을 쓱 보면)

고상한 이미지의 최가 규수가 모친과 함께 들어서는데.

최가母　예복은 다 되었는가?

가게 주인 (난감한 듯 급히 다가서며) 마님 이를 어찌하지요...
일하는 아이가 실수로 그만 주문하신 예복을 팔아버렸습니다.

최가母 (언성은 높이지 않고) 그게 무슨 소린가? 간택에 입을 옷이니
신경 써달라 그리 당부했거늘 다른 이에게 팔아버리다니?!

최가 규수 (개의치 않고 비단 천 만지며) 어머니 되레 잘되었습니다.
이 비단을 좀 보십시오. 전에 주문했던 것보다 문양이 더 좋습니다.

최가母 (관심이 비단으로 쏠린다)

가게 주인 예~ 오늘 들어온 도류문단(桃榴紋緞)입니다.

최가 규수 그럼 이걸로 다시 만들어주게.

가게 주인 예~ 아씨. 도성에서 가장 실력 좋은 침모에게 맡겨 서두르라 하겠습니다.

최가 규수 의미 깊은 옷이니 서두르지 말고 꼼꼼히 만들어달라 전해주시게. (미소)

화령, 촤락! 부채를 펼치며 부치자
고귀인, 세필 붓으로 수첩에 쓰인 '우찬성 장녀'에 동그라미 친다.

13 그 시각, 장터 일각 휴식 공간 (오후)

바닥으로 호박씨 껍데기가 마구 떨어진다.
쇼핑하는 아씨를 기다리며 호박씨 까먹는 몸종들.
그런데 호박씨 말고 리얼한 뒷담화도 깐다.
귀 쫑긋 열고 귀담아듣는 태소용. 리액션도 곧잘 한다.
태소용, 품에는 보자기 꾸러미 들려 있는데.

공판댁 하녀 허이구. 우리 아씨는 낮에는 멀쩡한데 밤마다 그렇게 울어.

태소용 (그새 친해진 듯 같이 호박씨 까먹으며) 아니 왜~?

공판댁 하녀 아, 낸들 알아? 가슴에 울화가 쌓였는지 맨날 한숨에...
같이 있으면 나도 기냥 기운이 쭉 빠지고 우울햐.

태소용 (꾸러미에 가려진 명단에 out 하듯 '공조판서댁' 찍- 긋는다)

예문관댁 하녀 어유. 그건 딱한 거지! 우리 아씨는 돌대가리야.
너~~무 무식해. 우리 대감마님한테서 어떻게 그런 자식이 나왔는지...

태소용 ('예문관검열댁' 찍- 그으면서 괜히 역정) 아니 무식한 게 뭐 어때서~? 사람만 좋으면 됐지!

도승지댁 하녀 그러고 보면 우리 아씨는 흠잡을 데가 없다니까~ 인물도 곱지, 심성은 비단 결이지~ 머리도 좋지~ 아마 남자로 태어났으면 과거 급제했을겨~!

태소용 (급 관심) 그리고? 또 뭐 없어~?

도승지댁 하녀 아유~ 이것까지 보여줘야 되나? (발 쫙 펴서 버선 보이면 꽃자수 있다) 누가 몸종 버선에 이런 자수를 놔주겄어~ 내가 이러고 살아!

태소용 (찾았다!! 하는 눈빛) 그래? 자기 어느 댁 노비야~?

도승지댁 하녀 (자랑하듯) 도승지 영감이 우리 주인어르신이셔~

태소용 도승지면... 민승윤?

도승지댁 하녀 (태소용 입 톡 때리며) 어디 함부로 우리 주인어르신 이름을 막 부른댜!! (하다가 놀라) 아니 근데 뭔 쌍것 피부가 요로케 보드라와? (볼 만져본다)

공판댁 하녀 (의심의 눈으로 아래위로 훑는) 가만 보니께 목이랑 손톱에 때도 없고...

태소용 (어멋. 들켰나 싶은데)

도승지댁 하녀 (음흉하게 웃으며) 대감마님 사랑받나 보네~!

14 포목점 외부 (오후)

찰나에 보이는 규수들의 성품을 평가하는 화령과 고귀인.

박가 규수 (비단을 몸에 대본 뒤 정리하지 않고 던져놓는다)

화령 (고개 절레절레)

고귀인 (명단에서 '성균관 대사성댁' 찍- 긋는다)

황가 규수 (들고 있는 비단을 몸종이 만져보자 확 밀치며) 어디 감히 더럽게!

화령 (부채를 확 접어버리면)

고귀인 (명단에서 '예조정랑댁' 찍- 긋는다)

민가 규수 (다른 규수들이 던져놓은 것까지 비단을 감아 제자리에 놓는다)

화령 저 규수는 어느 집안의 여식인가?

고귀인 도승지 영감의 첫째 여식입니다.

화령 (관심 있게 보는데)

그때 쪼르르 달려와서 화령에게 보고하는 태소용.

태소용 (어우 숨차) 드디어 찾은 것 같사옵니다~!!
도승지 영감의 첫째 여식이 그렇게 사람이 괜찮답니다~
성품도 바르고, 학문도 뛰어난 데다 몸종들한테도 잘한대요~
화령 (민가 규수를 보며 부채 촤-락 펼친다)
고귀인 (명단에서 '도승지댁' 동그라미 치는데)

그때다. 갑자기 소란스러워지는 인근.

청하 (E) 와! 이 아저씨 완전 눈퉁이 치시네~!!

하는데 사람들이 막 한곳으로 몰려든다. 그곳은 장신구 가게 쪽이고.
무슨 일인가 다가가 보는 화령 일행.

15 장신구 가게 앞 (오후)

반지, 비녀, 떨잠, 귀걸이 등을 파는 장신구 가게.
구경꾼들에 의해 둘러싸인 가운데.
가게 사장과 제대로 붙은 청하! 그 뒤에는 행색이 추레한 여인도 서 있다.
여인은 양반가 복식을 입었으나 저고리는 앞섶이 잘려 있고
머리는 비녀 없이 살짝 풀린 상태로. 손엔 금비녀가 들려 있다.

청하 눈퉁이 치지 말고 비녀값을 제대로 쳐주시오!!
가게 사장 이 정도면 잘 쳐준 거라니깐 그러시네!!
화령 (그 말에 관심을 갖고 보는데)
가게 사장 아니 그리고! 판다는 사람은 가만있는데 왜 아씨가 난리요!
청하 어이가 없어서 그러오 어이가~!

눈 뜨고 코 베 가는 현장을 어찌 눈 뜨고 지나치겠소!!
최소 서른 냥은 족히 받을 수 있는데, 아니 열 냥이라니요?!

구경꾼들 (쯧쯧 가게 사장을 손가락질하거나 너무하다는 반응)

가게 사장 거, 둘이 아는 사이라도 되시오?!

청하 우리? (허리에 양손 턱 얹고 당당) 옷깃 스친 사이요!

가게 사장 (살짝 비아냥) 아... 옷깃만 스쳐서 잘 모르시나 본데.
이 사람은 애 못 낳아서 소박맞은 여인이오.
(여인 섶 가리키며) 보시오 앞섶 잘려 나간 거. 이혼녀라구요!

구경꾼들 (갑자기 태도 변하며 여인을 다시 본다)

청하 아니 그게 이 비녀값을 정하는 거랑 뭔 상관입니까?

가게 주인 (당당) 상관있지요!! 누가 소박맞은 여인의 물건을 사겠습니까?
부정 타게시리! 나니까 열 냥이라도 쳐준다는 겁니다!

청하 아~ 그러세요? (여인 본다) 그것 좀 잠시 빌리겠습니다.

청하, 금비녀를 번쩍 들더니 구경꾼들을 향해 외친다.

청하 이 금비녀를 준다면 가질 사람 있습니까?

구경꾼들 (고민도 없이 손 든다)

청하, 갑자기 금비녀를 바닥에 던져 발로 꾹 밟는다.
금비녀는 진흙으로 더러워지는데.
그 모습을 흥미롭게 보는 화령.

청하 (더럽혀진 금비녀 들더니 다시 묻는) 아직도 가지고 싶은 사람 있습니까?

구경꾼들, "금이 더러워도 금이지!", "뭔 상관이야 금인데~" 하며
이번에도 다들 손 든다.

청하 보셨소? 이 금비녀에 무슨 짓을 해도 가치는 떨어지지 않는다구요~!
이 여인도 마찬가지구요.

여인 ....

청하　그러니 다른 사람들과 동등하게 가격을 쳐주십시오!

가게 사장　(인심 쓰듯) 아 그럼 뭐.. 이십 냥 받고 파시든가.

화령　내가 사겠소.

구경꾼들　(모두 본다)

화령　서른 냥을 드리면 제게 파시겠습니까?

여인　(놀란 눈)

가게 사장　(급히 머리 굴리더니 얼른 돈 꺼내 여인에게 건넨다) 서른닷 냥이오! 이 정도면 됐지요? (하더니 금비녀를 들고 얼른 가버린다)

청하　(화령에게 꾸벅) 도와주셔서 감사합니다~

여인　(돈을 든 채 화령과 청하에게) 고맙습니다... 덕분에 한동안 먹을 걱정은 없겠습니다.

청하　헤헤. 뭘요~ 제값을 받아 다행입니다~~

청하, 떠나는 여인을 흐뭇하게 보는데
그런 청하를 유심히 보는 화령, 태소용과 고귀인에게 묻는다.

화령　보아하니 양반댁 규수 같은데 우리 후보 명단엔 없는 것인가?

고귀인　(명단 살피며) 예~ 없습니다.

태소용　(청하 알아보고 굳는) 어머! 저 처자는 병판대감의 첫째 딸입니다...

화령　병판...? (청하 다시 보는데)

청하　(이동한다)

화령　잠깐만요.

청하　(돌아보는 데서)

16　포목점 내실 (오후)

찻상을 두고 마주 앉아 있는 화령과 청하.

화령　어떤 연유로 그 여인을 도우셨습니까?

청하　자식이 없다는 이유로 남편 쪽에서 일방적으로 이혼할 수 있는 건 좀 잔인하지 않습니까~?

화령 (끄덕) 칠거지악은 아내를 정당하게 쫓아낼 수 있는 법이니
때론 악법이 되어 억울한 사람을 만들기도 하지요.

청하 전 이해가 안 갑니다.
왜 칠거지악 같은 법은 있는데 보호해주는 법은 없는 걸까요~?

화령 있습니다. 삼불거(三不去)라는 게 있지요.

청하 삼불거요?

화령 예. 기혼여성들에게도 자신을 보호할 수 있는 법이 있습니다.
시부모를 위해 삼년상을 치렀거나
혼인 후에 부귀를 얻었거나, 돌아갈 만한 친정이 없는 경우엔..
칠거지악에 해당되더라도 함부로 아내를 내쫓을 수 없습니다.

청하 아~ (끄덕끄덕)

화령 남편에게 창을 준 대신 아내에게 방패를 준 격이랄까요.
문제는 대부분의 여성들이 칠거지악은 알아도 삼불거는 잘 모른다는
사실입니다. 자신을 보호할 법이 있는데 그 권리를 모르는 것이지요.

청하 혹은. 알아도 그 권리를 갖지 못한 걸지도요..

화령 (보면)

청하 (본다) 맞잖아요~ 창은 일곱 개 줬으면서 방패는 세 개만 줬으니
그중 하나에만 잘못 찔려도 다치는 것이 아닙니까?

화령 (청하를 다시 보며 피식)

17 그 시각, 윤수광의 사가 마당 (오후)

마당으로 급히 나오는 윤수광, 영문을 모른 채 뒤따르는 고씨.
보면 마당에 사복의 대비와 남상궁이 서 있다.

윤수광 대비마마. 어찌 기별도 없이 예까지 드셨사옵니까?

고씨 (대비마마? 놀라서 얼른 예를 갖추며 숙인다)

18 동 사랑채 방 안 (오후)

마치 간택장을 방불케 하듯
수렴을 치고 앉아 청하의 여동생들에게 질문을 던지는 대비.

대비 예로부터 인주를 가까이하면 붉어지고
먹을 가까이하면 검어진다 하였습니다. 이 말의 뜻이 무엇입니까?
동생1 가장 가까이에 있는 사람의 영향을 받는다는 뜻입니다.
대비 규수에겐 그런 존재가 누굽니까?
동생1 부모님이십니다. 태어나 지금에 이르기까지
두 분을 거울삼아 배우고 닮아왔기 때문입니다.
동생2 부모는 아이의 첫 번째 스승이니
늘 바른 마음가짐과 행동거지로 모범을 보여야 합니다.

모범적으로 답하는 여식들을 보며 고씨는 흐뭇한데.
수렴 안에선 점점 표정이 굳어가는 대비. 그 표정을 읽는 남상궁.
그리고 대비의 의도를 알 수 없어 찜찜한 얼굴의 윤수광.

화령 (E) 처녀단자를 넣어볼 생각 없습니까?

19 다시, 포목점 내실 (오후)

청하 (관심 밖의 얘긴 듯) 처녀단자요~?
화령 예. 다들 세자빈이 되고 싶어 하는데, 규수는 관심이 없어 보여서요.
청하 갑갑한 궁에서 어떻게 평생 살아요~ 전 싫습니다.
화령 처녀단자를 제출할 수 있는 기한이 얼마 안 남았으니 고민해보세요.
청하 에이~ 관심 없습니다. 전 이미 마음에 품은 사람이 있거든요~
아무리 세자저하라 해도 사랑 없인 살 수 없잖아요~
화령 누군지는 몰라도 꽤 괜찮은 사낸가 보군요.
청하 (성남 얘기에 밝아지는) 예~~ 얼굴만 잘생긴 줄 알았는데

며칠 함께 지내다 보니 속이 꽉 찬 진국 같은 사람이라는 걸 알았습니다.
아! 보여드릴까요? (품에서 성남의 용모파기 꺼내 건넨다)

화령　(보더니 놀란다. 청하를 다시 보는) 이분을 어찌 아십니까?

청하　(왜 그러지?) 예?

화령　(본다) 이분이 바로 왕세자십니다.

청하　(막 웃는) 에이~ 말도 안 됩니다.
우리 선비님은 나랏일 하는 어사시지 왕세자는 아니십니다.
얼마 전 섬에서 어사로 일하시는 걸 제가 직접 봤습니다~

화령　나 궁에 사는 사람입니다.
그런데 제가 어찌 세자저하 얼굴을 모르겠습니까?

청하　(갸웃 설마) 진짜 이분이 세자저하시라구요?

화령　(끄덕)

청하　혹시 상궁마마십니까~?

화령　(미소) 예.

청하　진짜 이분이 세자저하시라면... (순간 눈 커지며) 와 큰일 날 뻔했다!!
마마님 이 은혜는 절대 잊지 않을게요~! (일어서면)

화령　(잠깐만 하듯) 처녀단자를 넣을 거라면
세자저하와 인연이 있다는 사실을 누구에게도 알려서는 안 됩니다.

청하　예? 왜요..?

화령　왕실은 지엄한 곳입니다.
사적으로 만났다는 것을 어른들께서 아시는 건 도움이 되지 않을 겁니다.

청하　(끄덕!) 명심하겠습니다!

하더니 급히 뛰어가다가 뒤돌아 막 손 흔드는 청하.

청하　(소리치는) 상궁마마님 궁에서 꼭 다시 만나요!

화령　(멀어지는 청하를 본다)

20　동궁전 침전 (오후)

높은 곳에 있는 서책을 뽑기 위해 손을 뻗는 성남.
그런데 소매에 들어 있었던 듯 도포자락 사이로 떨어지는 백합 패각.
바닥에 떨어진 패각을 집어 드는 성남.

ins 》10부 29씬. 만월도 박경우의 집 (이른 새벽) 이어지며-
보면 먼동이 트며 바다에서 서서히 해가 떠오르고 있다.
웅장하면서도 아름다운...

청하 예쁘다~~~
성남 (자신도 모르게 그런 청하를 보는데)
청하 (시선 느끼고 쓱 성남을 보면)
성남 (피하지 않고 보다가 다시 바다를 본다) 진짜 예쁘네요...
청하 다음에 또 이렇게 예쁜 일출을 보게 되면~
분명 제 생각이 나시겠지요? (씽긋)

그렇게 한동안 말없이 일출을 바라보는 두 사람.
청하, 조심스럽게 백합 패각을 반으로 쪼개더니 하난 자기가 갖고
반쪽을 성남의 손에 살짝 놓는다.

성남 (놀라 청하를 보면)
청하 사방에 널린 조개껍데기지만
그 반쪽과 맞는 건 (자기 패각 보이며) 제가 갖고 있습니다~
성남 (본다)
청하 그러니 우리가 다시 만나게 된다면 운명으로 여겨주십시오~ (방긋)

현재 》 자신도 모르게 피식 웃는 성남.
그때 동궁내관이 들어선다.

동궁내관 저하. 곧 석강이 시작되옵니다.
성남 (패각을 소매에 넣는. 본다) 가자.

21 윤수광의 사가 사랑채 (오후)

정숙한 분위기 속에 대화 중인 대비와 윤수광.
그리고 차분히 앉아 있는 동생1, 2.

대비 (수렴 뒤에서 동생들 보며 굳은 얼굴로) 병판께서 여식들의 가정교육을 아주 잘 시키셨습니다. 명문가 규수들답게 흠잡을 데가 없습니다.
윤수광 과찬이시옵니다 마마...
고씨 (기쁜 마음을 겨우 누르는데)

어딘가에서 청하의 목소리가 들려오는 듯하다. "아부지! 아부지~~!!"
환청인가 싶은 윤수광, 고씨도 잘못 들었나 싶어 갸웃하는데
순간 방으로 난입하는 청하. 치마 들고 숨을 헉헉대며.

청하 아부지! 나 세자빈 될래!!

수렴 뒤에서 눈썹 씰룩이며 관심 있게 보는 대비.
당황하는 윤수광과 고씨.
그러나 수렴 뒤에 앉은 대비를 인지하지 못한 청하.

청하 아직 처녀단자 안 넣었지? 그럼 내가 나갈래. 내가 나갈래~~
고씨 (급히. 그 입 다물라 '쉿!!' 수신호 보내지만)
윤수광 나중에 얘기하자꾸나... (밑으로 '나가!'라는 수신호)
청하 (발 동동) 나중이 어딨어. 제발 궁에 들여보내주세요 네?
소녀! 이제부턴 반말도 아니 하고 (치마 내리며) 치마도 안 들고 다니고 걸음도 조신하게 걷고, 가출도 안 하겠습니다!
윤수광 (어이쿠 휘청...)
청하 아부지~~ 나 꼭 세자빈 돼야 한단 말예요~~!!
반드시 (가슴 탕탕) 내가 돼야 한다구요.
윤수광 (뭐라 한마디 하려 하는데)

대비 (E) 왜 꼭 세자빈이 돼야 합니까?
청하 (놀라 소리 나는 쪽을 보면)

대비가 수렴을 거두며 나온다. 그리고 청하를 보는데!

22 포목점 내실 (오후)

심각한 표정으로 화령을 보는 태소용과 고귀인.

태소용 안 됩니다 마마. 그 규수는 병판대감의 여식입니다~!
고귀인 예, 병판이 누굽니까? 대비마마의 수족 같은 자이옵니다.
게다가 첫째 여식은 하도 방정맞아
매파들도 믿고 거르는 걸로 유명합니다.
태소용 (우려) 대체 어쩌시려고 처녀단자를 내라 하셨습니까...?
화령 (의미심장) 내게 다 생각이 있네.

23 윤수광의 사가 사랑채 (오후)

둘만 남은 채 독대하는 대비와 청하.

대비 왜 꼭 세자빈이 되어야 하는지 물었습니다.
청하 (서안 밑으로 손을 펴더니 백합 패각을 보다가 꽉 쥔다)

F.B 》 19씬. 포목점 내실 (오후)

화령 처녀단자를 넣을 거라면
세자저하와 인연이 있다는 사실을 누구에게도 알려서는 안 됩니다.

현재 》 청하, 대비를 본다.

청하 가장 높은 자리까지 올라가보고 싶어서요.
사대부가의 여인에게 허락된 최고의 지위는 왕비가 아닙니까?
해서 세자빈이 되고 싶습니다!
(마음의 소리, E) 그래야 선비님을 만날 수 있으니까요.

대비 (청하의 대담한 태도에 더 관심 보이며) 이건 국혼입니다.
아무나 하고 싶다고 할 수 있는 게 아니지요.

청하 아무나가 아니라 생각하셨으니~ 이리 저를 따로 부르신 것 아닙니까?

대비 (흥미롭게 보다가) 그럼 나의 사람이 되어주십시오.

청하 (본다) 나의 사람이요..?

대비 예, 앞으로 내겐 비밀이 없어야 합니다.

청하 .....

대비 (본심을 숨긴 채) 이 할미는.. 형의 갑작스런 죽음으로
준비도 없이 국본에 오른 세자가 매우 걱정됩니다...
자리를 잡지 못할까.. 입지가 불안할까...
그 힘든 경합을 치르고 세자가 된 아이니
힘을 보태기 위해서라도 모든 것을 알아야겠습니다...

청하 (대비의 본심을 아는 듯 모르는 듯 묘한 표정)

대비 그리해줄 수 있겠습니까?

청하 (패각을 꽉 쥔다. 그리고 결심한 듯 고개 든다)

24 윤수광 사가 일각 (오후)

대비 앞에 서 있는 윤수광, 의심을 강력히 피력한다.

윤수광 대체 왜 저 아이를 세자빈으로 간택하려 하십니까?
다른 생각이 있으신 건지 분명히 해두고 싶습니다.

대비 세자빈 자리는 병판의 여식으로 한다 하질 않았습니까?
내 그 약속을 지키려 하는 것입니다.

윤수광 대비마마를 모신 지 이십 년째이온데

제가 그 정도 눈치도 없겠사옵니까?!
결국 저 아이를 이용해 세자저하를 끌어내리려는 의도가 아니십니까?

대비 (본다)

윤수광 말씀해주십시오. 대비마마의 계획을...

대비 (훗) 네. 그렇게 쓰일 수도 있겠지요.
허나. 병판대감에게는 둘째와 셋째 여식도 있지 않습니까?

윤수광 ......!!

25 중궁전 침전 (밤)

화령 앞에 앉아 있는 성남.

화령 (보다가) 세자는 세자빈 간택에 관심이 없습니까?

성남 어마마마와 어른들께서 세자빈을 정해주시면 그저 따를 것이옵니다.
소자는 이 혼인도 세자의 책무 중 하나라 생각하옵니다.
제가 자리매김하는 것이 왕실을 위한 길이 아니겠습니까?

화령 예. 전하께서 왕위에 오르신 지 이십 년이 지났지만
역모의 무리들에 의해 여전히 왕조가 위협받고 있습니다.
그래서 이 어미는 세자가 좋은 세자빈을 맞아
하루빨리 후사를 봤으면 좋겠습니다.

성남 명심하겠사옵니다.

화령 세자, 혹 마음에 둔 여인이 있습니까?

성남 (순간 눈빛 흔들린다. 그러나 아무 말 하지 않는다)

화령 (그 모습을 놓치지 않고 보는데)

26 윤수광 사가 사랑채 (밤)

단호한 윤수광, 절실한 청하.

청하 아부지...
윤수광 안 된다질 않느냐!! 내 몇 번을 말해야 알아듣겠느냐?
청하 (눈물 글썽이며 진실된 눈빛으로) 아부지 제발요... 제발요...
윤수광 (미치겠고. 딜레마에 빠지는데)

27 궐 전경 (낮)

고요한 궐. 별안간.

무안 (E) 멈추거라!!

28 무안대군 처소 (낮)

갑자기 서안을 휙!! 뛰어넘더니 멋있는 척 착지하는 무안.

무안 (쓱- 고개 들며) 내가 이렇게 딱 나타난 거지~
니들도 알다시피 내 무예 실력이 꽤 뛰어나잖아.
계성, 일영 (관객 시점으로 앉아 예의상 끄덕여준다)
무안 (무용담을 늘어놓듯 표정 연기까지 펼치며. 획! 손가락질) 잘 들어!!
그 여인에게서 손 떼는 게 좋을 거야. 허! 분명 경고했을 텐데.

하더니 갑자기 파파박. 퍼퍼퍼벅.
손과 입으로 허공의 상대를 제압하는 무안.

무안 크... 나의 용맹스러움이 돋보이는 순간이었지.
이게 내가 초월일 처음으로 구해준 순간이었다.
계성, 일영 (무안과 동시에. 여러 번 들어 외운 느낌) 이게 내가 초월일 처음으로
구해준 순간이었다...
무안 매번 필요한 순간에 딱악!! 나타나니

초월이도 이번엔 운명이라 느낀 거겠지.
(발그레) 그렇게 우린 만리장성을 쌓을 수밖에 없었다.

계성, 일영 (이미 다음 레퍼토리를 아는 듯 무안과 같은 곳을 보며) 초월인...
무안 (감상에 젖어. 동시에) 초월인.. 그날 뜬 달처럼 정말 예뻤다.
일영 (귀 파며) 형님. 그 얘긴 벌써 열 번쯤 들었습니다.
무안 엇. 그래?
계성 (문득 궁금해지는) 근데, 왜 두 분은 벗으로만 지내오신 겁니까?
무안 (분위기 잡으며) 그건.. 그날 밤 약조 때문이다.

29 기루 근방, 돌다리 위 (밤) (회상)

돌다리 위에 나란히 앉아 있는 무안과 초월.
주변은 칠흑같이 어둡고, 그들 옆엔 등이 하나 놓여 있다.

초월 왜 제게 기생이냐 묻지 않으십니까?
무안 난 니가 기생이건 아니건 중요치 않다.
초월 (고개 들어 본다) 고맙습니다. 도와주셔서.
무안 (본다. 진심 어린 조언) 다음엔 스스로 지켜야 해.
누군가 널 또다시 함부로 대하거든 당당히 맞서거라.
초월 (끄덕하더니. 시 읊듯) 기루에 핀 꽃일 뿐.. 화화무향(畵花無香: 그린 꽃에서는 향기가 나지 아니 한다는 뜻)을 꺾을 순 없으니...
무안 (받아 읊듯) 벌들아. 꽃에 내려앉을 생각 말고. 버들에나 앉았다 가거라.
초월 (놀라. 본다) 시를 지으십니까?
무안 (피식) 요거 저거 섞어서 내 꺼인 척은 잘한다~
초월 (눈빛 반짝) 손 좀 내어주십시오.
무안 (하 이놈의 인기~) 만난 지 얼마나 됐다고 벌써 손을 잡자는 것이냐~?

하면서 쓱- 손을 내미는데
무안의 손에 무언가를 올리더니, 안 보이게 자신의 두 손으로 가리는 초월.

무안　뭐냐~?
초월　원래는 보름달인데. 까면 반달이요.
무안　(생각해보지만 모르겠는데)
초월　(가리고 있던 두 손을 치우면)
무안　(감귤이 놓여 있다. 피식)
초월　제 지음이 되어주십시오. 함께 시를 나누는 벗이 되고 싶습니다.
무안　(엥?!) 이리 면상이 훌륭한 사내에게 고작 벗이 돼달라구?
초월　기생은 아니지만 전 천민입니다.
어차피 양반과는 이루어질 수 없는 사이가 아닙니까?
계속 이리 만날 수 있는 건. 벗뿐인걸요.
무안　(살짝 삐짐) 그럼 나 좋아하지 말거라. 절대 흠모해선 안 되느니라!!
초월　(끄덕)
무안　(은근 서운) 진짜?
초월　오래오래. 볼 수 있었으면 좋겠습니다... (미소)

30　혜월각 마당 (오후) (현재)

믿을 수 없다는 듯 행수를 보는 무안.

무안　그게 무슨 소립니까?
초월이가 떠나다니요?! 왜요? 아니 대체 어디로 갔단 말입니까?
행수　(안타깝고) 저도 모르옵니다...

31　혜월각, 초월의 방 (오후)

짐이 정리된 채 비어 있는 초월의 방.
한편에 가야금만이 놓여 있다.

32 중궁전 침전 (밤)

부요에게 보고받고 있는 화령.

부요 마마. 권의관이 한성에 있다 하옵니다.
화령 (반응!) 그래? 그럼 지금 어디 있느냐?
부요 서촌에서 그자를 본 이가 있다 하옵니다.
화령 (생각하는) 갑자기 한성으로 돌아온 연유가 뭐지...?
한성에서의 행적을 추적해보거라.
권의관이 어디를 갔는지 누구를 만났는지 알아봐.

33 궐내 옥사 (밤)

으...!! 음독한 듯 괴로움에 몸부림치는 서함덕, 입술이 새파랗고
손톱이 다 빠질 정도로 바닥을 긁으며 고통스러워하는데.

ins 》11부, 68씬. 의금부 옥사 (밤) 이어지며-
옥사를 사이에 두고 은밀히 대화 중인 두 남자.
서함덕과 의관 복장의 권의관이다.

권의관 곧 추국이 시작될 테니 그 전에 여기서 빠져나가셔야 합니다.
서함덕 방법이 있겠습니까?
권의관 (약병 건네며) 이걸 마시면 일시적인 호흡곤란과 발작 증세가 있을
겁니다. 내의원으로 옮겨지면 거기서 밖으로 빼돌리겠습니다.
서함덕 (회심의 미소를 지으며 약병을 보는데)
권의관 (의미심장) 모든 걸 알고 계신 서선생께서
추국에 서시는 일만큼은 막아드려야지요...

현재 》 나졸들이 놀라 뛰어 들어오는데
욱!! 하더니 피를 토하는 서함덕, 두 눈을 부릅뜬 채 숨을 거두고 만다.

축 늘어진 손 주변엔 약병이 굴러다닌다.

34 왕의 침전 (밤)

내금위장에게 보고받는 이호의 표정이 굳는다!!

이호 궐내 옥사에서 죄인이 독을 먹고 죽다니? 이게 말이나 될 법한 일이냐?!
내금위장 송구하옵니다 전하.
이호 계룡산과 서함덕의 근거지를 수색한 일은 어찌 되었느냐?
내금위장 흔적을 지운 채 도주해버려 마땅한 증거물을 찾지 못했사옵니다.
이호 (본다) 폐비 윤씨 모자와 접촉한 자들은?
내금위장 몇 달간 지켜보았으나 그들을 찾아오는 이는 아무도 없었고,
수상한 움직임 또한 보이지 않았사옵니다.
이호 (생각한다) 아니다.. 분명 폐비 윤씨 모자와 내통하는 자들이 있을 것이다.
한시도 놓치지 말고 그들을 감시하거라.
내금위장 예. 전하!
이호 (매서운 눈빛) 아직 드러나지 않은 역모의 무리들을 반드시 소탕해야
한다. 궐내에 가담자가 있을 수도 있으니 계속 조사하라.

35 서촌, 움막촌 아지트 (밤)

토지선생을 중심으로 역모의 가담자들이 모여 앉아 있다.
권의관은 일당들 사이에서도 끝에 앉아 있는데.

토지선생 서선생이 자결하셨습니다.
일당들 (!! 참담하고)
토지선생 거사를 위해 모든 걸 떠안고 가신 것 같습니다.
추국이 시작되면 우리까지 발각될 위험이 있으니
어쩔 수 없는 선택이었을 겁니다.

권의관 서선생의 뜻이 헛되지 않도록 해야 하지 않겠습니까?
이 일로 주춤거려선 아니 될 것입니다.

토지선생 작금의 왕을 치기 위해선 명분이 필요합니다.
그러니 태인세자가 병사가 아니라 살해됐다는 것부터 증명해야 합니다.

일당들 (결의를 다지는 표정)

36 인적 드문 민가 골목 (깊은 밤)

어둠 속 어딘가로 향해 가는 권의관.

37 중궁전 침전 (깊은 밤)

병풍으로 서서히 다가서는 화령.
병풍을 옆으로 걷어내면 숨겨둔 자료가 드러나는데.
세자의 병상일지와 복검시형도(覆檢屍刑圖: 시신 상태를 기록한 그림),
권의관의 지난 행적들(고향, 궁에 들어온 시점, 권의관 내의원 이력) 등이다.

신상궁 (화령의 뒤로 다가서면)

화령 (자료를 보며) 세자의 죽음을 밝힐 수 있는 자는 권의관뿐이야.

신상궁 권의관을 어찌하실 작정이십니까?

38 은밀한 골목길 일각 (깊은 밤)

거리를 둔 채 마주 서 있는 권의관과 황귀인.
황귀인은 장옷을 두르고 있다.

권의관 다시 궁으로 돌아가야겠습니다.
당신이 날 좀 도와줘야겠소.

황귀인　예.. 돌아오세요.
저 또한 당신의 도움이 필요합니다.
권의관　(보면)
황귀인　(강렬히 본다) 그때 세자에게 썼던 독이 무엇입니까?

39　중궁전 침전 (다음 날, 낮)

신상궁이 급히 들어와 화령에게 보고한다.

신상궁　마마. 병판대감의 첫째 여식이 처녀단자를 제출했다 하옵니다.
화령　(속내를 알 수 없는 무표정)
신상궁　대비마마께선 왜 마음을 바꿔 문제 있는 그 규수를 선택하신 걸까요?
화령　세자빈을 자기 사람으로 앉히는 것에 만족하시지 않는 거겠지...
결국은 세자에게 발톱을 드러내지 않겠느냐?

40　대비전 침전 (낮)

대비에게 보고하고 있는 남상궁.

남상궁　어째서 둘째와 셋째를 두고.. 첫째를 선택하신 것이옵니까?
대비　(본색 드러내며 미소) 세자의 입지를 흔들려면
최고의 신붓감이 아니라 최악의 신붓감을 선물해야 하지 않겠느냐?

41　궁 문 (단봉문) (낮)

궁 문 앞에 줄지어 있는 송화색 저고리에 다홍색 치마를 입은 규수들.
규수들, 바닥에 놓인 솥뚜껑 꼭지를 밟으며 궁중 문턱을 넘어선다.
곧 청하의 차례가 오고. 솥뚜껑을 밟으며 작게 "오~! 재밌다." 하는데 뒷사람이 기다리자 폴짝 착지한다.

42 너른 마루가 있는 전각 (낮)

초간택 현장. 길게 내려진 발을 사이에 두고
한쪽에는 규수들이 도열해 있고
다른 한쪽에는 화령, 대비, 종친부(남성) 어른들이 좌정해 있다.
곧 절을 올리는 규수들. 청하도 정신을 바짝 차리고 절을 올린다.
그런데 어떤 규수들은 휘청하거나 넘어지기도 한다.
발을 사이에 두고 날카로운 시선으로 관찰하는 화령과 대비.

43 어느 전각 (다른 날, 오후)

화령, 대비, 종친부 어르신들이 논의를 하고 있다.

대비 전 병판대감의 첫째 여식인 윤가 규수를 올렸으면 합니다.
화령 전 반대입니다. 그 규수는 너무 자유분방해 보였습니다.
대비 그렇습니까? 과거 간택 자리에서 처음 봤던 중전보다는
차분해 보이던데요. (하며 종친1을 쓱 보면)
종친1 저 또한 삼간택에 올리기에 병판의 여식이 부족함이 없다 생각합니다.
화령 (물러서지 않는) 제 눈엔 세자빈 감으론 보이지 않습니다.
대비 저는 윤가 규수를 삼간택에 올려야겠습니다.
(선심 쓰듯) 대신 중전께서도 후보를 한 명 추천하시지요.
화령 (보는데) 그럼 전 민승윤 영감의 여식을 삼간택 후보로 올리겠습니다.

44 동궁전 침전 (오후)

서책을 보고 있는 성남에게 동궁내관이 전달한다.

동궁내관 저하~ 중전마마께서는 도승지 영감의 여식을 밀고 계시고
대비마마께서는 병판대감의 여식을 밀고 계신다 하옵니다.
대체 중전마마와 대비마마 중 어느 분의 사람이 세자빈이 될지
궁중이 아주 지금 떠들썩하옵니다.

성남 (말없이 서책 넘기면)

동궁내관 (쩝) 동궁전만... 이리 조용하지요.
아니 저하께선 누가 되실지 정말 궁금하지 않으십니까?

성남 (정말 관심 없는 듯 서책에 집중한다)

45 너른 마루가 있는 전각 (오후)

어느새 삼간택 현장.
청하, 민가 규수, 김가 규수 세 명으로 줄었고 의상도 바뀌었다.
두 규수들은 금박 저고리와 귀고리, 반지, 노리개를 착용했다.
청하는 아주 화려하지도 덜하지도 않은 모습.
그리고 규수들 앞에는 각각 간단한 다과상들이 놓여 있고
드리운 발 너머엔 화령, 대비, 종친부 어른들뿐 아니라 이호까지 좌정해 있다.
차를 마시고, 음식을 먹는 규수들의 행동거지를 살피고 있다.
민가 규수를 유심히 보던 이호, 질문을 던진다.

이호 민가 규수는 어찌하여 방석에 앉지 않았습니까?

그 말에 심사위원들이 모두 다과상 아래를 보면
방석에는 각각 부친들의 이름(閔承齋, 金應孚, 尹秀光)이 적혀 있고
민가 규수만이 '閔承齋'이 적힌 방석을 옆으로 밀어놓은 채 바닥에 앉아
있다.

민가 규수 아버님의 존함이 적혀 있어 차마 그 위에 앉을 수 없었사옵니다.

김가 규수 (!!! 그 말에 황급히 일어나 방석을 밀어낸다)

이호 (내심 기특히 여기는데)
청하 (미동 없이 당당히 방석 위에 앉아 있다)

이호의 시선이 곧 청하에게 향한다.
화령과 대비 또한 지켜보는데.

이호 윤가 규수는 생각이 다른가 봅니다?
청하 제가 올라앉은 것은 방석일 뿐입니다.
부친의 존함이 적혀 있는 종이 또한 그냥 종이일 뿐이고요.
저희 부친께서는 궐 어딘가에서
제가 세자빈으로 간택되길 간절히 기원하고 계실 겁니다.
이호 (웃더니 끄덕인다)
화령 (무표정으로 보는데)
대비 여성들의 규범이 되는 칠거지악에 대해 한번 설명해보시겠습니까?
(보며) 민가 규수부터 말씀하세요.
민가 규수 아내를 내쫓을 수 있는 일곱 가지 허물이옵니다.
칠출(七出) 또는 칠거(七去)라고도 합니다.
아내가 시부모에게 불손하거나, 자식을 생산하지 못하거나, 행실이 음탕하고 투기하거나, 말이 지나치게 많거나 도둑질을 하는 경우입니다.
김가 규수 그 일곱 가지 중에 하나라도 해당되면
남편은 아내에게 일방적으로 이혼을 요구할 수 있습니다.
대비 윤가 규수도 말씀해보세요.
청하 칠거지악은.. (하는데)
화령 윤가 규수는 칠거지악이 아니라, 삼불거에 대해 설명해보시지요?
청하 (어?! 혹시나 하는 표정으로 수렴 너머를 주시하는데)
대비 질문이 공정하지 않군요.
왜 윤가 규수에게만 다른 질문을 하십니까?
화령 칠거지악에 대해 두 규수가 모두 훌륭하게 답하였으니
윤가 규수에게는 삼불거에 대해 물으려 하는 것입니다.
공정하지 못하다 생각하신다면 다른 규수들께서 먼저 말씀해보실까요?
김가 규수 (삼불거? 당황)

민가 규수 (차분하게 앉아 있지만 모르는 눈치)
청하 제가 답하겠습니다.
화령 (보면)
대비 (본다)
청하 삼불거는 세 개의 방패이옵니다.
이호 세 개의 방패라.. 그게 어떤 의미입니까?
청하 칠거지악에 해당하더라도, 아내를 버리지 못하는 세 가지 이유니까요.

수렴을 사이에 두고 화령과 청하 서로를 바라본다.

청하 (교감하듯 화령이 가르쳐준 것을 잊지 않고) 남편에게 창을 준 대신 아내에게 방패를 준 격이 아니겠습니까? (미소)
화령 (본다)
대비 (두 사람을 보는데)

46 동궁전 내부 (오후)

서안 앞에 앉아 서책을 읽고 있는 성남.
그때 동궁내관이 다급히 들어선다.

동궁내관 저하! 저하!! 결정 났사옵니다.
병판대감의 첫째 여식이 빈궁마마로 간택되었다 하옵니다.
성남 그래. 결국 대비마마의 사람이 세자빈이 됐나 보구나.
(하더니 서책의 다음 장을 넘긴다) 곧 주강이 시작되니 채비하거라.
동궁내관 예 저하... (정말 관심 없으신가 보네)
성남 (서책에서 시선을 떼지 않는다)

47 별궁 복도 → 별궁 내부 (오후)

별궁으로 청하와 두리를 안내하는 신상궁.

신상궁 빈궁마마. 가례 전까지 몇 달간 머무실 별궁이옵니다.
모시는 데 있어 한 치의 소홀함도 없을 것입니다.

대기하던 궁녀들이 일제히 고개를 숙이면
얼결에 고개를 숙이는 청하.

신상궁 빈궁마마께서는 예를 갖추실 필요가 없으시옵니다.
청하 아~
신상궁 (두리를 본다) 사가에서 온 교전비 출신의 본방 나인은
저희가 교육하여 다시 보내드리도록 하겠습니다.
(두리 향해) 자네는 이제 나를 따라오시게.

긴장한 얼굴로 신상궁을 따라가는 두리.
말은 하지 않지만 서로를 응원하는 눈빛으로 청하와 헤어진다.
곧 활짝 열리는 별궁의 문! 내부 중앙에 걸려 있는 화려한 대례복.
긴장되는 마음으로 문지방을 넘어 안으로 들어서는 청하.
그런데 내부에 서 있는 누군가의 뒷모습. 돌아서는데 화령이다!

청하 (너무 반갑고!) 마마! 정말 중전마마십니까?
화령 (끄덕)
청하 아니 왜 그때 중전마마라 하지 않으셨습니까~?
전 정말 꿈에도 몰랐사옵니다! 다시 뵈어 정말 기쁘옵니다~ (방긋)
화령 (보다가) 웃는 모습이 꼭 모친을 닮으셨습니다.
청하 예에? 저희 어머니를 아십니까?

48 윤수광 사가 사랑채 방 안 (낮) (회상)

웃고 있는 고씨 보이고 그 옆엔 윤수광이 앉아 있다.

그리고 그 맞은편엔 화령이 앉아 있다.

화령 따님을 참 잘 키우신 거 같습니다.
고씨 과찬이시옵니다 중전마마~ 저희는 그저 건강하게만 키웠습니다.
부모가 묵묵히 지켜봐주면 아이들의 그릇은
저절로 커진다 하질 않습니까?
화령 예~ 맞습니다. 그걸 채우는 건 지들 몫이지요.
고씨 (웃는) 어머! 어쩜 이리 저와 말이 잘 통하십니까~?
윤수광 (경직된 얼굴로) 중전마마. 예까지 찾아오신 연유가 무엇이옵니까?
화령 저는. 병판대감의 첫째 여식이 세자빈으로 간택되었으면 좋겠습니다.
고씨 (듣다가 놀라고) ....!!
윤수광 (굳은) 대비마마께서도 그 아이를 세자빈으로 염두에 두고 계십니다.
화령 예. 알고 있습니다.
윤수광 왜 하필 그 아입니까?
화령 저는 대비마마처럼 따님을 희생시키려고 하는 것이 아닙니다.
가장 출중하기에 세자빈으로 간택하려는 것입니다.
윤수광 (본다)
화령 우연히 대감의 첫째 여식을 보았습니다.
틀에 박힌 교육을 받은 다른 규수들과는 다르게 원석 같더군요.
약자를 도울 줄 알뿐더러 공감 능력까지 뛰어났습니다.
그것만큼 세자빈으로서 좋은 자질이 있겠습니까?
윤수광 (놀라는데)
화령 딱 하나 걸리는 건 바로, 병판대감의 여식이라는 것이었습니다.
허나 전..
대비마마의 힘을 이용해 대감의 여식을 세자빈으로 만들 것입니다.
그리고 그 아이들을 지킬 겁니다.
윤수광 (본다)
화령 (본다) 그러니 이제는 대감께서 왕세자의 방패막이 돼주십시오.
따님의 방패막은 제가 되겠습니다.
고씨 (듣고 있다가 조심스럽게) 하온데 중전마마.. 저희 아이가 배움에 약한데
그 어려운 삼간택을 어떻게 통과하지요~?

화령 제게 생각이 있습니다.

49 다시, 별궁 내부 (오후) (현재)

미소로 청하를 바라보는 화령.

화령 며느리를 맞이하는데 어찌 사돈어른들을
미리 찾아뵙지 않을 수 있겠습니까?
청하 (방긋 웃다가) 근데 중전마마~ 세자저하는 언제 뵐 수 있는 겁니까?
화령 그 전에. 한동안 별궁에서 왕실 수업을 받으셔야 합니다.
그걸 다 받으셔야 세자를 만나실 수 있습니다.
청하 아.. (아주 살짝 시무룩)
화령 왕실 수업을 빨리 이수하시면 세자를 더 빨리 볼 수도 있겠지요~?
청하 (표정 금세 밝아지며) 그럼~ 지금 바로 수업받겠습니다~!
화령 (미소)

50 몽타주

 # 별궁 내부 (낮)
- 훈육상궁에게 걸음걸이를 배우는 청하.

훈육상궁 어깨와 고개는 움직여선 안 되며, 두 손은 가지런히 모으셔야 합니다.
종종걸음치지 않고 일정한 보폭으로 사뿐히 걸으셔야 합니다.
청하 (종종걸음치다가 순간 스텝이 꼬이는데)
화령 (보다가 쓱 다가와 팁 알려주듯) 세자빈~ 어려울 것 없습니다~
그냥 집 앞 개울가의 징검다리를 건넌다 생각해보세요~
청하 (상상해보며 걸어가는데 아까보다 쉽고)
화령 (속삭이는) 그리고 궁에선 사뿐히 걸을 일보다 뛸 일이 더 많습니다.
청하 (웃고)

화령　(웃고)

시강원 내부 (낮)
- 박경우의 질문에 막힘없이 답하는 성남의 모습.
그런 성남의 모습을 매섭게 보는 황원형과 주의 깊게 보는 윤수광.

박경우　중용에 형기지사(形氣之私)와 인욕지사(人慾之私)라는 말이 있습니다.
이 두 사(私) 자의 뜻을 풀이해보십시오.

성남　대개 형기지사라고 할 때의 '사'는, 허기지면 먹고 싶고, 졸음이 오면
잠을 자고 싶은 것처럼 남은 그렇지 않으나 나만이 그렇다는 뜻이고,
인욕지사의 '사'는 욕망이 사사로운 데로 향한 것을 뜻하는 것입니다.

별궁 내부 (낮)
유교 경전을 읽고 있는 청하.
거리 둔 채 앉아 있는 화령.

훈육상궁　빈궁마마 내일까지 모두 외우십시오. (하더니 나간다)

청하　(두께 보더니 뜨악) 이걸 어찌 다 외우지요?

화령　(소매에서 뭔가 꺼내 건네며) 요약본입니다. 이것만 보세요.

청하　(눈 커지면)

화령　어떻게 맨날 최선을 다한답니까? 그럼 피곤해서 못 삽니다~

별궁 내부 (오후)
- 창가에 올려놓은 화초에 물을 주는 청하.
- 어느새 꽃을 피운 창가의 화초.

51　중궁전 마당 (오후)

화령과 이호, 대비가 지켜보는 가운데 동뢰연(同牢宴)이 진행 중이다.
주변엔 상궁들과 내관들도 서 있다.

한편, 마주 서 있는 대례복 차림의 성남과 청하.
성남은 동쪽에 청하는 서쪽에 서 있다.
아직 청하의 얼굴을 보지 못한 성남은 담담한 듯 표정 변화가 없다.
먼저 재배를 올리는 청하. 이어 성남이 답례로 재배한다.
그 곁에서 두 사람의 모습을 대견하고 흐뭇하게 지켜보는 화령과 이호.
대비는 자애로운 표정으로 손주 내외를 바라본다.
곧이어 각각 세 잔의 술을 마시는 성남과 청하.
마지막 잔은 합근으로 성남이 마신 잔을 건네자 청하가 받는데
고개 들어 성남을 보는 청하.
고개 들어 청하를 보는 성남. 마침내 둘의 눈이 마주친다!

성남 (청하를 알아보는 놀란 얼굴)
청하 (보다가 씽긋 웃는다)
동궁내관 (E) 병판대감의 첫째 여식은 대비마마의 사람이라 하옵니다.
성남 ....

52 빈궁전 침전 (밤)

각 잡힌 상궁들이 서 있다.

빈궁전상궁 이제 합궁하시면 되시옵니다. 저희는 이만 물러가겠사옵니다.

모든 상궁들이 빠져나간다.
문이 닫히면 이제 방 안엔 성남과 청하 둘뿐이다.
청하, 이 순간만큼은 성남 쪽을 보지 못하고 수줍다. 볼도 발그레해진다.
두근두근 가슴도 뛴다...
용기 내 고개를 든다. 그런데 성남이 자신을 응시하고 있다.

성남 (본다)
청하 (본다)

성남 (혼란스러운 듯 보다가 이내 일어나 나가버린다)

청하 (당황) 어? 저하!

53 궁궐 정문 (밤)

수문장들이 매우 당황한 얼굴로 앞에 서 있는 누군가를 본다.
보면, 정문 앞에 서 있는 초월. 그런데 품에는 갓난아기가 안겨 있다.

수문장1 방, 방금 뭐라 하셨습니까?

초월 아이의 아빠를 찾으러 왔다 했습니다.

울기 시작하는 아이.
아이의 울음소리가 궐로 울려 퍼진다.

54 중궁전 침전 (밤)

침소의대를 입은 채 벌떡 일어나 앉는 화령.
그 앞엔 사색이 된 신상궁이 숨을 헐떡이며 서 있다.

화령 뭐?! 누가 누구 애를 안고 와?!!

경악한 화령의 얼굴에서_ 엔딩!!

13부

1 궁궐 정문 앞 (밤)

심각한 얼굴로 긴박히 이동하는 신상궁,
곧 정문 앞에 도착하면
갓난아기(여아)를 안고 있는 초월이 서 있다.
신상궁, 아기를 보자 사색이 되는데...!

2 빈궁전 침전 (밤)

12부 52씬 이어지며-
성남과 청하 둘뿐인 방 안에 긴장감이 감돈다.
심장이 터질 것 같은 청하, 용기 내 고개 드는데
성남이 자신을 응시하고 있다!

성남 (본다)
청하 (본다)
성남 (혼란스러운 듯 보다가 이내 일어나 나가버린다)
청하 (당황) 어? 저하!

문이 닫히며 혼자 남는 청하, 영문을 모른 채 멍한 얼굴.

3 궐내, 은밀한 방 안 (밤)

밀폐된 공간에 은밀히 마주 선 화령과 초월.
초월의 품엔 아기가 안겨 있고
두 여자 사이엔 무거운 긴장감이 흐르는데.

화령 겁도 없구나... 이곳은 지엄한 궁궐이다.
예가 어디라고 감히 대군의 혼외자를 데려온 것이냐?

초월 이 아이를 거두어주십시오.

화령 (보다가) 참으로 무책임하구나..
아직 젖도 떼지 못한 어린것을 어찌 떼어놓을 생각부터 해?

초월 며칠 전부터 낯을 가리기 시작했습니다.
엄마를 알아보기 시작하면 그땐.. 아이가 더 힘들어질 겁니다.

화령 (보는데)

4 동궁전 복도 (밤)

대례복을 입은 채 복도를 가로지르는 성남.
난감한 얼굴로 그 뒤를 따르는 동궁내관.

동궁내관 (간곡한) 저하. 어서 빈궁전으로 돌아가시옵소서...

대답 없이 침전 안으로 들어가버리는 성남. 곧 문이 닫힌다.

동궁내관 (문 앞에 서서 설득) 저하.. 가례 날 신부를 혼자 두고 오는 경우는
없사옵니다... 밤새 눈물로 지새우실 것이옵니다...

5 빈궁전 침전 (밤)

두 개의 잔이 짠! 부딪친다.
보면, 양손에 술잔을 든 채 한 잔씩 원샷하는 청하.
이미 몇 잔 마신 듯 볼이 심하게 발그레. 대수(大首)도 아직 쓰고 있는 상태.
청하, 양손에 쥔 빈 잔을 상 위로 거칠게 내려놓는다.

청하 (분하다!) 첫날밤에 소박을 맞다니...!

하아... 정신 똑바로 차리고 유추해보는 청하.

청하 대체 이유가 뭐지...?
내가 싫으신가? 아니면 합방하는 게 부담스러우신가...?
(순간) 설마! 동침하는 법을 모르시나?
그거면 진짜 심각한데... (시무룩)

그러나 청하, 그 몇 초를 못 넘기고 바로 눈빛 반짝인다.

청하 (생각하기 나름) 뭐~ 동침하는 법은 같이 배우면 되지~!

말은 씩씩하게 하는 청하, 그러나 막상 텅 빈 침전을 보자 낯설고 외롭다.

6 무안대군 처소 (밤)

무안, 영문을 모르겠다는 표정으로 화령 앞에 무릎 꿇고 앉아 있다.

무안 (눈치 슬쩍 보다가) 저기 어마마마...?
제가 뭘 잘못했는지 그냥 빨리 말씀해주시면 안 되겠습니까?
화령 (보면)
무안 (그것만으로도 움찔)

화령 (밖을 향해) 들어오게.

문이 열리자 신상궁이 아기를 안고 들어선다.

무안 (아기 봤고. 오잉?) 웬 아기입니까?
(궁금한지 일어나 아기 요리조리 보며) 어우 귀여워~ 오로로로 까꿍~
아니~ 누구 앤데 이렇게 예쁩니까?

화령 (의미심장하게 본다)

무안 (느낌 쎄하고 분위기 이상하다) 설마.. 제 앱니까?

화령 (대답 없다)

무안 (얼른 신상궁 보면)

신상궁 (맞다는 듯한 눈빛)

무안 그럼 초월이는? 초월이는 어딨는가?

신상궁 (난감) 아이만 맡기고 이미 떠났사옵니다...

무안 (충격으로 멍하다가 화령 본다) 어마마마.. 초월이 좀 찾아주십시오...

화령 (엄중한) 넌 지금.. 네가 무슨 상황에 처해 있는지 모르겠느냐?
아이의 존재가 드러나면
궁중에서 무슨 일이 벌어질 줄 아느냔 말이다...!

무안 그럼 안 들키고 제가 키우면 되지 않습니까?

화령 그게 얼마나 위험한 일인 줄 알기나 해?
당장 발각이라도 되는 날엔... 그 아인 평생 혼외자로 살아야 한다.

무안 그렇다고 이 어린 걸 내보낼 순 없지 않습니까?
어떻게든 제가 책임지고 키우겠습니다...!

화령 그 말에 책임질 수 있겠느냐?

무안 (자신만만) 예!!!

화령 그럼 한번 키워봐.

무안 (큰소리 뻥뻥) 애 하나 숨겨서 키우는 게 뭐 그리 어렵다구요!

신상궁 (말 끝나기 무섭게 아기를 무안에게 덥석 안긴다)

바로 일어나 나가는 화령! 급히 따르는 신상궁.

무안　　버, 벌써 가십니까? (동공 지진) 어머니? 어머니!!

무안, 애 안고 당황하지만 한편으론 결연해진다.

7　　중궁전 침전 (밤)

침소의대 차림으로 자리에 눕는 화령.
!! 신상궁, 흔치 않은 일인 듯 놀라 다가온다.

신상궁　　아니 마마.. 어찌 벌써 침소에 드시옵니까?
화령　　(이불 쭉 끌어 올리며) 자네도 잘 수 있을 때 좀 자둬.
곧 지금이 그리워질 테니까.
신상궁　　예-에?
화령　　(푹 자려는 듯 안대 같은 것도 눈 위에 올린다)
신상궁　　(갸웃하는데)
무안　　(거의 울먹, E) 잠 좀 자자...

8　　무안대군 처소 (밤)

온 힘을 다해 울고 있는 아기.
정작 더 울고 싶은 건 초보 아빠 무안.
그사이 머리는 헝클어졌고, 다크서클도 생겼다!

무안　　(발 동동 진땀) 아가야.. 제발 조용히 해... (손으로 쉿!!!)
아기　　(더 크게) 응애응애.
무안　　(당황해 우왕좌왕하다가 병풍 번쩍 들더니 창문 가리며) 소리가 밖으로 새어 나가면 들킨단 말야.. 그만 울고.. 좀 자자 응?
아기　　응애응애.

병풍 대충 세워놓더니, 급히 달려와 안아주는 무안.

무안 (조심스럽게 달래듯 흔들어본다) 아가야 왜 우는데? 어?
왜 우는지 알아야 아빠가 해결해주지...

하며 아기를 품에 꼬-옥 안는데.. 순간!! 이상한 냄새를 맡은 표정. 킁킁.
냄새의 근원지를 찾아가다가 기저귀에 코를 갖다 대는데.. 순간 눈 커진다.
헙!!!

9 동궁전 침전 (밤 → 새벽)

그리고 잠 못 드는 또 한 사람...
어둠 속 홀로 앉아 있는 대례복의 성남이다.

동궁내관 (E) 병판대감의 첫째 여식은 대비마마의 사람이라 하옵니다.

혼란스러운 성남.
어느새 창밖엔 동이 터오지만 그 자리에 그대로 앉아 있다.
성남, 그렇게 편치 않은 마음으로 밤을 지새우는데...

10 빈궁전 침전 (새벽)

음냐. 술 거하게 마시고 大자로 뻗은 청하, 딥 슬립 중이다.
대수는 머리 위에 훌라당 벗겨져 있고,
갑갑했는지 겹겹이 벗겨진 대례복은 팔에만 걸쳐져 있는 형태.
그때 문이 열리며 들어서는 두리, 그 모습 보고 깜짝 놀란다!

두리 (달려와 흔들어 깨우는) 마마, 마마. 문안 가실 시간이옵니다~~
청하 (벌떡 일어나 비몽사몽)

두리 하온데 세자저하는 어디 계십니까...?
청하 (살짝 속상) 어젯밤 나가셔서 그길로 안 오셨어..
두리 예? 아니 왜요?
청하 몰라. 밤새 생각해봤거든~ 근데 모르겠어.
문안 때 만나면~ 그때 여쭤보지 뭐~ (애써 웃는다)

11 대비전 마당 (아침)

미리 도착해 전각 앞에 서 있는 성남.
청하가 달려와 성남 옆에 나란히 선다. 숨이 차 헉헉.

청하 (시선은 정면을 본 채) 저하~ 어젯밤에는 왜 그냥 가버리셨습니까?
성남 (대답 없이 정면을 본 채, 나인에게) 아뢰거라.
청하 (고개 돌려 성남을 보지만 눈길조차 주지 않는다) ....

12 대비전 침전 (아침)

절을 올리는 동궁 부부. 성남과 청하.
그들을 자애로운 미소로 바라보는 대비.

성남 소손 할마마마께 문후 여쭈옵니다.
청하 밤새 강녕하셨사옵니까~?
대비 예. 우리 세자 내외께선 첫날밤을 잘 치르셨습니까?
청하 ....
성남 ....
대비 새벽부터 궁중에 이상한 소문이 돌아 이 할미가 걱정했습니다...
어젯밤 세자가 빈궁전을 나왔다는 말이 들리던데.. 사실입니까?
청하 (아셨구나 싶어 긴장하는데)
성남 대비전 궁인들은 동궁전 일에 관심이 꽤 많은가 봅니다.

대비마마를 보필해야 할 시간에 동궁에 시선이 머무니 말이옵니다.

대비 (한 소리 하려는데)

청하 (순간 고개 들며) 대비마마~ 세자저하께서 잠시 자리를 비우신 것은 맞사오나 금세 빈궁전으로 돌아오셨사옵니다~

대비 (눈썹 씰룩) 그래요?

청하 예~ 그러니 심려 마시옵소서.

성남 (그런 청하를 보는데) .....

13 중궁전 침전 (아침)

의복을 정제하고 있던 화령이 놀란 얼굴로 신상궁을 본다.

화령 (심각) 세자와 빈궁이 합방을 하지 않았단 말이냐?

신상궁 예, 첫날밤부터 소박맞은 빈궁마마 얘기로 궁중이 벌써 떠들썩하옵니다...

화령 (옷매무새 다듬으며) 세자에게 기별을 넣거라. 석강이 끝나는 대로 중궁전으로 들라고.

신상궁 예, 마마...

화령 (옷고름 꽉 묶은 뒤) 무안대군은 어찌하고 있느냐?

신상궁 다행히 어젯밤은 무사히 넘기신 듯하옵니다. 쇤네는 사실.. 대군마마께서 하루도 못 버틸 줄 알았사옵니다...

화령 (흠...)

오상궁 (E) 마마, 빈궁마마 드시었사옵니다.

화령 ('빈궁이?' 문을 보는데)

14 무안대군 처소 (아침)

밤새 전쟁을 치른 듯 주변엔 손수건과 기저귀 등이 널브러져 있고 단 한숨도 못 잔 듯 동공 풀린 무안, 선 채로 아기를 어르고 있다.

무안 (말할 기운도 없고) 아가야 그만 좀 자자...
겨우 하루 지났는데... 하루가 일 년 같구나..... (꾸벅꾸벅 조는)

그러다 순간 깨는데.
잔다! 아기가 잔다!! 새근새근 잠들었다. 오!!

무안 (완전 희열을 느끼는. 예스!!!)

살금살금. 최대한 조심스럽게 이불로 다가가 눕힌다.
그런데 바닥에 머리가 닿자마자 울기 시작하는 아기.
응애응애.
무안. 으으으으. 으앙!!! 바닥에 다리를 마구 발버둥 친다. 정말 눈물 난다!

15 중궁전 침전 (낮)

보료에 앉은 화령, 그 앞에 다소곳이 앉아 있는 청하.

청하 세자저하께서 어젯밤에 빈궁전을 떠나버리셨습니다...
대체 이유가 뭘까요?
중전마마께서는 혹시 아시는 게 있나 싶어 찾아왔습니다.
화령 (우선은 공감부터) 빈궁이 많이 속상했겠습니다...
청하 (격한 끄덕) 속상하기도 하지만 이유를 모르니 답답해서요.
화령 세자에게 직접 물어는 보셨습니까~?
청하 예.. 하지만 대답하지 않으셨습니다.
저하께서 입을 꾹 다무시고 저를 피하시는 것 같았습니다...
(문득 두렵고) 설마 제가 싫어서 그러시는 건 아니겠지요?
화령 그건 아닐 겁니다 빈궁~
청하 (그럼 다행이고) 그런데 중전마마~
혹시 세자저하께 합궁에 관한 교육은 안 하셨습니까~?
화령 (쿨하게 인정) 예. 그런 교육은 한 적이 없습니다.

청하 왜요~?

화령 비록 부모일지라도 침실의 일까지
어찌 자식에게 다 가르칠 수 있겠습니까~?

청하 아~~ (그렇구나)

화령 (이제 알아들었나 싶어 미소 짓는데)

청하 하오나 중전마마~ 국본에게 후사를 두는 것보다 더 큰 일은 없다
배웠사옵니다. 선대를 계승하는 것 또한 저와 세자저하의 의무이구요~

화령 (듣는다)

청하 보통의 부모라면 침실의 일까지 가르칠 필욘 없겠지만~
중전마마께서는 국모이시니 국본이 의무를 다하도록 가르치셔야 할
책임이 있지 않겠습니까?

화령 (듣다가 미소로) 듣고 보니 제게도 책임이 있네요.
내 다시 합방일을 잡아드리겠습니다.

청하 왜 굳이 합방일을 잡아야 합니까~?

화령 (보다가 피식) 그 질문. 굉장히 흥미롭네요~

16 중궁전 복도 (낮)

신상궁, 침전 앞에 서 있는데
"야옹. 야옹." 어디선가 들려오는 고양이 울음소리.
!! 신상궁 흠칫 놀라 소리 나는 쪽을 보면,
코너에서 고개 내밀고 입으로 고양이 소리를 내며 간절히 손짓하는 무안.
무안, 장옷을 두르고 있는데 등이 볼록 나와 있다.
난감한 신상궁... 침전을 살짝 돌아보더니 다다다 무안을 향해 급히 다가선다.
한숨도 못 자 충혈된 눈에 머리는 산발인 무안.
그 몰골에 신상궁 깜짝 놀라지만.

신상궁 (다급. 낮게) 무슨 일이시옵니까?

무안 (나도 급해) 신상궁 나 좀 살려주게...
애가 한숨을 안 자네.. 대체 이유가 뭔가?

신상궁 (난감 + 당황) 저도 아기를 키워본 적이 없어 잘 모르옵니다.

무안 (미치겠고)

신상궁 (번뜩) 한데. 설마 아기씨를 혼자 두고 오신 것이옵니까?!

무안 아니! (장옷을 내리며 등에 업힌 아기를 보여준다)

신상궁 아이고 대군마마.. 이렇게 다니시다가 아기씨 들켜요!

17 다시, 중궁전 침전 (낮)

청하 후궁들은 합방일을 잡지 않고 동침하질 않습니까~?
한데 왜 중전마마와 저는 합방일을 잡고
딱 그날만 동침해야 하는 것입니까~?

화령 (서안 탁 치며) 그죠? 저도 그게 참 이해가 안 갔습니다~
저도 빈궁 시절에 그게 너무 궁금해서 물어봤다가
크게 혼난 기억이 있습니다.

청하 (살짝 놀라) 송구하옵니다 마마... 혼날 일인지 몰랐사옵니다.

화령 그게 왜 혼날 일입니까~? 궁금해서 묻는 것인데.
그때 전, 납득할 만한 대답을 듣진 못했지만
궁에 이십 년을 넘게 살다 보니 이제는 조금 이해가 되더군요~

청하 (보면)

화령 빈궁, 때로는 이해가 가지 않더라도 따라야 하는
왕실의 법도가 있습니다. 그럴 땐 그러려니 하세요~
그 질서가 있기에 지켜지는 것들도 있으니 말입니다.

청하 (끄덕!) 예~ 중전마마!! (활짝 웃는다)

화령 (미소)

18 그 시각, 중궁전 복도 (낮)

신상궁, 얼른 곁방으로 무안을 끌고 들어가는데
침전 문이 열리며 청하가 나온다! 간발의 차이로 곁방 문은 닫히고.

청하 (90도로 깍듯이 인사한다)

화령 (미소) 또 궁금한 게 있거나 도움이 필요하면 언제든 찾아오십시오.
내 세자와는 따로 얘기해보겠습니다.

청하 예~ 중전마마!!

비교적 가벼운 발걸음으로 중궁전을 나서는 청하.
화령, 한숨 돌리며 침전 안으로 들어가려는데.. 순간 들려오는 아기 울음소리!
화령이 곁방 쪽을 돌아본다!

19 중궁전 곁방 (낮)

무안, 우는 아기를 어르며 달래고 있고
신상궁은 그 앞에서 손바닥으로 얼굴 가렸다 펼치며 까꿍까꿍.
두 사람 필사적으로 울음을 그치게 하려 노력하는데...
드르륵. 문이 열리며 화령이 들어선다!

무안 !!!!

신상궁 어머! 마마... (까꿍 하다가 놀라 숙이는)

화령, 저벅저벅 다가선다.

화령 (무안 본다) 혼자 알아서 키운다더니 왜 여기 있는 것이냐?

무안 (잠시 반성 모드로 숙이는가 싶더니 무릎 꿇는) 살려주세요 어마마마...!
하루 종일 잠도 안 자고 울기만 합니다... 제발 도와주세요...

화령 네 분명 큰소리쳤질 않았느냐?
애 하나 키우는 게 뭐 그리 어렵겠냐며?

무안 (일어서며) 어마마마!!

화령 왜?

무안 그 말은 취소하겠습니다!!

화령　(하...)

무안　어제부터 왼종일 먹지도, 자지도, 싸지도 못했습니다.
(화령에게 애를 덥석 안기더니) 그중에 가장 못 참겠는 건 싸는 겁니다!!
(하더니 밖으로 다다다 뛰어간다)

화령　(도 닦듯이. 하아...)

20　편전 내부 (오후)

서탁 측면에 쌓인 많은 양의 상소들.
용상에 이호 보이고, 그 앞엔 대신들이 모여 있는데...

이호　의창은 본디 곤궁한 백성을 진휼하려는 것이다.
허나, 고리대로 변질되어 그 혜택이 백성에게 미치지 못한 지가
오래되었다.

대신들　(보는데)

이호　해서. 내 이번에 세자에게 의창 개혁을 맡겨보고자 한다.

대신들　(웅성웅성)

황원형　전하! 책봉된 지 얼마 되지 않은 세자저하에게
정사에 관련된 큰일을 맡기시는 것은 이른 줄 아옵니다.
(동의하라는 듯 우의정을 쓱 보면) ...

우의정　(황원형 똑바로 본다) 전 영상대감과 생각이 다릅니다.
세자저하의 능력을 발휘할 수 있는 좋은 기회라 생각되는데요?

황원형　(요놈 봐라...?!)

민승윤　이미 세자저하께서는 경합 때 의창 문제를 해결할 현실적인 방안을
내놓으셨습니다. 한번 맡겨보심도 무리가 아닌 줄 아옵니다.

황원형　하오나 전하!
정사를 맡기기에는 세자저하의 경험이 아직 부족하시옵니다.

윤수광　설사 경험이 부족하시다 해도
그 덕분에 새로운 시각으로 문제를 해결할 수도 있는 일이옵니다.
지금껏 의창의 폐해를 해결치 못했던 것은

우리 조정 대신들이 틀에 박힌 사고를 했기 때문이 아니겠습니까?

황원형 (뭐야 이것들....!!)

이호 호조판서의 생각은 어떠한가?

박경우 궁 밖에서 쌓은 소신의 경험과
세자저하의 새로운 시각이 잘 어우러진다면
고질적인 의창 문제를 해결하는 데 분명 도움이 될 것이옵니다.

이호 (신뢰하는 눈빛으로 끄덕이며) 그리하라.

황원형 (물러서지 않을 기세로) 전하! 만약 세자저하께서 이 일을 제대로 수행치 못하신다면 다시는 섣불리 정사를 맡겨서는 아니 될 것이옵니다.

대신들 (그런데 아무도 동조하지 않는 모습)

황원형 (입지가 달라진 느낌을 받는데...!!)

21 동궁전 침전 (오후)

책장에서 서책을 뽑아 한 권씩 살펴보는 성남.
그 옆엔 동궁내관도 서 있다.

동궁내관 저하, 찾으시는 서책이 있으시옵니까?

성남 의창에 관련된 자료가 있으면 살펴보고자 했는데 없구나.
상평창과 진휼책에 관한 서책을 찾아 가져다 놓거라.

동궁내관 예, 저하.

서책을 꽂으려다가 다시 보는 성남.
보면, 모서리가 접히고 끝이 말려 있다.

동궁내관 왜 그러시옵니까.. 저하?

성남 (서책의 해진 부분을 만져보는) 형님이 쓰시던 물건 중 남은 건
이 손때 묻은 서책들뿐이구나...

형을 떠올리듯 잠시 생각에 잠기는 성남, 서책을 다시 꽂으려는데

책에서 떨어지는 무언가. 반으로 접힌 종이다.
성남, 들어서 펼쳐보면 어디서 뜯어낸 것인 듯 끝이 울퉁불퉁한 종이에
빼곡히 글씨가 적혀 있다.

22 중궁전 곁방 (오후)

아기가 울고 있다.
화령, 끊임없이 아기를 품에 안은 채 어른다.
애타는 얼굴로 그저 지켜보는 무안.
그리고 한참이 지나서야 화령의 품에서 울음을 그친 아기. 잠들었다.
화령, 아기를 보료로 데려가 눕히려 하자.
따라가며 급히 만류하는 무안.

무안 (낮게) 어어? 눕히자마자 깹니다. 진짜예요.

하는데 화령이 아기를 눕힌 자세로 그대로 한참이고 가만있는다.
허리를 굽힌 채 아기의 가슴에 화령의 가슴이 닿은 상태로 한참 동안.
그러더니 조심스럽게 허리를 펴는 화령.
"우와..." 하다가 아기가 깰까 입을 가리는 무안.

무안 어마마마. 대체 비법이 뭡니까...?
화령 (한 손은 아기의 가슴 위에 놓은 채) 기우제가 왜 단 한 번도
실패한 적이 없는지 아느냐?
무안 (잠시 생각하다가 도리도리)
화령 (아기 토닥토닥) 비가 올 때까지 기다리기 때문이다.
아기도 마찬가지야. 그칠 때까지 안아주고 달래줘야 돼.
딴 방법은 없다. 아이가 준비됐을 때까지 기다려줘야지.
무안 (아! 하며 새근새근 자는 아기 본다) 잘 때가 가장 이쁜 것 같사옵니다~
화령 (미소) 너도 그랬다. 잠귀도 밝고 눕히자마자 눈을 뜨는 걸 보니
네 자식이 맞긴 맞나 보구나~

무안 저도 이랬습니까?
화령 더했지. 눕혀서 한참을 안아줘야 잠들었어~
무안 아... (하다가 아기를 보는데 시무룩해진다)
화령 (왜 그러나 보면)
무안 엄마 없이 자란다 생각하니 너무 불쌍합니다....
화령 (아무런 말이 없다)

23 민가, 은밀한 골목 (밤)

어딘가로 향해 가는 갓을 쓴 양반사내의 뒷모습.
어두운 골목에서도 더 깊은 곳으로 이동한다.
따르는 이가 없는지 주변을 경계하며 갓을 눌러쓰는 양반사내, 의성군이다!

24 중궁전 침전 (밤)

독대하는 화령과 성남.

성남 송구하옵니다. 야대(夜對)가 있어 좀 늦어졌사옵니다.
화령 (끄덕이고는) 갑자기 많은 게 바뀌었으니 적응하기 힘드실 겁니다.
성남 어마마마. 단둘이 있을 땐 말을 좀 낮추세요.
그게 가장 적응이 안 됩니다. (옅게 웃는)
화령 (웃고는) 그래~
성남 (본다) 제게 하고자 하시는 말씀이 무엇이옵니까?
화령 (보다가 조심스럽게 묻는) 혹시 빈궁이 마음에 안 드는 것이냐?
성남 아닙니다.
화령 그럼 왜 첫날밤을 치르지 않고 빈궁전을 나왔어?
성남 (그 질문엔 선뜻 대답하지 못하는데)
화령 빈궁은 내가 뽑은 사람이다.
성남 (살짝 혼란스러운 표정) 어마마마께서요?

화령　(끄덕) 간택 전에 우연히 빈궁을 만난 적이 있다.
솔직하고 당찬 모습이 좋아 보이더구나~
하지만 내가 제일 높은 점수를 준 이유는 따로 있어.

성남　.....?

화령　우리 세자를 연모하는 여인이니까.
아니 내 아들이 그리 좋다는데~ 어느 부모가 안 예뻐하겠느냐?

성남　(오해가 조금은 풀린 표정)

화령　너 하나 보고 이 궁에 들어온 아이다.
그러니 이젠 네가 지켜주고 아껴줘야지.

성남　예... 어마마마.

화령　(미소로 본다)

성남　(본다)

화령　왜? 더 할 말이 있느냐?

성남　예.. 긴히 보여드릴 것이 있사옵니다.
(소매에서 종이(* 21씬)를 꺼내 건넨다)

화령　(받더니) 이게 무엇이냐?

성남　형님의 병상일지 중 일부분인 것 같습니다.

화령　(그 말에 펼쳐보며 내용을 확인하는데 굳는 얼굴) ....!!

성남　아무래도.. 권의관이 혈허궐만 치료한 게 아닌 듯싶사옵니다.

25　어느 사가 (밤)

문이 열리며 의성군이 안으로 들어서는데
기다리고 있었던 듯 앉아 있는 토지선생과 권의관.

토지선생　(앉아서) 오셨습니까?

권의관　(일어나 예를 갖춘다)

의성군　(궁색한 내부 쓱 훑더니 미간 찌푸려지고) 어째서 날 이런 곳으로
불러냈는가?

권의관　(보는데)

26 중궁전 침전 (밤)

화령이 급히 병풍을 밀쳐낸다!!
병풍 뒤에 숨겨진 죽은 세자의 자료들을 보고 놀라는 성남. 그 위로-

세자 (E) 권의관이 기문(期門)혈에 시침하기 시작한 이후
토혈이 시작되었다...
갈비뼈 부근의 통증도 점점 심해지고 있다.

화령, 급히 세자의 병상일지를 찾아 넘겨본다.
서책 사이를 벌려 찢긴 흔적이 있는지 확인하는 모습.
그러다 거의 후반부 페이지에서 찢긴 부분을 발견하는 화령.
급히 성남이 가져온 종이와 비교해보면 일치한다.

화령 세자가 쓴 병상일지가 맞구나...
(기억을 더듬으며) 기문혈에 시침했다는 기록은 많았지만
혈허궐 치료를 위한 혈자리라 의심하지 않았어.

성남 다른 의관을 통해 알아봤사온데.. 기문혈 시침이 혈허궐 치료법이기는
하나.. 시침 깊이에 따라 장기가 손상될 가능성도 있다 합니다.

화령 (심각) 이제 확실해진 건, 권의관의 시침이 시작된 이후부터 토혈 증세가
생겼다는 것이다.
만약 네 형이 살해됐다면 가장 유력한 용의자는 권의관이야...!!

성남 (!!!) 하지만.. 권의관에겐 살해 동기가 없질 않습니까?

화령 (고개 든다) 배후가 있겠지...
네 형을 죽일 만한 동기를 가진 사람들은 궁 안에 많으니까.

성남 (괴롭다) 정말 권의관의 짓이라면.. 그걸 증명할 방법이 있겠습니까?

화령 (생각이 있는 듯 의미심장하게 본다)

27　다시, 어느 사가 (밤)

권의관과 토지선생이 지켜보는 가운데
자리를 박차고 일어서는 의성군!

의성군 허.. 방금 한 미친 소리는 못 들은 걸로 하지.

의성군, 밖으로 나가려는데...

토지선생 의성군께는 더 이상 기회가 없는 걸로 아는데요.
의성군 (돌아본다. 조소) 참 겁도 없구나.
내가 니들 존재를 까발리면 어쩌려구 이래?
토지선생 왕세자가 되기 위해 양민까지 죽이셨는데
결국 적통이 그 자리를 물려받았습니다. 이제 기회가 있겠습니까?
의성군 (놀라는 동시에 자극도 받는데)
토지선생 설사 세자를 끌어내린다 해도 죄 없는 양민을 살해한 사실이
주상에게 알려지는 날엔... 당신이 국본에 오를 일은 없을 겁니다.
의성군 (어이없는 웃음) 해서. 지금 나더러 내 아비를 치라는 것이냐?
권의관 용상을 물려주지 못할 아비라면
밟고 올라서는 것도 방법이 아니겠습니까?
의성군 (보다가) 닥치거라!! 그분은 내 부친이시다...!
권의관 (본다) .....
의성군 그리고 난 니들의 역모 따위엔 가담 안 해...!!
권의관 (씹어뱉듯) 지금의 주상이 용상에 앉은 것이 역모입니다!!
우린 찬탈당한 왕조를 되찾으려는 것뿐입니다.
그리고 의성군에게도 기회를 드리지요.
우리가 당신을 왕세자로 만들어드리겠습니다.
의성군 한낱 의관 따위가 무슨 힘이 있다고 날 왕세자로 만들겠다는 것이냐?!
권의관 (본다) 모친의 사주를 받고 세자를 죽인 게.. 접니다.
의성군 !!!!!
권의관 (보며) 한낱 의관이기에 가능한 일이었지요.

의성군 (권의관을 보는 눈빛이 달라진다) 해서. 나한테 바라는 게 뭔데?!

권의관 영상대감을 포섭해주시지요.

28 궐문 앞 전경 (낮)

입궐하던 황원형이 누군가를 보고 깜짝 놀란다!
잘못 봤나 싶어 다시 보는데
그는 궐문으로 들어서는 의관 복장의 권의관이다.

ins 》어느 안가 (낮) (회상)
고신(告身: 임명장)을 펼쳐서 읽고 있는 권의관.

이호 **(E)** 권오경의 파직을 철회하고, 내의원 의관으로 복권한다.

현재 》권의관, 만감이 교차하는 듯 고개 들어 궁중을 쓱 둘러보더니
이내 궐을 향해 걸어간다.

29 황귀인 처소 (낮)

황귀인을 찾아온 황원형, 독대한다.

황귀인 전 아닙니다.

황원형 (놀라) 그럼.. 마마께서 권의관을 들인 게 아니란 말씀이십니까?!

황귀인 (역시나 놀란 기색 보이며) 예... 다시 내의원으로 복권시키려 했지만
이리 빨리 들일 생각은 아니었습니다.

황원형 그럼 대체 누가 그자를 불렀단 말입니까?

30 중궁전 침전 (낮)

화령 앞에 앉아 있는 권의관.

권의관	황공하옵니다 마마...
	주상전하께 저를 복권시켜달라는 청을 올리셨다 들었사옵니다.
화령	(끄덕) 그동안 고생 많았네.
권의관	(고개 든다) 저를 다시 부른 이유가 있으시옵니까?
화령	세자가 독살당한 것 같네.
권의관	(!! 놀라지만 침착히) 어찌 세자저하께서 독살되셨다 생각하십니까?
	그게 사실이라면 가장 먼저 의심받아야 할 사람은.. 바로 접니다.
화령	자넨 세자가 아플 때 나와 계속 함께 있질 않았나?
	만약 자네가 세자를 해한 것이라면 나도 그 책임에서 자유로울 수 없네.
권의관	(나를 완전히 의심하는 건 아니구나...)
화령	(본다) 권의관, 세자가 어떻게 죽었는지
	왜 죽어야만 했는지... 그 이유를 나와 함께 밝혀보지 않겠나?
권의관	(본다) 예, 중전마마를 돕겠사옵니다. 반드시 진실을 밝히겠사옵니다.
화령	(신뢰하는 눈빛으로 끄덕이고는)
권의관	(충성스럽게 숙이는데 의미심장한 눈빛)
화령	(숙인 권의관을 보는 눈빛이 매섭게 변한다)

그렇게 서로의 본심을 숨긴 채 마주 보는 화령과 권의관.

31 중궁전 침전 복도 (낮)

의미심장한 표정으로 중궁전을 빠져나가는 권의관.

32 중궁전 침전 (낮)

보료에 홀로 앉아 있는 화령.

F.B 》 26씬. 중궁전 침전 (밤) 이어지며-

성남 (괴롭다) 정말 권의관의 짓이라면... 그걸 증명할 방법이 있겠습니까?

화령 (생각이 있는 듯 의미심장하게 본다) 권의관을 궁으로 들일 것이다.
그자를 움직여서... 네 형을 죽인 독을 가져오게 만들 거야.

현재 》 화령, 계획이 있는 듯 눈에 힘이 들어간다.

33 서촌, 움막촌 아지트 (오후)

독대하는 권의관과 토지선생.

토지선생 (위기감) 복권시킨 건 함정일 수도 있습니다...!

권의관 중전이 세자가 독살됐다는 걸 알아버린 이상 어차피 피할 곳은 없습니다.
오히려 그걸 이용해.. 얻어낼 것을 찾는 것도 방법입니다...

토지선생 (흠... 고민하는 모습)

34 빈궁전 침전 (밤)

다소곳이 앉아 있지만 다리를 달달달 떠는 청하.
그만 떨라는 듯 잡아주는 두리.

청하 중전마마께서 합궁일을 잡아주신다고 했는데
그때까지 어떻게 기다리지~?

두리 (음흉하다는 듯 씩 웃는) 에이~ 그것도 못 참으십니까?

청하 어허~ 오해 말거라~ 내 합방이 하고 싶어서가 아니라.
저하와 같이 있을 수 있는 명분이 그것뿐이니 그런 것이다~

두리 명분이 없으면 만들면 되지 않을까요~?

매일 아침마다 왕세자께서는 조청을 두 순갈씩 드신답니다~

청하 (눈빛 반짝) 오! 그래~?

35 동궁전 복도 (다음 날 아침)

조청이 담긴 쟁반을 들고 복도를 걸어오는 청하와 두리.
그런데 침전 앞엔 아무도 없다.

청하 어? 왜 아무도 없지?

두리 그냥 돌아갈까요 마마...?

청하 (잠시 고민) 기왕 왔는데... (에잇 몰라) 열거라~

36 동궁전 침전 (아침)

드르륵. 문이 열리며 들어서는 청하.
그런데 뭔가를 보고 눈 커지며 깜짝 놀란다!
보면, 성남의 넓은 반라의 등짝에 시스루 속곳이 입혀진다.
동궁내관이 돕고 있는데...
시간이 멈춘 듯 성남을 보는 청하.
사방이 뽀샤시하고 성남의 턱선, 목, 어깨, 등이 차례로 보인다.
넋을 놓는 청하.... 일시 정지된 듯한데.

성남 (놀람 + 당황) 거기서 뭐 하십니까?

역시나 매우 당황한 청하!
놀라는 동궁내관, 몸으로 성남을 가려주다가 들고 있던 곤룡포를 놓치는데.

청하 아침에 조청을 드신다 하여...
한데 왜 벗고 계시는 것이옵니까?

성남　전 몸을 단련하기 위해 머리는 서늘하게 하고, 발은 따뜻하게 하며..
취침 시에는 옷을 다 벗고 전라로 잠자리에 듭니다.

청하　(눈 커지며) 전라요...?!

성남　(당황, 부끄러운 듯) 빈궁. 이만 나가주시겠습니까?

청하　아! 이것만 놓고 얼른 나갈게요.

조청 쟁반 놓고 나가려고 서안으로 가다가 곤룡포를 밟고 마는 청하...

성남　(재촉하듯 동궁내관 본다) 뭐 하느냐?
어서 나머지 의복을 가져오지 않고?!

급히 곤룡포 집어 드는 동궁내관.
그 바람에 곤룡포를 밟고 있던 청하가 그대로 미끄러지며 넘어가고 마는데...
순간!! 청하를 감싸 안는 성남.
풀어 헤쳐진 속곳 사이로 성남의 탄탄한 가슴 근육이 드러나고
그 품에 청하가 폭 안겨 있다.
닿을 듯 가까워진 성남과 청하의 얼굴. 두근두근.

성남　(본다)

청하　(본다)

성남　빈궁. 그 손을 좀 치워주시겠습니까?

청하, 순간 자신의 손이 성남의 가슴 위에 놓여 있음을 깨닫는다.

청하　송구하옵니다!

손을 떼더니 허둥지둥 90도 폴더인사 하고 나가는데
병풍 쪽으로 출구를 잘못 찾아갔다가 병풍에 부딪히고 이마 콩 한다.
다시 허둥지둥 출입문으로 도망치듯 나가버리는 청하.
그 모습 보는 성남.

37 동궁전 복도 (아침)

문 닫자마자 그 문에 그대로 기대는 청하.
두근두근. 쿵쿵. 볼이 발그레해진다.

38 동궁전 침전 (아침)

성남, 무표정으로 절도 있게 옷을 여미는데
얼굴에 홍조 띤다...

39 중궁전 침전 (오후)

세자의 병상일지가 서안 위에 놓여 있는 가운데
화령 앞엔 부요가 부복해 있고, 옆엔 신상궁이 서 있다.

화령 그래. 그 의녀는 만나봤느냐?
부요 예. 마마의 예상대로 태인세자의 혈허궐 치료를 도왔던 의녀가
맞았사옵니다.
화령 (자세 바뀌며) 태인세자의 사망 당시 모습은 어땠다 하더냐?
상처의 형태를 기억하고 있었느냐?
부요 송구하오나.. 치료 도중 내의원을 떠나 시신을 보지는 못했다 하옵니다.
화령 (기대가 절망으로 바뀌는데)
부요 (소매에서 처방전을 꺼내 건넨다) 이것이 도움이 될지 모르겠사옵니다.
화령 (받는) 이게 뭔가?
부요 당시 유상욱 어의가 작성한 혈허궐 처방전이옵니다. 의녀의 모친도
혈허궐을 앓아 내의원을 떠날 때 가져갔었다 하옵니다.
화령 (그 말에 펼쳐서 보다가 급히 신상궁 본다) 궁 밖에서 구해 왔던 외부약재
처방전을 가져와보거라. 어서!

신상궁, 병풍 뒤에서 급히 처방전(*4부 40씬)을 가져온다.
그리고 부요가 가져온 처방전과 비교해보는데...

화령 (!!!) 지금 당장 세자를 부르거라.

점프, 두 개의 처방전을 비교해보고 있는 성남.

화령 보통의 혈허궐 처방전에는
백봉령(白茯苓)과 오매(烏梅)가 들어가지 않는데
유상욱 어의의 처방전과 네가 가져온 처방전에는 공통적으로
그 약재들이 들어가 있다.
성남 (믿을 수 없고) 게다가 필체까지 흡사합니다...
화령 (심각) 그 처방전을 쓴 토지선생이란 자는 어떤 사람이냐?
성남 민가를 떠도는 용한 의원이라고만 알고 있사옵니다.
화령 그자를 만나볼 수 있겠느냐?
성남 (고개 젓는) 움막촌에 기거하고 있었으나.. 지금은 행방이 묘연합니다.
화령 세자.. 그자를 어떻게든 찾아내야 한다...!

40 무안대군 처소 (오후)

무안이 아기를 포대기로 업고, 기저귀를 탁탁 털고 있는데
드르륵!! 문이 열리더니 등장하는 계성과 일영.

계성, 일영 형님! 저희 왔습니다~~!!
무안 (기저귀 든 채. 망했다) ......
계성, 일영 (아기 보고 깜짝 놀람) 어???
무안 하... 이 궁에선 뭘 숨길 수 없다니까...

41 궐내 은밀한 거리 (오후)

걸어가다가 마주치는 황귀인과 권의관.
권의관이 황귀인에게 예를 갖춘다.
받아주더니 지나가는 황귀인 그 스치는 찰나의 순간.
권의관의 손에서 황귀인의 손으로 옮겨지는 작은 약병.

권의관 (E) 세자에게 쓴 독은 법물에도
반응하지 않는 융액(融液: 액체)입니다...

약병을 손에 움켜쥔 황귀인 우아하게 걸어간다.

42 중궁전 침전 (오후)

화령 앞에 앉아 있던 권의관이 놀라 고개 든다.

권의관 방금... 누구를 찾았다 하셨사옵니까?
화령 유상욱 어의를 찾았네.
권의관 (!!!) 그자는 이미 오래전에 죽었다 하지 않았습니까?
화령 아니. 살아 있었어.
한성에서 목격되었으니 곧 소재가 파악될결세.
권의관 (생각이 깊어진다)
화령 분명.. 세자의 사인을 밝히는 데 중요한 열쇠가 될 거야.
권의관 (의미심장한 눈빛)

43 황원형 사랑채 방 안 (밤)

황원형, 굳은 얼굴로 의성군을 본다.

황원형 미치지 않고서야 어찌 그런 생각을 하십니까?
주상은 의성군의 부친입니다...!!

의성군 (쓰게 웃는) 그 사람은...
날.. 단 한 번도 따뜻하게 안아준 적 없는 아버집니다.

황원형 안 됩니다!!
그들이 왕으로 세우려는 건 영원대군 이익현입니다.
태인세자의 동생이란 말입니다...!!
그들 형제를 죽이고 주상을 임금으로 세운 것이 바로 접니다.
그런 저에게 어찌.. 그런 청을 하십니까?

의성군 (의미심장하게 본다) 이익현은 결국 죽을 겁니다.

황원형 그게 무슨 말씀이십니까?

의성군 이십 년 전 거사에서 조부께서 저지른 가장 큰 실수는..
폐비와 그 소생인 이익현을 살려둔 겁니다.
허나 전. 그런 실수 따위는 하지 않습니다...

황원형 대체... 무슨 생각을 하는 겁니까?!

의성군 세자가 안 된다면
(눈빛 변하며) 용상에 앉을 겁니다.

황원형 ...!!!

44 무안대군 처소 (밤)

계성, 일영의 얼굴이 보인다.
위에서 아래를 쳐다보듯 누군가를 보고 있는데. 아기다!

일영 작은 얼굴에 눈 코 입이 다 있습니다~!

계성 와... 진짜 형님한테서 어찌 이렇게 예쁜 아기가 나왔습니까?

무안 (서안을 펴놓고 '養兒錄'이라 쓰인 서책 읽고 있는) 나 닮은 거쥐~!

일영 에이~ 하나도 안 닮았습니다! 눈, 코, 입! 하나두요~

무안 무슨 소리냐? 나랑 판박인데!!

계성 아닙니다 형님... 대체 어딜 닮은 거지...? (하다가) 아 찾았습니다!

무안 어디?

계성 (발가락 톡톡) 발가락이 닮았습니다.

무안 칫! (하더니 서책 거칠게 넘긴다)

계성 (독서 중인 무안이 신기하기도) 형님께서 스스로 서책을 읽으시는 건 처음 봤습니다. 대체 무슨 책이길래 그리 재밌게 읽으십니까~?

무안 양아록이다~ 조부가 손주의 양육 과정을 기록한 육아일기지. (울컥) 자식이 없으면 느낄 수 없는 진한 감동이 담겨 있다...

계성, 일영 (변한 형의 모습이 적응 안 되는데)

무안 (의욕 활활) 나도 오늘부터 아라의 육아일기를 써보려구~

계성 아기 이름을 벌써 지으신 겁니까~?

무안 그래. '바다'라는 뜻으로 '아라'라 지었다~

일영 (아기에게 묻듯) 아라야~~ 이름이 마음에 드느냐?

아기 (대답하듯 옹알이)

일영 (귀여워서 어찌할지 모르는 액션) 너무 귀엽습니다~~~!!

계성 여동생이 없어서 내내 서운했는데 너무 좋습니다~ (미소 짓는데)

똑똑똑. 소리 들리더니 문밖에서 신상궁 목소리 들려온다.

신상궁 **(E)** 대군마마~ 아기씨 수유할 시간이옵니다~

대군들 !!!!

신상궁 (드르륵 문 열며 들어서자)

대군들 (어색하게 씩 웃는다)

무안 신상궁~ 워낙 깊은 우애를 어찌 막겠는가? 어마마마께는 비밀로 해주게~ 하. 하..

신상궁 (하. 하.. 아기를 안아 든다) 수유가 끝나면 다시 모셔다 드리겠습니다~

무안 고맙네~!

신상궁 (아기를 안고 나간다)

45 어느 전각 곁방 (밤)

아기에게 젖을 물린 유모의 뒷모습이 보인다.

46 중궁전 침전 (밤)

화령 보료에 앉아 있는데 신상궁이 다가와 보고한다.

신상궁 아기씨가 젖을 먹고 방금 잠드셨사옵니다.
화령 그럼 깰 때까진 유모의 곁에 두거라.
신상궁 예. 마마...

47 무안대군 처소 (밤)

무안이 잠든 아기를 안고, 조심조심 걸어가 보료 위에 눕힌다.

무안 (낮게) 잘 먹으니 잠도 잘 자는구나~

화령에게 배운 대로, 아기를 눕힌 그 자세 그대로 한참이고 가만있는다.
허리를 굽힌 채 아기의 가슴에 가슴이 닿은 상태.
아기가 깰까 봐 엄청 불편한 자세인데도 움직이지 않고 있는 무안.
발에 쥐가 났는지 꼼지락하면서도 아기가 깰까 봐 움직이지 않는 모습.
어느새 살짝 열린 문으로 그 모습을 보고 있는 화령, 조심스럽게 문을 닫는다.

48 중궁전 침전 (이른 새벽)

“어마마마!” 침전 안으로 들이닥치는 무안,
품에는 아기를 안았고 얼굴은 사색이다!
막 일어난 듯 의복을 정제하던 화령도, 보필하던 신상궁도 놀라서 보는데.

무안　(진짜 놀란 얼굴) 어마마마! 아무래도 아라가 어디 아픈 것 같습니다.
미열도 있는 것 같고.. 푹 잠들지 못하고 한 식경마다 깹니다.

화령　(급히 다가와 손을 내밀며) 이리 다오.

무안　(두렵다) 대체 왜 이러는 겁니까? 어디가 어떻게 아픈 겁니까? 예?

화령　(아기 이마에 손등을 대보더니) 열은 없구나.
토를 하거나 설사를 하진 않았느냐?

무안　(기억을 더듬고) 예... 그런 적은 없습니다.

화령　아무래도 야제인 것 같구나.
우선 체온을 따뜻하게 유지해야 한다.

[자막] 야제(夜啼): 갓난아이가 낮에는 조용하다가 밤이 되면
간헐적으로 우는 증상

무안, 그 말에 얼른 요를 가져와 아기에게 덮어준다.

무안　(뭔가 잘못한 사람처럼 앉아 있다)

화령　(그 모습 본다) 네 잘못이 아니야. 아기들이 흔히 겪는 일이다.

무안　전 부족한 아빱니다... 문제가 생길 때마다 혼자 해결하지도 못하고
매번 이리 어마마마의 손을 빌리니 말입니다.

화령　(녀석..)

무안　(본다) 어마마마 한 가지 청이 있습니다.

화령　말해보거라.

무안　초월이를 찾아주시면 안 되겠습니까?
제가 아무리 잘한다 해도.. 아라에겐 엄마가 필요할 겁니다.
그리고.. 초월이도 아라를 보고 싶어 하지 않겠습니까?

화령　(한참이고 보다가) 그럼 앞으로 무슨 일이 닥치더라도
도망치지 않고.. 다 감당할 수 있겠느냐?

무안　(생각한다. 그러다가 아기를 한 번 보더니) 예! 감당할 수 있습니다.

화령　(보다가 신상궁 본다) 유모를 들이게.

신상궁이 문을 열자 유모가 들어선다.

화령 유모는 성심을 다해 아라항주를 모시게.
유모상궁 예 마마...

하며 고개 드는 유모. 초월이다!
목소리를 듣고 돌아보는 무안.

무안 (믿기지 않고) 초월아...?!

F.B 》 **3씬. 궐내, 은밀한 방 안 (밤)** 이어지며-

초월 제 품에 있는 한.. 이 아이는 천민으로 살아야 할 운명입니다.
그러니 부디 거둬주십시오...
화령 (냉정히 현실적으로) 그 말은 이 아이의 엄마로는 살 수 없다는 말이다.
다시는 보지 못할 수도 있어.
초월 (이미 각오한 일인 듯) 알고 있사옵니다.
화령 (보다가) 후회할 수도 있다.
초월 ......
화령 네가 생각하는 것 이상의 고통일 게다.
나도 너처럼.. 갓난아이를 떼어내 본 적이 있거든...
바로 후회했지만 되돌리는 데는 시간이 너무 오래 걸렸다.
넌.. 이 방법이 저 아이를 위한 최선이라 생각하겠지만 아닐 수도 있어.
초월 (본다) .....
화령 (본다) 어떻게든 방법을 찾아볼 테니 내 뜻에 따라주겠느냐?

현재 》 유모로 서 있는 초월에게 달려가, 그녀를 와락 끌어안는 무안.
화령, 두 사람을 지켜보다가 일어선다.

화령 (초월에게 아기를 건네준다)
초월 (아기를 꼭 품는다)
무안 (그제야 화령의 뜻을 깨닫고) 어마마마....

화령 (쉿!!) 절대 들켜서는 아니 된다.
준비가 되면 너희들이 숨지 않고 살 수 있게 해줄 것이다.

무안 (눈물 찔끔하더니 초월이와 아기를 본다)

화령, 조용히 자리를 피해준다.

49 중궁전 복도 (낮)

복도를 빠져나가는 화령의 얼굴에 옅은 미소가 번진다.
뒤따르는 신상궁의 표정도 밝은데.

화령 애가 애를 키우는지 알았더니, 그래도 그새 철이 많이 든 것 같구나~
유모는 자네가 잘 보살피게.

신상궁 예 마마~

화령 (그런데 걸음이 멈춘다. 웃음기 사라져서 보면)

상기된 표정의 부요가 걸어와 서찰을 건넨다.

신상궁 마마. 세자저하께서 급히 전하라 하셨사옵니다.

화령 (서찰을 펼쳐본다. 내용을 확인하더니 놀라는데) ...!!

50 민가, 폐창고 (오후)

거미줄 가득한 폐창고엔 토지선생이 보인다.
그의 목에 검을 겨누고 있는 성남.

성남 왜 갑자기 자취를 감췄던 것이냐?

토지선생 자취를 감추다니요...?
한낱 의원이 환자 찾느라 싸돌아다닌 게 뭐가 문제란 말입니까?

화령 (E) 한낱 의원은 아니지. 유상욱 어의...

토지선생 !!!!

토지선생, 소리 나는 쪽을 보면 화령이 들어선다.

화령 다시 묻겠다. 세자가 사망했다는 소식을 들었을 텐데
왜 그 직후 자취를 감춘 것인가?

토지선생 ......

성남 (검을 깊숙이 겨누는) 어서 대답하거라!

토지선생 또다시 제 치료를 받은 세자가 죽었다고 하니..
두려움에 몸을 숨긴 것이옵니다.
(간곡히 호소) 허나! 그때나 지금이나 제 처방에는 문제가 없었습니다.
정말이옵니다... 믿어주시옵소서!!

화령, 표정 하나까지 놓치지 않고 보다가
이만 검을 거두라는 듯 성남을 본다.
성남, 어쩔 수 없이 검을 거두지만 경계를 늦추지 않는데...

화령 (소매에서 서류를 꺼내 건넨다) 한번 살펴보거라.

토지선생, 펼쳐보면 복검시형도다.
그런데 표정이 예사롭지 않다.

토지선생 (놀라 고개 드는) 이건 누구의 것입니까?

화령 (주의 깊게 보며) 왜 그러는가?

토지선생 혹시... 태인세자의 복검시형도입니까?

화령 (반응하지만 티 내지 않고) 그건 우리 세자의 것이네.

토지선생 (!!! 다시 본다) 그럴 리가요...
그때도 분명 이런 상처가 시신에 남아 있었습니다.
이건 태인세자께서 독살되셨을 때의 모습과 너무도 흡사합니다.

성남 (독살?!)

화령 (눈빛 변화) 방금 독살이라 했느냐?!
토지선생 예... 독의 실체는 아직 밝혀내지 못했사오나..
태인세자는 분명 독살당하셨사옵니다.
성남 지금 태인세자와 형님이 같은 방법으로 살해됐다는 말을 하는 것이냐?!
토지선생 (무언의 대답) ......
화령 (더없이 신중한) 이미 모든 증거는 사라졌다.
한데, 내가 어찌 네 말을 믿을 수 있겠느냐?
토지선생 태인세자의 시신을 검시한 이가 접니다.
선왕께서도 입회하시어 모든 상황을 지켜보셨습니다.

토지선생을 보는 화령의 얼굴 위로 -

토지선생 (E) 제가 미끼가 되겠습니다.

ins 》서촌, 움막촌 아지트 (밤) (회상)

토지선생 (권의관 보며) 어차피 제가 유상욱이라는 걸 중전이 알게 됐질 않습니까?
그걸 역이용하겠습니다.
권의관 일부러 잡히기라도 하시겠다는 말씀이십니까?
토지선생 예, 중전이 태인세자의 죽음을 파헤치게 해야지요.
그럼 중전은 결국 그리로 향하게 될 것입니다.
권의관 (본다) 그래도 너무 위험한 방법이 아닙니까?
토지선생 우리가 직접 기록을 열람하는 건 더 위험합니다.
중전에게 지름길을 알려주면 스스로 움직일 테니..
그 그늘에 숨어.. 우린 비밀을 파헤칠 수 있을 것입니다.

51 민가, 폐창고 앞 (오후) (현재)

멀어져가는 토지선생.
그 모습을 보는 화령, 성남 그리고 부요.

화령 (부요에게 은밀히 지시) 저자를 계속 주시하거라.

부요 예, 마마.

숙이더니, 토지선생이 사라진 길로 이동하는 부요.
화령과 성남의 표정에서 긴장감이 느껴진다.

성남 (멀어지는 토지선생을 보며) 어머님 말씀이 맞았습니다.

화령 (끄덕인다) 그래. 토지선생과 권의관은 분명 연결되어 있어.
그리고... 스스로 덫에 걸려든 걸 보면
위험을 감수해서라도 내게 얻어내야만 하는 뭔가가 있다는 거겠지.

성남 유상욱의 말을 다 믿을 순 없겠지만
만약 선왕께서 검안실에 입회하신 것이 사실이라면..
승정원일기에 주서(注書)가 남긴 기록이 분명 남아 있을 겁니다.
그들은 임금에게 일어난 모든 일을 기록하니 말입니다.

[자막] 주서(注書): <승정원일기>의 기록을 맡았던 정7품 관원.

화령 그래.. 그러니 설사 검안서가 소실됐다 해도
그 기록만 찾을 수 있다면 네 형의 사인을 밝힐 수 있을지도 몰라.

성남 허나. 그 기록은 승정원에 있습니다.
그곳에 사사로이 접근하는 건 국법을 어기는 일입니다.

화령 (알고 있다. 깊은 고뇌에 빠지는데) ....

52 대비전 침전 (밤)

쪼르르 따라지는 차.
따르는 사람은 황귀인이고 그 앞에 앉은 사람은 대비다!!
찻잔은 진귀한 유리잔인데.

대비 이리 차담을 나누는 것이 얼마 만인지 모르겠습니다...

황귀인 (미소) 잠들기 전에 마시면 숙면에 도움을 주는 백엽차(柏葉茶)이옵니다.

대비의 의중을 살피듯 표정을 하나도 놓치지 않는 황귀인.

대비 처음 보는 진귀한 잔이로군요.

황귀인 서역에서 온 것이옵니다. 벚꽃잎보다 얇고 투명한 이 잔에 차를 따르면
찻잎이 시시각각 소용돌이치며 우러나는 모습을 음미할 수 있사옵니다.

대비 굳이 향을 맡지 않아도
안에 담긴 것이 뭔지 금세 알아볼 수가 있겠습니다.
간혹.. 차순이 아닌 잡풀이 섞여 있더라도 쉬이 가려낼 수 있겠네요.

황귀인 (눈빛이 미세하게 흔들리지만 미소로 찻잔을 내민다) 드십시오.

유리잔을 드는 대비.. 그런데 그만 잔을 놓쳐버리고 만다.
순식간에 바닥에 떨어져 산산조각이 나는 유리잔.

대비 저런.. 오늘 황숙원이 주신 차는 못 먹게 돼버렸습니다.
차담은 여기서 끝내는 걸로 하지요.

황귀인 (본다)

대비 (본다) 황숙원이 독을 쓰시는 걸 보니
내가 알아선 안 되는 사실을 알아버린 것 같습니다.
(눈빛 돌변하며) 의성군의 친부가 누굽니까?

53 그 시각, 민가 은밀한 거리 (밤)

장옷을 둘러쓴 여인을 향해 절뚝절뚝 걸어가는 사내의 뒷모습.
장옷 쓴 여인 돌아보는데 윤왕후다.

권의관 어마마마.
그간 강녕하셨사옵니까?

강렬한 눈빛으로 고개 드는 사내. 권의관이다!
윤왕후를 보는 권의관의 얼굴에서_ 엔딩!!

14부

1 윤왕후 처소 (밤) (과거)

윤왕후에게 큰절을 올리는 어린익현.

윤왕후 (감정 누르며) 익현아... 넌 반드시 살아남거라.
어린익현 (고개 든다) 부디 강녕하시옵소서.

2 은밀한 골목 일각 (밤) (과거)

윤왕후와 어린익현이 서 있고
그 앞엔 토지선생과 어린승선이 서 있다.
마주 선 두 소년 체격도 생김새도 비슷하다.
어린승선은 1씬에서 익현이 입고 있던 옷으로 갈아입은 상태.

어린익현 고맙네.
어린승선 (아이 같지 않고 다부진 느낌) 아니옵니다 대군마마.
옥체를 보전하소서.
토지선생 (승선 본다) 마마를 잘 모시거라.
어린승선 예, 아버지.

토지선생에게 예를 갖추더니 윤왕후 쪽으로 이동하는 어린승선.
어린익현도 절뚝절뚝 다리를 절며 토지선생 쪽으로 이동하는데
운명을 뒤바꾸듯 스치며 지나는 두 소년.
절룩이며 옆을 지나는 어린익현의 모습을 유심히 보던 어린승선이..
멀쩡하게 걷던 다리를 절룩이며 윤왕후에게 다가선다.
이내 길을 떠나는 토지선생과 어린익현.
그런 자식을 바라보는 윤왕후.
쓱 돌아보지만, 다시 앞을 보며 절뚝절뚝 멀어지는 어린익현의 뒷모습.

3　윤왕후 집 마당 (밤) (과거)

외출한 듯 돌아오는 윤왕후와 어린승선.
승선은 다리를 절고 있다.

4　승정원 내부 (밤) (현재)

어둠 속, 촛불 하나를 켠 채 승정원일기를 뒤지고 있는 여인의 뒷모습.
화령이다!
그러다 찾고 있던 자료를 발견했는지 어느 페이지에서 멈춘다.
눈빛이 달라지는 화령, 신중히 읽어 내려가기 시작한다.

화령　(읽는 소리, E) 세자가 동궁 정실(正室)에서 졸(卒)하였다.
임금과 박중호 사관이 입회한 가운데
유상욱 어의가 검시를 진행하였고, 조국영 내의(內醫)가 검시문안을
작성하였다... (하며, 다음 장을 보는데.. 없다!!)

[자막] 검시문안(檢屍文案): 시신을 검사하고 작성한 소견서

화령, 자세히 살펴보면

일부가 찢겨 나간 흔적만 있을 뿐 기록이 사라졌다.

화령 (충격, E) 기록이 훼손됐어...!!

화령, 급히 찢겨 나간 앞부분의 기록을 다시 꼼꼼히 살펴보기 시작한다.
그런데... 그녀의 손가락이 임금과 입회했다는 '史官 朴仲豪'에서 멈춰 선다.

화령 (순간 놀라며) 사관 박중호...?!

5 왕의 침전 (밤)

이호, 매우 예민하게 반응하며 화령을 본다.

이호 중전. 지금 뭐라 하셨습니까...?!
화령 태인세자의 사인을 재조사해주시옵소서.
이호 (심연에 감춰둔 두려움이 엄습해온다...)
화령 우리 세자의 죽음이 그와 너무도 흡사하옵니다.
태인세자의 사인을 밝히면
우리 세자의 죽음을 둘러싼 의혹 또한 밝힐 수 있을 것이옵니다...
이호 (숨이 거칠어지는) 그 말씀은..
우리 세자가 살해라도 당했다는 말입니까?!
화령 예. 그런 의혹이 있어 태인세자의 사인을 알아보려는 것이옵니다.
이호 (굳는) 그런 추측만으로 과거의 일을 들출 순 없습니다.
태인세자가 살해됐다는 게 무엇을 뜻하는지 아십니까?
내가 왕위에 오른 것이 결국 역모와 다름없다는 얘깁니다...!
화령 (본다)
이호 보위에 오른 지 이십 년이 지났지만.. 여전히 사방엔 왕권을 위협하는
사람들뿐입니다...
(점차 분노) 게다가 얼마 전엔 서함덕의 역모 정황까지 있었습니다.
아직 그 가담자들의 실체조차 밝히지 못한 상황인데

가장 큰 힘이 되어주셔야 할 중전께서 어찌 그런 의혹을 제기하십니까?!

화령 의혹을 제기하고자 하는 것이 아닙니다...
우리 아들이 어떻게 죽었는지 알아내려는 것입니다.
만약.. 누군가에 의해 살해된 것이라면...
그 아이가 왜 죽어야 했는지
대체 누구에 의해 죽임을 당했는지 꼭 알아야겠습니다...!

이호 안 됩니다.
정말 세자가 살해된 것이라면 다른 방법으로 알아보겠습니다.
태인세자의 죽음을 들추는 것은 허락할 수 없습니다.

화령 (본다)

이호 (단호히 본다)

6 대비전 침전 (밤)

13부 52씬 이어지며-
마주 앉은 대비와 황귀인 사이에 산산조각 난 유리잔 보이고.

대비 의성군의 친부가 누굽니까?

황귀인 (!! 그러나 흐트러짐 없고)

대비 (매섭게 주시하는데)

황귀인 대비마마도 아시지 않으십니까?
주상전하의 자식이지요. (찻잔을 들어 마시더니 내려놓는다)

대비 (황귀인이 마신 빈 잔을 보는데)

황귀인 설마 제가 독이라도 탄지 아셨습니까?

대비 (본다)

황귀인 대비마마... 의성군은 주상전하께서 처음으로 품에 안은
전하의 장자입니다. (우아한 미소)

7 중궁전 침전 (밤)

놀란 표정으로 보는 성남!

성남 승정원일기가 훼손됐단 말입니까?
화령 문제는 태인세자의 검안 기록만 훼손됐다는 것이다.
성남 내의원 화재로 모든 자료가 소실된 것도 이상했습니다.
그런데 승정원의 기록마저 없어지다니요?
화령 누군가 은폐하려 한 게 분명해...
성남 대체 누굴까요...?
화령 검안 기록이 공개되는 것이 두려운 사람이겠지...
성남 (잠시 생각하다가) 그럼... 이제 그날의 기록은 모두 사라진 것입니까?
화령 아니. 어쩌면 가장사초가 남아 있을지도 몰라.
그날 검안실에 입회한 사관의 이름을 알아냈다.
성남 (본다!) 그 사관이 누굽니까?
화령 사관 박중호다. 박경우 대감의 부친이지.

8 왕의 침전 (밤)

박경우가 이호와 독대한다. 긴장감 흐르는데...

박경우 지금 가장사초라 하셨습니까?
이호 그렇네. 선친께서 남기신 가장사초를 보았는가?
박경우 (본다)
이호 (본다) 그때 자네가 날 떠난 게 가장사초 때문인가?
박경우 전하께서 저를 다시 궁으로 부르신 게 그것 때문이옵니까?

9 대비전 침전 (밤)

황귀인이 마시고 간 빈 잔이 보이는 가운데

쪼르르 대비의 유리잔에 차를 따르는 남상궁.

남상궁　의성군을 어찌 처리하실 생각이시옵니까?
대비　(잔을 들어 차를 음미하며) 살려둬야지.
남상궁　(보면)
대비　내가 폐비 윤씨의 소생 하나를 왜 살려뒀는지 아느냐?
하나둘 자식들이 죽다가 결국 한 명만 남게 되면..
그 아이마저 죽게 될까 매일매일 불안과 지옥 속에서 살게 되지.
자식을 잃은 고통보다.. 남은 자식 때문에 죽지조차 못하는 게
더 끔찍한 거니까. (쓱 보며) 그러니.. 의성군을 바로 죽여버리면
황숙원의 고통이 너무 쉽게 끝나지 않겠느냐?
남상궁　(끄덕인다) ......
대비　우선. 내 의성군의 친부가 누군지는 알아야겠다.
조사해보거라.

10　중궁전 침전 (다음 날 낮)

반응하며 고개 드는 권의관!
그 앞엔 화령 앉아 있다.

권의관　어떤 기록도 남아 있지 않다는 말씀이시옵니까?
화령　그렇네. 태인세자의 검안 기록은 모두 소실되거나 훼손됐어.
권의관　(승정원에조차 기록이 없는 것인가...?!)
화령　(반응 캐치) 이제 태인세자가 독살됐다는 걸 입증할 수 있는 증거는..
없네.
권의관　(미세하게 흔들리는 눈빛)
화령　그러니 태인세자의 사인을 추적하는 일은 멈춰야겠어.
권의관　(본다)
화령　(본다) 대신.. 자네가 해줄 일이 있네.
우리 세자를 죽음에 이르게 한.. 독을 찾아주게.

은에 반응하지 않고..
음독하면 입 안에 발반을 일으키는 독일세.
가능성 있는 몇 가지를 추려서 내게 가져오시게.

권의관 예, 마마...

[자막] 발반(發斑): 출혈반이 생기는 병증

11 서촌, 움막촌 아지트 (오후)

권의관이 안으로 들어서면,
기다리고 있었던 듯 일어서는 토지선생.

토지선생 어찌 됐습니까?
권의관 승정원 기록도 훼손되었습니다.
토지선생 (!!!) 그 역시 주상의 짓일까요?
권의관 (긴 숨... 생각한다) 이제 우리에겐 남은 희망은..
태인세자 형님의 검안서 원본을 찾는 것뿐입니다.
토지선생 내의원과 조국영의 집을 샅샅이 뒤졌지만
끝내 찾아내지 못했질 않습니까?
권의관 어쩌면 벌써 영상에게 넘어갔을지도 모릅니다.
토지선생 (본다)
권의관 (본다) 그러니.. 반드시 영상을 우리 편으로 끌어들여야 할 것입니다.

12 황원형 사가, 사랑채 방 안 (밤)

황원형 앞에 앉아 있는 의성군.

의성군 결정하셨습니까?
황원형 (본다) 내가 만든 임금을.. 내 손으로 끌어내릴 순 없습니다.

그러니 의성군께서도 여기서 멈추십시오.

의성군 (되뇌듯) 멈춰라.... 그렇게는 못 하겠습니다.

황원형 의성군...!

의성군 180결의 땅을 받고 기와집에 한량처럼 누워 있으니 더욱 확고해졌습니다.
반드시 궁으로 돌아가야겠단 말입니다.

황원형 내가 어떻게든 해본다 하지 않았습니까?!

의성군 (조소) 아직도 모르시겠습니까?
이제 궁에서 조부님의 입지도 달라졌습니다.

황원형 ....그렇다 치더라도 이건 아닙니다!
모친께서 의성군을 어떻게 키우셨는지 잊으셨습니까?!
욕심을 부리다간 모친까지 위험에 빠뜨릴 수 있단 말입니다!!

의성군 어머니도 허락하신 일입니다.

황원형 ....!!!

13 궐 정문 앞 (낮)

급히 입궁하는 황원형, 빠르게 걸어간다.

14 황귀인 처소 (낮)

마주 앉아 있는 황원형과 황귀인.
두 사람 매우 낮은 어투로 대화한다.

황원형 자식이 잘못된 길을 가면 바로잡아주는 것이 부모의 도리입니다.
일이 더 커지기 전에 의성군을 멈추세요...!

황귀인 (본다) 이미 늦었습니다.

황원형 (본다! 더욱 낮게) 역모가 실패하면
그 가담자들이 어찌 되는지 정녕 모르십니까...?!

황귀인 치욕스럽게 사는 것보다 차라리 죽는 게 낫습니다.

황원형　(미치겠고) 초연아.....!!

황귀인　의성군은 주상의 친자가 아닙니다.

황원형　.......뭐...?!

황귀인　대비마마께서도 눈치채신 것 같습니다.

황원형　(충격과 혼란)

황귀인　(위기감) 주상까지 이 사실을 알게 되면
저뿐만이 아니라 아버님과 의성군의 목숨까지도 위험해질 겁니다.

황원형　....!!!

15　중궁전 침전 (낮)

화령 앞에 방장이 드리워져 있고
그 건너편에 박경우가 앉아 있다.

박경우　무슨 일로 저를 부르셨사옵니까?

화령　혹시 부친께서 돌아가시던 해에 작성한 가장사초를
보신 적이 있으십니까?

박경우　(보다가) 송구하오나 아버님께서는 가장사초를 남기지 않으셨습니다.
그러니 다시는 이런 일로 저를 찾지 말아주십시오. (일어서려고 하면)

화령　누군가 승정원일기를 훼손했습니다.

박경우　(멈칫)

화령　해서.. 이제 유일하게 남은 그날의 기록은
부친께서 작성하신 가장사초뿐입니다.

박경우　(단호) 전 그 사초를 본 적이 없습니다.

화령　태인세자의 검안에 입회한 지 얼마 지나지 않아
부친께서 갑자기 돌아가셨다 들었습니다. 그게 과연 우연일까요?

박경우　설사 가장사초가 남아 있다 하더라도..
돌아가시면서까지 그것을 숨겨두신 거라면
아버님께서 마지막까지 감추려 하셨던 진실이 아니겠습니까?

화령　만약 부친께서 목숨을 걸고서라도 지키려 하신 기록이라면요?

박경우 (본다)
화령 (본다)

16 박경우 사가 사랑채 (낮)

2단 반닫이 앞에 멈춰 서는 박경우.
반닫이 문을 열면 봇짐이 하나 보인다.
봇짐을 꺼내 들더니 펼쳐보는 박경우.
그 안엔 글씨가 쓰인 낡은 종이 여러 장이 보이는데..
그중 한 장을 집어 들더니 고뇌하는 박경우.

17 어느 안가 (오후)

은밀히 접선하듯 마당으로 들어서는 황원형.
그곳엔 의성군과 토지선생이 함께 서 있다.

토지선생 오랜만입니다 대감...
황원형 (오랜만이라니? 누군가 자세히 보는데...)

ins-cut 》 과거. 유상욱 어의 시절의 토지선생 모습.

황원형 (귀신이라도 본 듯) 유상욱 당신이 어떻게?!!
토지선생 왜? 놀라셨소?
죽였다 생각한 사람이 이리 살아 있어서...?
황원형 ......
의성군 (인상 쓰며 토지선생 본다) 과거지사에 얽매일 필요가 무에 있는가?!
본론이나 애기하게.
토지선생 (감정을 가라앉히듯 긴 숨) 예까지 오셨으니..
우리와 함께하겠다는 뜻으로 받아들여도 되겠습니까?

황원형　(신중) 그 전에 묻겠네.
당신들이 세우려는 임금이 영원대군 이익현인가?
권의관　(E) 예, 맞습니다.

문을 열고 대청마루로 나와 서는 권의관.
권의관을 보는 순간 뭔가 찌릿하는 황원형. 그 위로-

황귀인　(E) 의성군은 주상의 친자가 아닙니다.

권의관을 보던 황원형의 시선이 의성군에게 향한다...
의성군의 친부인 것을 직감하는 황원형의 눈빛!
대청마루에 서서 황원형을 바라보는 권의관.

18　중궁전 침전 (오후)

유추하는 화령, 그 앞엔 성남이 앉아 있다.

화령　권의관, 유상욱.. 이익현... 그들은 지금 분명 함께일 것이다.
성남　(!! 본다) 이익현이라면.. 태인세자의 아우가 아닙니까?
화령　(그렇다는 듯 본다) 권의관이 유상욱 어의와 한패라는 건
이익현과도 연결고리가 있다는 것이다.
게다가 권의관은 네 형을 독살한 용의자야.
내 예측이 맞다면.. 그들의 다음 표적은 주상전하가 될지도 몰라.
성남　(심각) 대체 권의관의 정체가 뭘까요?
화령　어쩌면.. 황숙원이 권의관을 이용한 것이 아니라
권의관이 황숙원을 이용한 것일 수도 있겠다.

19　다시, 어느 안가 (오후)

권의관을 주시하는 황원형.
긴장감 흐르는 가운데 거래하듯 대화를 이어간다.

황원형 정말 당신들이 용상에 올리려는 이가 영원대군이라면
그자가 날 가만히 두겠는가?

권의관 대군께 쓸 만한 정보를 드린다면
안위를 보장받을 수도 있지 않겠습니까?

황원형 (보다가 툭 던지듯) 태인세자가 죽던 날 그 자리에
지금의 주상이 있었네.

ins-cut 》8부 48씬. 동궁전 복도 (깊은 밤)
태인세자가 죽는 순간을 목격한 젊은이호, 은폐하듯 문을 닫는 모습.

권의관 ....!!!

토지선생 거사가 성공하면 그걸 증언해주실 수 있겠습니까?

황원형 (딜 하듯) 내 목숨과..
우리 의성군의 자리를 분명히 약속해준다면 그렇게 하지.

토지선생 (대답 없이 보면)

황원형 원하는 게 더 있나 보구만.
진짜 나한테 원하는 게 뭐야?!
날 끌어들이려는 데는 그만한 이유가 있을 게 아닌가?

토지선생 태인세자의 검안서 원본을 넘겨주시지요.

황원형 (어이없는 웃음) 그걸 왜 나한테서 찾아?

토지선생 조국영 주변을 다 뒤졌으나 어디에도 없었소.
그럼 그걸 갖고 있는 게 영상밖에 더 있겠습니까?

황원형 난 아니야. 조국영 그 영악한 자가 아무 데나 숨겼겠는가?

권의관, 토지선생 (본다)

황원형 자네 옆에서 보조나 하던 그자가
당상관의 자리까지 오른 이유가 뭐겠는가?
대비마마의 사주를 받아 태인세자를 죽인 게 바로 그 조국영이야...

권의관 (주먹을 움켜쥔다)

황원형　대비마마가 왜 지금껏 그자를 살려뒀겠는가?
조국영이 살아남을 대비책 정도는 마련해뒀어서겠지.

20　중궁전 침전 (오후)

화령, 놀란 얼굴로 박경우를 본다.

화령　그럼.. 가장사초가 남아 있단 말입니까?
박경우　예. 하오나 중전마마께 보여드릴 수 없는 내용이 기록돼 있사옵니다.
그냥 덮으시옵소서...
화령　그럴 수 없습니다.
이대로 덮는다면 그날의 진실은 영원히 사라져버릴지도 모릅니다.
박경우　.....
화령　(절실하고) 만약.. 그 기록 때문에 박중호 사관이 돌아가신 거라면
부친께서 사관으로서 마지막까지 남기려 했던 진실이..
그 사초 안에 담겨 있는 게 아니겠습니까?
부디. 누군가 은폐하려 한 그날의 진실을 알려주십시오.
박경우　....중전마마께서 감당할 수 없는 인물과 사건이 연관되어 있습니다.
화령　(본다)
박경우　(본다) 그래도 보시겠사옵니까?
화령　예. 우리 세자가 어떻게 죽었는지 밝히기 위해서라도
전 그날의 진실을 꼭 알아야겠습니다...
박경우　(한참을 보다가) 대신 부탁이 있사옵니다.
가장사초에 기록된 내용에 대해선
그 누구에게도 발설하지 말아주시옵소서.
그 약속을 지켜주신다면 중전마마께 보여드리겠사옵니다.
화령　(보다가) 약속드리겠습니다.

21　검안실 (밤) (과거)

태인세자의 시신을 검시하고 있는 유상욱(토지선생).

시신의 인후(咽喉)에 은비녀를 깊숙이 넣고 종이로 입을 가린다.

그리고 가슴에 X자 패턴으로 남은 상처를 살피는 유상욱.

조국영은 시형도에 X자 패턴을 그려 넣는다. (*세자의 복검시형도 상흔과 동일)

입회한 선왕과 박중호 사관도 보인다.

시신의 입에서 은비녀를 빼내는 유상욱. 그런데 색이 전혀 변하지 않았다.

선왕 사인이 무엇인가?

유상욱 아뢰옵기 송구하오나.. 혈허궐은 사인이 아닌 듯싶사옵니다.

선왕 무슨 근거로 그런 얘길 하는 것이냐?

유상욱 입 안에 발반의 흔적이 있고, 목이 지나치게 부어 있사옵니다.
가슴에 남은 상처는 음독하여 괴로움에 긁은 흔적으로 보이옵니다.
(문제 제기) 이것은 평소에는 없던 상처이옵니다.

선왕 그럼 우리 세자가.. 살해됐다는 것이냐?!
독 반응도 없질 않았느냐?

유상욱 법물에 반응하지 않는 독이 쓰였을 수도 있사옵니다.
확실친 않사오나 독살 가능성을 완전히 배제할 순 없사옵니다.

선왕 (고뇌하다가) ...확실하지 않은 것은 아닌 것이다.
더 이상 세자의 사인을 캐지 말거라.

유상욱 (!!!) 전하....

선왕, 바로 박중호 사관 본다.

선왕 방금 이 자리에서 있었던 이야기는 기록지 말라.

박중호 (우선 붓을 멈추고 놀라서 보는데)

선왕 (유상욱을 본다) 세자의 사인은 혈허궐이다.

유상욱 .....!!

22 박중호의 사가, 방 안 (밤) (과거)

고뇌하던 박중호가 뭔가를 작성하기 시작한다.

박중호 (E) 선왕께서는 검안실을 나간 직후 금영군을 만나셨다.
그리고 그는 곧 왕세자에 책봉되었다.

23 중궁전 침전 (오후) (현재)

화령, 가장사초를 보다가 떨리는 손으로 책장을 놓는다.

화령 금영군이라면...
신상궁 주상전하가 아닙니까...?!
화령 (!!! 혼란스럽고 두렵다) 그렇다면 전하께서도..
태인세자가 독살됐다는 걸 이미 알고 계셨다는 것인가...?

24 왕의 침전 (밤)

뜯긴 승정원일기를 들고 있는 누군가의 손. 이호다!
두려운 표정으로 보다가 호롱불에 가져가 불을 붙인다.
이호, 종이를 도기 위에 내려놓으면 불타오르다가 이내 재가 된다.
그 모습을 보며 안도감과 양심의 가책을 동시에 느끼는 이호의 표정...!

25 대비전 침전 (낮)

청하가 대비 앞에 다소곳이 앉아 있다.

대비 빈궁.. 아직도 세자와 합궁하지 않았다는 소문이 돌던데 사실입니까?

청하　　송구하옵니다~ 곧 좋은 소식을 들려드릴 터이니 심려 마시옵소서~

대비　　설마 세자가 빈궁을 피하는 것입니까?

청하　　(쉴드 치는 느낌) 피하시다니요~ 저하께서는 국본의 소임을 다하시느라 정신이 없으신 것뿐이옵니다~

대비　　(서안 쾅!) 후사를 잇는 것이 세자의 가장 큰 소임입니다!!

청하　　(살짝 놀라긴 하지만 겁먹지 않고 본다)

대비　　(압박하듯) 제가 말했질 않습니까?
이 할미는 아직 제대로 자리 잡지 못한 세자가 걱정된단 말입니다...
용상에 오르기 전까지 세자는 일거수일투족을 평가받고
매 순간 시험대에 올라야만 합니다.
조금의 흠결이라도 있으면 언제라도 갈아치워지는 것이
그 국본이란 자립니다.

청하　　(당돌) 이제 막 책봉되신 저하를 왜 갈아치웁니까~?
혹 흠결이 있더라도 대비마마께서 감싸주시옵소서~

대비　　빈궁... 마냥 감싸주는 게 세자를 위한 것인 줄 아십니까?
지금 궁중에 세자가 생산능력이 없다는 소문까지 돌고 있습니다.
그것이 세자에게 얼마나 치명적인지 모르시겠습니까?

청하　　그 소문! 제가 잠재워보겠사옵니다~

대비　　(어린 게 만만치 않구나...)

26　중궁전 복도 (낮)

심각성을 느낀 얼굴로 빠르게 걸어오는 청하.
신상궁과 오상궁, 얼른 예를 갖추는데.

청하　　(다급) 어서, 마마께 내가 왔다 전해주시게~

27　중궁전 침전 (낮)

마주 앉아 있는 화령과 청하.

청하　중전마마. 빨리 합방일을 잡아주시옵소서~!
화령　빈궁~ 제게 생각이 있으니 조금만 기다려주세요.
청하　기다릴 시간이 없사옵니다...
화령　(뭔가 있나 싶고) 왜 그러십니까?
청하　지금 막 대비전에 다녀오는 길입니다.
대비마마께서 합방에 대해 꼬치꼬치 물으셨습니다.
걱정하시는 건 알지만... 왠지 저하께 피해가 갈 것 같은 느낌이었습니다.
화령　(위기감)
청하　그리고.. 저하와 더 가까워지고 싶사옵니다. 부부니까요~
한데 도무지 그분의 속을 알 수 없사옵니다...
중전마마께서 저하에 대해 좀 알려주시면 안 됩니까~?
화령　(잠시 생각하다가) 그건 저보다 더 잘 아는 사람들이 있습니다.
청하　(??)

28　무안대군 처소 (낮)

유모 초월은 한발 물러나 있는 가운데
아기를 눕혀놓고 위에서 금이야 옥이야 쳐다보는 계성과 일영.
무안은 초월이와 오붓하게 있고픈 마음이 굴뚝같은데..
이 눈치 없는 아우들은 갈 생각이 전혀 없어 보인다!

무안　아우들아~~ 그만 좀 가거라~~
일영　형님 보고 싶어 온 게 아니고~ 아라향주가 아른거려서 온 겁니다.
계성　맞습니다~ (아기 보며) 우리 아라향주도 삼촌들이 보고 싶었지요?
아기　(대답하듯 옹알옹알)
계성　(그 모습 미소로 보다가 문득) 그런데.. 아라향주 엄마는 어딨습니까?
일영　그러게요... (순간) 설마 아기만 놓고 떠난 것입니까?
초월　......

무안 무슨 소리!!
(초월이 쪽 의식하며) 우리 초월인 그리 무책임한 여자가 아니다.
계성 초월이라면... 형님이 늘 얘기하시던 정인이 아니십니까?
일영 (놀라) 아라향주 엄마가 그분이란 말입니까?
귀에 피가 나도록 말씀하셨던 그분이요?
무안 (민망) 어? 어 그래...
일영 (갑자기 피식) 형님... 그렇게 여자, 여자 하시더니
결국 정인은 초월이란 분, 한 분뿐이셨군요~?
계성 (웃는) 그러고 보니 우리 형님 날파람둥이가 아니라 일편단심이셨네요~!
초월 (살짝 피식)
무안 어허! 그만들 하거라.
초월 대군마마. 그 초월이란 분은 참 행복할 것 같사옵니다~
무안 (니가 좋다니 나도 좋고) 그래~?
초월 (미소로 끄덕)
문내관 (놀란 목소리, E) 대군마마. 빈궁마마 드셨사옵니다.
대군들 !!!!!
초월 !!!!!
계성 (우왕좌왕) 어찌합니까?
무안 (우왕좌왕) 숨어 숨어!
초월 (놀란 눈)
무안 유, 유모! 너부터 숨거라!!

순식간에 후다다닥 숨는 대군들과 초월.
그때 문이 열리면서 들어오는 청하.
놀라서 보면, 아기만 바닥에 덩그러니 누워 있다!
청하, 아기 발견하고 다가선다.

청하 어? 웬 아기지?
무안 (병풍 뒤에 숨은 채 아뿔싸!!)
청하 (아기에게) 안녕~ 아가야~

하는데.. 하나둘 쭈뼛거리며 숨었던 곳에서 나오는 대군들과 초월.

청하 어? 다들 여기 계셨습니까~?
대군들 (하. 하. 하. 어색하게 웃는다)
청하 근데~ 이 아인 누구 아깁니까?
무안 제 딸입니다...
청하 예?! (다시 아기 본다) 이 아기가 무안대군의 딸이라구요~?
무안 예... 근데 빈궁마마.. (두 손 모아) 절대 비밀로 해주십시오.
청하 (보다가) 어우~ 그건 걱정 마십시오.
대신~ 대군들께서도 제게 해주실 게 있습니다~
대군들 (오잉?)

29 무안대군 처소, 곁방 (낮)

무안, 계성, 일영. 청하가 둘러앉아 있다.
청하는 수첩(생애취록 겸용) 든 채 중간중간 메모도 한다.

청하 저하께선 원래 좀 무뚝뚝하십니까~?
왕자들 (동시에) 예!
청하 표현도 잘 안 하시구요~?
왕자들 (동시에 끄덕끄덕)
청하 참~ 저하께선 무슨 음식을 제일 좋아하십니까?
계성 육류는 다 좋아하시는 것 같습니다~
무안 아니야! 고사리랑 콩나물 막 이런 거 좋아하셔~
계성 (그런가?)
청하 (막 메모하다가) 아~ 가리는 거 없이 골고루 드시는군요!
계성 (그 모습 미소로 보며) 시간은 좀 걸리겠지만 분명 친해지실 겁니다.
둘째 형님이 무뚝뚝하고 쌀쌀맞아 보일 수도 있지만,
실은 우리 형제들 중에 제일 다정하신 분이거든요~
일영 맞습니다~~ 자주 보면 그만큼 정도 빨리 들지 않을까요?

무안	그리구 형님이 자꾸 속 썩이면 말씀만 하세요! 우린 빈궁마마 편입니다~!
청하	(도련님들 참 마음에 들고~ 방긋)

30　무안대군 처소 외부 (낮)

전각에서 은밀히 나오는 청하.
주변 두리번거리더니 후다다닥 뛰어간다.
그런데 한편에서 지켜보고 있었던 듯 모습을 드러내는 남상궁.

31　대비전 침전 (낮)

남상궁에게 보고받는 대비.

대비	세자와는 합방조차 하지 않았는데 대군의 처소를 들락이는 세자빈이라... (흡족한) 잘되었다. 소문은 자극적일수록 좋은 법이니...
남상궁	하온데 마마. 대군들도 무안대군의 처소를 드나들고 있었사옵니다. 아무래도 무안대군에게 무슨 일이 있는 것 같사옵니다.
대비	(반응) 그래..? 무안대군 처소를 계속 살펴보거라.

32　중궁전 침전 (오후)

신상궁이 다급히 뛰어 들어오자,
화령과 오상궁이 놀라 쳐다본다.

신상궁	마마... 큰일 났사옵니다...!! 궁중에 세자저하가 화자라는 소문이 돌고 있사옵니다.

화령　(발끈) 뭐.. 화자?!

오상궁　(!! 남사스럽고...)

[자막] 화자(火者): 생식 기관이 불완전한 남자

신상궁　(말하기도 민망해서) 게다가.. 외로움을 견디지 못한 빈궁마마가
무안대군의 처소를 드나든다는 해괴망측한 소문까지 돌고 있사옵니다...

화령　(깊은 빡침) 뭐?!

신상궁　대비전에서 흘러나온 소문이옵니다.

화령　(확연히 굳는) 이대론 안 되겠다.
(오상궁 본다) 오상궁! 당장 세자 내외를 불러와.

오상궁　예, 마마! (급히 나간다)

화령　(바로 신상궁 본다) 아기는?
아기에 대한 소문은 없었느냐?

33　무안대군 처소 내·외부 교차 (오후)

남상궁, 구멍이란 구멍은 다 살피고
틈이란 틈은 다 기웃거리지만 병풍 같은 것에 모두 막혀 있다.
그때 어디선가 들려오는 아기 울음소리!
!!! 남상궁, 얼른 소리 나는 쪽으로 다가가 틈을 찾아내는데..
오! 내부가 보인다.
남상궁 눈을 가늘게 뜨고 보는데...
내부엔 무안, 계성, 일영이 모여 앉아 있는 모습.

무안　(아우들에게 들려주듯) 응애응애. 하는 소리가 나서 가보니까.
냐옹냐옹~ 이렇게 고양이가 울고 있었던 거야.
그때!! 내가 싹 안아서 데려왔는데... 어흥!!!!

'어우 깜짝이야!' 남상궁 휘청.

남상궁 당최 뭔 소린가 싶지만 다시 틈을 보는데.

34 그 시각, 무안대군 처소 복도 (오후)

신상궁이 초월과 아기를 빼돌리듯
복도를 뛰어가며 곁방으로 얼른 숨어든다.

35 중궁전 침전 (오후)

성남과 청하가 나란히 앉아 있는 가운데
작정한 듯 결연한 표정으로 앉아 있는 화령.

화령 전. 우리 세자 내외가 합방 전에
서로를 알아가는 시간을 가질 수 있기를 바랐습니다.
그래서 뭐 조급하게 생각하진 않았는데...
세자와 빈궁에 대한 소문이 걷잡을 수 없이 퍼지고 있어서
이제 더 이상 기다릴 수 없게 되었습니다.
내 아들이 아주 건강하다는 걸 증명하기도 해야겠고!
때로는 기다리는 것보다 확 저지르는 것이 낫지 않겠습니까?
성남 (뭘 하시려는 건지 두렵고)
청하 (역시나 영문을 모르겠는데)
화령 들어오시게~!

자동문처럼 문이 양쪽으로 열리며 누군가 등장하는데.
머리를 올빽한 카리스마 보모상궁이다. AI 느낌.
그녀의 존재감에 성남과 청하는 압도되는데...

보모상궁 (아주 도도한) 인사드리옵니다. 보모상궁이옵니다.
화령 오늘부터 우리 세자와 빈궁의 합방을 도울 겁니다~

보모상궁 중전마마. 신뢰해주신 만큼 그 이상의 보답을 드리겠사옵니다.

화령 (끄덕) 익히 알고 있네. 단 한 번도 실패한 적이 없다지~?

보모상궁 예. 전적으로 믿어주시옵소서.

화령 (씩 미소)

성남 (느낌이 좋지 않다)

청하 (기대!!)

36 동궁전 복도 (오후)

궁인들 사이로 각 잡힌 보모상궁이 등장한다.
동궁전과 빈궁전 나인들이 싹 다 모였다.

보모상궁 지금부터 합방이 치러질 때까지 비상 체제로 돌입합니다.
알아듣겠습니까?

궁인들 예!!

보모상궁 첫 번째 합방일은.. 양의 기운이 끝까지 차올라
내관들도 잠을 못 이룬다는 바로 그날입니다!!

내관들 (움찔)

보모상궁 음력 보름날 밤인 내일모레. 시간은 자정.
장소는 동궁전으로 하겠습니다.

궁인들 예!!

보모상궁 동궁전 대표.

동궁내관 (군기 바짝. 숙이며) 동궁내관이옵니다.

보모상궁 (본다) 세자저하의 성 지식 수준은 어느 정돕니까?

동궁내관 이론은 숙지하신 상태시오나, 실제 경험은 없으신 걸로 사료되오며
여인에게 큰 관심을 보이지 않으시는 걸로 봐서는
딱히 성욕이 강하진 않으신 것으로 판단되옵니다...

보모상궁 신체적인 문제는 없으십니까?

동궁내관 (당당) 절대 문제없으시옵니다!! 아침마다 확인했사옵니다.

보모상궁 (끄덕하고는 다음 하듯) 빈궁전 대표.

두리 (숙이며) 빈궁전 나인이옵니다.

보모상궁 빈궁마마의 성 지식은 어느 정도의 수준이십니까?

두리 이론적으로는 이미 빠삭하시어 더 이상 알려드릴 것이 없고,
무엇보다 열의가 넘치십니다.

보모상궁 (OL) 열의보다 중요한 건! 본능을 깨우는 겁니다... (씨익 미소)

37 동궁전 침전 (오후)

성남이 서책을 보고 있는데
보모상궁이 그 서책을 옆으로 쓱 밀며 검은빛의 즙이 담긴 찻잔을 올린다.

성남 이게 뭔가?

보모상궁 흔히들 장어, 부추, 땅콩, 수박, 산낙지, 적하수오...
이런 것들이 양기를 채우는 데 도움이 된다고들 하지요.
하지만! 다 필요 없습니다! (찻잔 쓱 밀며) 이거 하나면 됩니다!
황토 지장수를 내려 만든 민물장어 즙입니다. 쭉- 들이키시옵소서.

성남 (우선 찻잔 들며 대답은) 알았네.

보모상궁, 예를 갖추더니 나가면 문이 닫힌다.

성남 (문 닫히자마자 찻잔 동궁내관에게 패스) 네가 먹거라.

동궁내관 아니 되옵니다.

보모상궁 (드르륵 문이 열리며) 저하. 중전마마께 알려도 될까요?

성남 (하... 어쩔 수 없이 쭉- 마신다)

38 왕실 목욕탕 (오후)

백서향을 띄운 목욕물에 몸을 담그는 청하.

보모상궁　향이 밸 때까지 몸을 푹 담그고 계시옵소서.

청하　(꽃잎을 손으로 떠서 냄새를 맡아보는) 뭔데 이리 향이 좋은가~?

보모상궁　백서향을 섞은 약욕물이옵니다~

청하　백서향~?

보모상궁　예. 그 향기가 천리까지 간다 해서 천리향이라고도 불리옵니다.
여름 안개에 젖은 그윽한 꽃길을 연상시켜 사람을 취하게 만들지요~

39　동궁전 침전 (오후)

스쿼트 하는 성남. 휴.. 힘들고.
코치처럼 지켜보며 '正' 자를 그으며 체크하는 보모상궁.
이미 백 번은 넘었고.

성남　(허벅지에 손을 얹은 채 멈추며) 얼마나 더 해야 하는 것인가?

보모상궁　오십 번 더 하시옵소서.

성남　(허! 하고 쳐다보면)

보모상궁　허리, 대퇴, 골반 주변의 근력을 강화하는 하체 단련법이옵니다.
혈액순환을 도와 내재된 본능을 일깨워주지요.

40　중궁전 침전 (밤)

화령에게 보고하는 보모상궁.

보모상궁　만월이 차오르는 오늘 밤 자정에 합방이 치러질 것이옵니다.

화령　(우아하게 보다가. 화이팅!)

보모상궁　(화이팅!)

41　동궁전 침전 (밤)

"우와..." 청하가 동궁전을 둘러보면 바닥엔 붉은빛의 요가 깔려 있고
여러 개의 촛불이 내부를 무드 있게 밝히고 있다.
후! 촛불 한 개를 더 끄며 야시시한 조명 빛으로 맞추는 보모상궁.

보모상궁 (이제 완벽하다는 표정을 짓는) 남녀의 사랑은 결국 분위깁니다.
청하 (끄덕)
보모상궁 (요의 각도를 보더니) 요를 살짝 더 비껴 까시게.
두리 예~ (바르게 편 요를 옆으로 살짝 튼다)
보모상궁 (청하에게 향낭 건네며) 몸에 지니고 계시면 달큰한 향이 날 것이옵니다.
청하 (향낭을 받고. 긴장되는 표정)
보모상궁 빈궁마마께서는 양기가 빠져나가지 못하게 바깥쪽에 누우십시오.

청하에게 합환주를 쓱 건네는 보모상궁.

보모상궁 합환주이옵니다. 어색함과 긴장을 풀어줄 것이옵니다.
청하 (끄덕~)
보모상궁 (고개 치켜든다) 세자저하를 맞을 준비를 하시게.
궁녀들 예! (우르르 나간다)

청하, 혼자 남겨져 있는데 문이 열리며 성남이 안으로 든다.
이제 침전 안엔 성남과 청하 단둘뿐인데.
술상을 사이에 둔 채 어색어색 부끄하게 앉아 있는 두 사람.
눈 마주치자 얼른 서로 딴 데 보기도 하는 성남, 청하.

청하 자정이 되려면 아직 한 식경은 더 남았사옵니다.
성남 (세상 어색) 예 그렇습니다.
청하 그때까지 뭐 하지요~?
보모상궁 (E) 합환주이옵니다. 어색함과 긴장을 풀어줄 것이옵니다.
청하 (!!) 아~ 한잔하시겠습니까 저하?
성남 제가 술이 좀 약하지만... (어색한 것보다 나을 것 같고 술잔 내민다)

청하 (바로 합환주를 들어 성남 한 잔 나 한 잔 술 따른다)
성남 (술잔 든다)
청하 (술잔 든다) 저하.
성남 (본다)
청하 만월도에서처럼~ 편한 사이가 됐으면 좋겠습니다~
성남 (끄덕)
청하 (건배하자는 듯 자신의 술잔을 쓱 내민다)
성남 (짠! 건배하고 술을 마신다)

그렇게 한 잔 두 잔 합환주를 마시는 동궁 부부.
술잔을 들이키는 성남. 그런데 살짝 취기가 오른다.
그리고 청하를 보는데 너무 예쁘다... 그런데 점점 흐려지는 시야...

42 동궁전 복도 (밤)

꼿꼿하게 선 채 문 앞을 지키고 있는 보모상궁.

43 중궁전 침전 (밤)

복검시형도와 찢어진 병상일지(13부 21씬)가 서안 위에 올려져 있고
화령의 손에는 병상일지가 들려 있다.
확인했던 부분을 또 보고 놓친 것이 있는지 살피는 느낌.
그러다 긴 숨을 내쉬며 병상일지를 내려놓는 화령.
지켜보던 신상궁이 다가선다.

신상궁 마마, 어찌 그러시옵니까...?
화령 세자가 사망할 당시 권의관은 옥에 갇혀 있었어.
독 말고 분명 다른 방법도 쓴 게야...
신상궁 (놀라) 대체 무슨 방법을 쓴 걸까요...?

화령 (끄덕) 한 가지 의심이 가는 건 있어.

ins-cut 》과거. 세자의 기문혈에 시침하는 권의관. 지켜보는 화령.

화령 기문혈을 깊게 찌르면 장기가 손상돼 출혈이 생길 수 있다.
세자에겐 지혈이 되지 않는 혈우(血友) 증세가 있었으니
분명 치명적이었을 거야... 장내 출혈이 계속 일어났을 테니까.

신상궁 (놀란다)

화령 이 모든 짐작이 사실인지 밝히기 위해선
반드시 권의관이 쓴 독부터 찾아내야 한다...

신상궁 하온데... 권의관이 정말 자신이 쓴 독을 가져올까요?

화령 (의미심장)

44 서촌, 움막촌 아지트 (밤)

권의관이 토지선생과 독대한다.

권의관 내게 독을 가져오라고 한 걸로 봐서는..
아무래도 중전이 날 의심하는 것 같습니다.

토지선생 (위기감) 조심하십시오.
대군마마의 정체가 드러나면 끝장입니다.

권의관 (긴장감)

45 동궁전 복도 (아침)

세숫대야를 들고 오는 두리.
그런데 침전 앞을 지키는 보모상궁이 손가락으로 급히 입을 가린다.
"쉿!!"

두리 (설마.. 하고 눈 커지면)

보모상궁 (씩 미소 지으며 끄덕끄덕)

두리 (와우!)

46 동궁전 침전 (아침)

이불 위에 성남과 청하가 시스루를 입고 누워 있다.
창가로 드는 햇살에 눈을 뜨는 성남.
옆에 누운 청하를 보고 놀란다...!
그런데 기억이 전혀 없다.
어떻게든 기억을 떠올려보는데 불현듯 떠오르는 기억 하나...
청하가 예뻐 보였고, 그 이후 그녀에게 다가섰다!! 깜짝 놀라는 성남.
그때 청하가 음냐... 하며 깬다.

성남 (급히 눈을 감는다!!)

청하 (성남을 바라본다. 알 수 없는 미소)

47 중궁전 침전 (아침)

밝은 얼굴로 다급히 뛰어 들어오는 신상궁.
화령은 소식을 기다리고 있었던 듯 쳐다보는데.

화령 그래. 어찌 됐느냐?

신상궁 마마! 세자저하와 빈궁마마께서 합방하셨다 하옵니다~

화령 그래? (말은 안 해도 꽤나 마음 졸였던 듯) 참으로 다행이구나~
세자 내외의 일은 이제 한시름 놓았다... (안도의 숨)

신상궁 정말 잘되었사옵니다~

화령 (끄덕끄덕. 미소)

48 대비전 침전 (아침)

합궁 소식은 남상궁에 의해 대비에게도 전해진다.

대비 그 둘이 합방을 했다...?

남상궁 (보다가) 그런데 이러다 빈궁마마가 세손을 생산하기라도 하면 궁 밖으로 내보내기 힘들어지는 것이 아니옵니까?

대비 (또 다른 계획을 세우는 표정)

49 동궁전 침전 (아침)

어색한 기류가 흐르고..
마주 앉아 있는 성남과 청하.

성남 어젯밤 우리 진짜.. 동침했던 겁니까?

청하 함께 있었으니 잤지요.

성남 그 말이 아니라 진짜 우리...

청하 했냐고?

성남 (!! 화끈. 뭐야 이 여자 진짜. 새빨개지고)

청하 나 그런 사람 아닙니다. 술김에.. 잠시 고민은 했지만 그런 방법으로 저하와 첫날밤을 치르긴 싫었습니다...

성남 (나 또한 그리 품고 싶진 않소)

청하 대신 좀 봤습니다.

성남 (!!! 순간 몸 가리며) 혹시 내 몸을 봤소?!!

청하 (끄덕. 뭐 문제 있어? 하는 표정)

성남 어딜.....?

청하 (아랫도리 쪽 슬쩍 본다)

성남 미쳤소!!!

청하 안 미쳤으니 확인한 겁니다. 다행히 반응은 하길래...

성남 빈궁!!

청하 저하가 화자라는 소문이 있는데!!
내 낭군이 정말 화자인지 확인은 해봐야 하지 않겠습니까?
중요한 문젠데!!

성남 (하... 이 여자 정말...)

청하 다른 부부들은 볼 거 못 볼 거 다 보고
할 거 안 할 거 다 하는데,
왜 우리는 할 것도 안 하면서 살아야 합니까?
또!!! 부부로서 허용된 범위를 봤는데 뭐 문제 있습니까?
아내로서 확인 절차라 생각하십시오.

성남 이렇게는 싫소.

청하 그럼 어떻게 할까요?
(살짝 서럽고) 어느 부부가 허락 주고받고 동침합니까?
눈 맞고 맘 맞으면 하지!

성남 (어쩐지 말린다. 더 이상 있기 어렵고) 가보겠소. (나가는데)

청하 행여 마음에도 없는 여인을 품었을까 걱정되셨습니까?

성남 (본다)

청하 (평소와 다르게 진지한 표정) 저하께 국본의 책무가 있는 것처럼,
제게도 빈궁의 책무가 있는 것입니다...
저 또한!! 저 싫다는 사람에게 안기긴 싫습니다!!

성남 (자신도 모르게 본심 툭튀) 싫긴...

청하 방금 뭐라 하셨습니까?

성남 아니오! (급히 나간다)

50 궐내 거리 (아침)

동궁내관과 걸어가는 성남.
그런데 불현듯 어제의 기억이 단편적으로 떠오른다.

ins 》 파박!! 청하와 입맞춤하는 성남.

헉! 너무 놀라 멈춰 서는 성남.

동궁내관 왜 그러시옵니까 저하?
성남 ...아니다. 가자.

성남, 몇 걸음 더 가는데.

ins 》 파박!! 청하를 눕히는 성남.
나무 사이로 드는 햇살 아래 그대로 멈춰 서 있는 성남.

51 궐내 다른 거리 (낮)

대비가 매서운 눈빛으로 남상궁을 본다.

대비 누구?!!
남상궁 황숙원의 외가에 자주 드나들던 의원이 있사온데
그 의원을 보조하던 청년이 권의관이라 하옵니다.
대비 (!!! 서늘히 굳는) 지금 권의관이라 했느냐?
남상궁 예.
대비 (경멸) 이런... 의성군의 친부가 천한 의관이라...
그자는 지금 어딨느냐?
남상궁 궁으로 돌아왔사옵니다. 중궁전에서 다시 불러들였다 하옵니다.
대비 뭐 중전이?!

52 중궁전 침전 (낮)

권의관이 화령 앞에 앉아 있다.
서안 위에는 세 개의 약병이 놓여 있는데
그 약병 앞엔, 각각 병 안에 담긴 액체의 원물인

붉은사슴뿔버섯, 굵은 소금, 복어 가루가 놓여 있다.

권의관　(독을 차례로 보이며) 첫 번째는 붉은사슴뿔버섯을 우린 물이고..
다음은 염도가 높은 소금물이며,
그리고 마지막은 복어 내장을 건조해 만든 가루를 탄 독이옵니다...

그 독들을 자세히 살피는 화령의 얼굴 위로-

권의관　(E) 틀림없이 중전은...

ins 》서촌, 움막촌 아지트 (어젯밤)
서탁 위에 동일한 세 개의 독이 올려져 있다.
권의관, 토지선생과 대화한다.

권의관　내가 독을 숨길 거라 생각할 겁니다.
토지선생　그럼... 세자를 죽이는 데 사용한 독을 노출하실 생각이시옵니까?
권의관　(끄덕) 그래야 중전이 진짜 독을 찾기 위해
시간을 허비하지 않겠습니까? (입꼬리 씍 오른다)

현재 》화령에게 예를 갖추더니 나가는 권의관.
문이 닫히자 가까이 다가서는 신상궁.

신상궁　(낮게) 마마... 권의관은 철저히 독을 숨기려 할 것이옵니다.
저자가 가져온 독을 하나씩 지워나간다면
저하께 사용한 독이 무엇인지 추려질 것이옵니다.
화령　아니. (세 개의 독을 본다) 어쩌면 이 중에...
세자를 죽인 독이 있을지도 몰라.
신상궁　예에?
화령　권의관은 영리한 자가 아니냐? 그러니 의심에서 벗어나기 위해
자신이 쓴 독을 일부러 가져왔을 수도 있어.
오상궁　(E) 마마. 부요 들었사옵니다.

화령 (‘부요가?’ 밖을 향해) 들라.

부요가 다급히 든다.

부요 중전마마. 직접 확인하셔야 할 게 있사옵니다.
급히 혜월각으로 가보셔야겠사옵니다.

53 혜월각 마당 (오후)

멍석 위에 눕혀진 여인의 시신을 확인하고 있는 화령.
은비녀를 꽂고 사복을 입은 화령 옆엔 행수 서 있다.

행수 자신의 처지를 비관해 자살한 여인인데..
가슴에 난 상처가 돌아가신 세자저하와 너무도 흡사하옵니다.

화령, 살짝 풀어진 저고리를 들춰보면 상처가 보이는데
X자 형태의 긁은 상흔이 선명히 남아 있다.

행수 게다가 입 안에 발반의 흔적까지 있사옵니다.
화령 (본다!) 무엇을 먹고 이리 된 것이냐?
행수 가져오게.
여인1 (액체가 담긴 그릇을 가져와 행수에게 건넨다)
화령 (그릇에 담긴 액체를 보면) 이게 뭔가?
행수 간수이옵니다.
화령 간수...?!

[자막] 간수: 소금을 석출할 때 남는 모액. 피부병 소독용으로도 쓰임

순간, 화령의 머릿속을 스치는 장면들!!

ins-cut 》등궁전 침전, 간수로 세자의 피부병을 소독하는 권의관의 모습.
ins-cut 》병상일지 [1/26, 2/12, 3/13] 일자에 쓰여 있던 간수.
ins-cut 》독극물 약병 앞에 놓여 있던... 굵은 소금.

현재 》화령, 급히 머리에서 은비녀를 뽑아 들더니
곧바로 간수에 은비녀를 담가보는데.. 전혀 색이 변하지 않는다.

화령　(!!!!) 이거다. 세자를 죽인 독..!
간수였어....!!

54　조국영 사가, 사랑채 방 안 (오후)

윽!!! 가슴을 마구 긁으며 괴로워하는 조국영.
술잔은 바닥에 뒹굴고 있고
그런 조국영의 모습을 위에서 내려다보는 권의관.

조국영　(속이 타들어가는 고통에) 대체 나한테 뭘 먹인 거야?!
권의관　조국영 어의께서 썼던 방법인데 그새 잊어버리셨습니까?
조국영　(!!!)
권의관　네 맞습니다. 제가 간수를 좀 썼습니다.

55　민가 거리 (오후)

어딘가로 뛰어가는 화령의 얼굴 위로-

윤왕후　**(E)** 내 아들은. 분명 살해당했습니다.

화령, 다급히 윤왕후의 집을 향해 간다. 뒤따르는 신상궁.

56　윤왕후 집 마당 (오후)

절룩이며 마당을 걸어가는 익현(*승선)
그러다 신발을 벗고 툇마루로 올라서서 방으로 향해 가는데
그 짧은 순간 자신도 모르게 다리를 절지 않는 모습.
!!!! 화령, 그 장면을 목격했고.

F.B 》 1부 60씬. 윤왕후 집 마당 (밤)
사색이 되더니 방으로 도망치듯 숨어드는데 익현, 다리를 절룩이던 모습.

현재 》 다리를 절지 않고 방으로 들어서는 익현의 모습에 경악하는 화령!!
그런데.. 부엌에서 자리끼를 들고 나오던 윤왕후가 그 모습을 봤다.
윤왕후도 그대로 굳어버리는데...!

화령　(본다) 진짜 이익현은.. 지금 어딨습니까?

57　조국영 사가, 사랑채 방 안 (오후)

권의관이 괴로움에 몸부림치는 조국영을 내려다보고 있다.

권의관　태인세자의 검안서는 어딨습니까?
그걸 내어놓으시면 살려드리지요...
조국영　검안서...?!
권의관　예. 그 검안서가 있어야
우리 형님이 간수로 독살됐다는 걸 입증할 수 있어서 말입니다...
조국영　(!!!! 놀라며) 설마...
권의관　이제야 알겠는가?
내가.. 네놈 손에 죽은 태인세자의 아우 영원대군이다.

58 윤왕후 집 마당 (오후)

긴장감이 흐르는 가운데 마주 서 있는 화령과 윤왕후.
화령, 분노와 배신으로 주먹을 움켜쥔다.

화령 이익현이 우리 세자를 죽였습니다.
윤왕후 (큰 충격) !!!!
화령 당신의 아들이 제 아들을 독살한 사실을 알고 계셨습니까?
윤왕후 .....몰랐습니다.
하지만 알았다 해도 난 막지 않았을 겁니다!
화령 아니요! 막아야지요.
대체 몇 명이 죽고 희생되어야 한단 말입니까?
윤왕후 시작은 대비가 한 것입니다.
한데 왜 제가 그걸 끝내야 합니까?!
화령 이익현이 세자를 죽인 것에서 멈추지 않을 수도 있습니다!!

59 조국영 사가, 사랑채 방 안 (오후)

서늘한 표정의 권의관, 아래를 내려다보면
윽!!! 속이 타들어가는 고통에 몸부림치는 조국영.

조국영 (경악) 당신이 어떻게...?!
권의관 형님이 왜 갑자기 돌아가셨는지.. 너무 궁금했거든.
해서 유상욱 어의에게 의술을 배웠지.
조국영 (으... 바닥을 긁는데 손톱이 부러질 정도로 괴롭고)
권의관 게다가 왕족의 몸에 손을 댈 수 있는 유일한 자리가 의관이더군...
조국영 살, 살려주시오.
권의관 간수를 마시면 살지 못할 거란 건.. 네놈이 더 잘 알지 않느냐?

ins 》동궁전 침전 (깊은 밤) (과거)
혼미한 눈빛으로 앉아 있는 태인세자.
쟁반에 놓여 있는 탕약 그릇을 집어 드는 조국영의 손.
조국영, 탕약 그릇에 담긴 간수를 건네면
갈증이 나는지 꿀꺽꿀꺽 마시는 태인세자.
그 모습을 지켜보는 대비(조귀인). 그 위로-

조국영 (E) 다 대비마마가 꾸민 일이오.
난 시키는 대로 했을 뿐이란 말이오!

의복의 앞섶이 풀어 헤쳐진 채
괴로워하며 목 아래 가슴 부위를 마구 긁는 태인세자.

현재 》가슴 부위를 마구 긁는 조국영.
앉더니 그 모습을 가까이서 지켜보는 권의관.

권의관 그래... 네놈은 시키는 대로 한 것뿐이겠지.
우리 형님의 검안서가 어딨는지 말하거라.
(호리병 들어 보이며) 그럼 내 이 해독수를 주지.
조국영 (기어가며 절박하게 손 뻗는) 내의원 서고 바닥에 숨겨뒀소.
해독수를 주시오.. 어서!!
권의관 (호리병 건넨다)
조국영 (받자마자 꿀꺽꿀꺽 마시다가 웩 뱉는다. 간수다!!!) 윽....
권의관 네놈이 우리 형님을 죽인 방식으로...
널 똑같이 죽이고 싶었다.
조국영 (온몸이 더욱 뒤틀리더니 죽는다)

숨을 거둔 조국영 옆을 유유히 지나는 권의관.

60 내의원 서고 (밤)

달빛 드는 어둠 속.
촛불을 든 채 마룻바닥을 살피는 권의관.
그러다 구석진 곳에서 표식처럼 칼에 찍힌 자국을 발견한다.
권의관, 급히 다가가 그 부분의 마루를 들어내는데

화령 (E) 권의관..

권의관 돌아보면
어둠 속에서 서늘한 눈빛으로 서 있는 화령.

화령 태인세자의 검안서를 찾고 있는 것인가?
권의관 (!! 쓱 일어선다) 그렇습니다. 중전께선 어인 일이십니까?
화령 내가 지금 왜 자네 앞에 있는지 알지 않는가?
내 아들을 누가 죽였는지 알아내었다. 이익현!!
권의관 ....!!!

매섭게 응시하는 화령의 얼굴에서_ 엔딩!

15부

1 내의원 서고 (밤)

14부 60씬 이어지며-
서로를 매섭게 응시하는 화령과 권의관.
열린 문으로 바람이 세차게 불어 들고
두 사람 사이엔 숨 막히는 긴장감이 흐른다.

화령 대체 언제부터였느냐?

권의관 아주 오래.. 오래전부터.

화령 의관이 된 것도, 이 궁에 들어온 것도
모두 복수를 위한 것이었느냐?!

권의관 처음부터 복수를 하려던 건 아니오.
시작은 내 형님이 어떻게 죽었는지를 밝히기 위해서였지.

화령 한데 왜, 왜 우리 세자였느냐?
대체 왜 우리 세자까지 죽인 것이냐?!

권의관 세자도 혈허궐을 앓고 있다는 걸 알게 된 순간.. 운명이라 생각했소.
그 몸을 빌어 내 형님께서 어떻게 죽어갔는지를 확인할 수 있었으니까.

화령 해서.. 태인세자와 똑같은 방법으로 내 아들을 죽였단 말이냐?!

권의관 그랬다면 바로 탄로 났겠지.
세자의 기문혈에 시침을 해 장기 출혈을 일으키고
조금씩 조금씩 간수를 먹였소. 그랬더니 내 품을 떠난 뒤에 죽더군.

화령 (피를 토하듯) 어떻게 감히 내 앞에서!! 어떻게!!!
어찌 감히 어미가 보는 앞에서 자식을 죽일 수 있단 말이냐?!!!

권의관 내 모친께서는 자식을 넷이나 잃었소!!!
(울분을 토해내듯) 형님들이 한 명씩 살해당할 때마다
난 매일매일 언제 내 차례가 올지 모를 두려움 속에 살아야 했소!
그 고통이 뭔지 당신은 모르오!! 난 마땅히 해야 할 복수를 한 것뿐이야!

화령 네 두려움이... 그 고통이 만든 복수가 아무리 정당했다 떠들어봤자
넌 그저 살인자일 뿐이다!!
우리 세자는!! 감히 너 따위에 쓰러질 아이가 아니었다!!
너의 그 원한과는 아무런 상관도 없는 아이였단 말이다!!

권의관 (OL) 허면 내 형님들은 무슨 죄가 있단 말이오!!!
피눈물을 삼키며 피에 젖은 시신을 묻던 모친을 보며 다짐했소.
내 반드시 형님의 사인을 밝혀 모든 걸 되돌리겠다고!!

화령 절대! 그리되지는 않을 것이다!
넌 내 아들을 죽인 대가를 반드시 받게 될 것이다.

순간 뭔가를 직감하고 도주하는 권의관!
간발의 차로 들이닥치는 금군들!! 그 선두엔 원평 있다.
금군들 "저쪽이다!!" 하며 권의관을 다급히 추격한다.
그 모습을 거친 숨을 몰아쉬며 보는 화령.

2 서촌, 움막촌 아지트 (밤)

토지선생을 중심으로 모여 있는 가담자들.
탁자 위에 펼쳐진 작전지도(동궐도형)엔 침입로가 표시되어 있고
표적을 가리키듯 왕의 침전과 동궁전, 대비전 등에 말이 놓여 있다.

토지선생 이제 거사가 얼마 남지 않았습니다.
대군께서 독살 증거를 얻는 즉시 작전이 시작될 것입니다.

가담자들 (결연히 의지를 다지는데)

벌컥! 문이 열리며 불시에 아지트로 급습하는 금군들.
순식간에 아수라장이 되는 내부.
필사적으로 저항하는 가담자들 사이로 추포되는 토지선생이 보인다.

토지선생 이거 놔!!

3 윤왕후 집 마당 (밤)

횃불을 든 금군들이 들이닥친다!
금군들, 모든 방문을 열어보지만 비어 있는 상태.

금군1 (굳는) 폐비가 도주했다. 주변을 샅샅이 수색하라!
금군들 예! (빠르게 흩어진다)

4 왕의 침전 (밤)

경악하는 얼굴로 고개 드는 이호. 화령 본다!

이호 어찌 그런 일을 이제야 말씀하시는 겁니까?!
화령 그동안 권의관을 의심해왔지만
그자가 이익현이라는 사실은 오늘에서야 알게 되었습니다.
이호 권의관이 세자를 살해했다는 증거라도 있습니까?
화령 예. 간수로 세자를 독살했다는 걸 밝힐 증거가 있습니다.
그러니 이제 자백만 받아내면 됩니다.
이호 중전의 말이 사실이라면, 반드시 잡아 그 죗값을 물게 하겠습니다.
허나. 그자는 세자를 죽인 의관일 뿐입니다.
화령 의관일 뿐이라니요? 그는 의관 행세를 한 영원대군입니다.
이호 (딱 자르며) 아니요! 권의관은 이익현이 아닙니다.

지금 폐비와 함께 있는 그자가 이익현입니다...!

화령 전하...

이호 (의미심장하게) 한데, 태인세자의 검안서는 지금 누구 손에 있습니까?

화령 (보는데)

5 궐내 거리 (밤)

궐 곳곳을 수색하는 원평과 금군들.
그러나 어디에도 권의관의 모습은 보이지 않는데.

6 다시, 왕의 침전 (밤)

이호에게 보고하고 있는 내금위장. 독대한다.

이호 (분노) 어떻게 궐 안에서 놓칠 수 있단 말이냐?!

내금위장 송구하옵니다 전하.

이호 (촉각을 곤두세우며 날카롭게) 멀리 가지 못했을 것이다.
반드시 찾아내거라!!

7 궐 정문 근방 (새벽)

우르르 도성 밖으로 나가는 금군들.
금군 복장의 권의관, 그들과 함께 유유히 궁 밖으로 빠져나간다.

8 의성군 사가 방 안 (낮)

문을 열고 들어서던 의성군이 보료로 향하다가 문득 멈춰 선다.

의성군 (날 선) 누구냐?
숨어 있지 말고 나오거라.

그때 병풍 뒤에서 모습을 드러내는 권의관.

의성군 겁도 없구나.
금군에게 쫓기는 역적 주제에 감히 날 찾아와..?
권의관 (강렬하게 의성군을 본다)
의성군 (사람을 부르려는 듯 고개 돌리는데)
권의관 절 발고하시면..!
의성군께서 역모에 가담했다는 사실을 주상에게 고할 겁니다.

9 황귀인 처소 (낮)

놀란 눈빛으로 보는 황귀인. 그 앞엔 황원형 앉아 있다.

황귀인 주상이 권의관을 쫓고 있단 말입니까?
황원형 예, 어젯밤 서촌 은거지까지 급습해 일당들을 추포했습니다.
의성군이 화를 면한 건 하늘이 도운 겁니다...
황귀인 (동요하지만 품위 유지) 의성군에게 당분간 사가에만 머물라 하세요.
그리고 권의관 소식이 있으면 제게 알려주십시오.
황원형 (그런 딸의 모습 본다)

10 의성군 사가 사랑채 (낮)

권의관이 바르게 앉아 있다.
그 앞엔, 보료에 삐딱하게 앉아 있는 의성군이 보인다.

의성군 도와달라고? (허. 어이없다는 듯 조소)
이쯤에서 발 빼는 게 내 안위를 위해 낫지 않나?

권의관 우리에겐 아직 기회가 있습니다.
난 주상의 과오를 반드시 세상에 알릴 겁니다.
그럼 국왕의 권위가 무너지겠지요.
그때 검안서가 태인세자의 아우인
영원대군의 정통성에 힘을 실어줄 겁니다.

의성군 그런 다음엔?

권의관 새로운 왕을 뽑게 되겠지요.
비워진 국본의 자리는 약속대로 의성군의 자리가 될 것입니다.

의성군 그래? 그럼 그 검안서 좀 볼까?

F.B 》 14부 60씬. 내의원 서고 (밤)
내의원 서고 마룻바닥을 들어내지만... 아무것도 없다!
그때 뒤로 다가서는 화령.

현재 》 의미심장한 표정으로 바뀌는 권의관.

권의관 궐 안에 있습니다.

의성군 (표정 서늘히 바뀌며) 검안서가 없으면 기회조차 없다는 것이 아닌가?

권의관 반드시 찾겠습니다.
그러니 의성군께선 궐에 잠입할 수 있는 기회만 만들어주시지요.

11 중궁전 침전 (낮)

서안 위에 낡은 태인세자의 검안서가 놓여 있다.
마주 앉은 화령과 성남.

성남 왜 아바마마께 말씀하지 않으셨습니까?

화령　전하께선 이 검안서가 어딨는지 모르셔야 한다.
그래야 이걸 찾기 위해서라도 권의관을 살려두실 테니까.
성남　한데 이게 어찌 어마마마의 손에 있는 것입니까?
화령　(검안서에 손을 올리며) 이 문안을 작성한 사람을 알게 되지 않았느냐?

ins 》중궁전 침전 (며칠 전 오후, 회상)
긴장한 조국영이 화령 앞에 앉아 있다.

화령　태인세자의 검안서가 어디 있는지 아는가?
조국영　(움찔) 모르옵니다...
화령　(쓱 보며) 그런가? 그 검안서를 작성한 사람이 자네라
그게 어딨는지도 알고 있다 생각했는데.
조국영　(내가 작성한 건 어떻게 알았지?! 긴장한 눈빛) 하온데...
그건 왜 갑자기 찾으시옵니까 마마?
화령　우리 세자와 태인세자의 죽음이 너무도 흡사하질 않은가?
우리 세자의 죽음을 밝히는 데
그 검안서가 도움이 될 것 같아서 말일세.
(쓱 보며) 한데... 지금 대비마마께서도 그걸 찾고 있다 들었네.
조국영　(!!! 위기감에 불안해지는 눈빛)

12　내의원 서고 (당일 밤) (회상)

촛불을 든 채 다급히 마룻바닥을 살피는 조국영.

화령　**(E)** 그자가 지금껏 검안서로 목숨 줄을 연명한 것이라면
그게 잘 있는지 확인할 거라 생각했다.

구석진 곳, 표식처럼 칼에 찍힌 자국이 있는 마루를 들어내면
밑에서 발견되는 낡은 문서! 얼른 집어 들어 펼쳐보면
복검시형도까지 첨부된 태인세자의 검안서 원본이다!!

조국영 (잘 있구나 안도하는 숨) 하....

조국영, 있던 자리에 넣더니 마루를 닫는데
그 모습을 지켜보는 누군가의 시선. 원평이다!

13 다시, 중궁전 침전 (낮) (현재)

화령 (검안서 꽉 쥐며) 그리고 지금 이게 가장 필요한 사람은 권의관이야.
자그마치 이십 년이다... 그자가 이대로 포기할 리 없어.
성남 (본다)
화령 그러니 이 검안서가 내게 있다는 걸 알게 된다면
반드시 나를 찾아올 것이다.

14 옥사 (오후)

문이 열리며 홀로 들어서는 임금의 신발.
이호가 멈춰 선 곳엔 포박된 토지선생이 보인다.

이호 오랜만이구나 유상욱 어의...
토지선생 (원수를 보는 눈빛) 예, 그간 잘 지내셨사옵니까 금영군 마마...?!
이호 (치욕 삼키며 매섭게 보는) 목숨이라도 부지하고 싶다면
이익현이 어딨는지 말하거라.
토지선생 (조소) 목숨을 구걸하고자 했다면 애초에 시작도 하지 않았을 겁니다.
이호 대체!! 그날 검안실에서 무엇을 보았기에 이러는 것이냐?!
토지선생 그건 금영군께서 더 잘 아시겠지요. 직접 보시지 않으셨습니까?
이호 (흔들리는 눈빛)
토지선생 (더욱 자극) 그날 본 것을 제게 말씀해주시옵소서.
이놈은 평생 그 비밀을 풀기 위해 살아왔나이다.

대체 태인세자를 어떻게 독살한 것입니까?!

이호 닥치거라!!!
(억울함과 분노를 터뜨리며 항변하듯) 형님을 내가 죽인 것이냐?!!
그래 외면했다. 모친께서 죽이는 걸 알면서도 모른 척했어.
하지만 그땐 이미 내가 할 수 있는 게 없었단 말이다!!

토지선생 아니요! 당신의 욕망이 태인세자를 죽인 겁니다.
그러니 그날의 살인으로부터 당신은 결코 자유로울 수 없습니다.

이호 (내지르듯) 자그마치 이십 년이다...!!
형님의 죽음에 발목 잡혀 살아온 것이...
해서 더 노력했고 결국 강건한 나라를 만들었어!!
정당하게 왕위에 올랐단 걸 증명하기 위해서 말이다!!!

토지선생 태인세자가 살해됐다는 증거가 세상에 공개돼도
그리 당당히 말할 수 있겠습니까?!
과연 역사가 금영군의 편을 들어줄 것 같냔 말입니다.

이호 (!!! 더 이상 말을 잇지 못하는데)

토지선생 (경멸의 시선) 역사는 당신을 왕위를 찬탈한 반역자로 기록할 것입니다...!

15 왕의 침전 (밤)

용상의 손잡이를 꽉 움켜쥐는 이호.
부복해 있는 내금위장에게 지시한다.

이호 권의관을 잡는 즉시 검안서부터 찾거라.
그리고 검안서를 손에 넣으면.. 지체 없이 죽이거라.

16 중궁전 침전 (밤)

화령과 성남이 독대한다.

화령	아직도 권의관을 찾지 못했다 하더냐?
성남	예. 도성 안을 샅샅이 수색하였으나 흔적을 찾지 못했다 합니다.

그때, 신상궁이 다급히 들어선다.

신상궁	마마. 전하께서 권의관을 추포하는 즉시 죽이라는 명을 내리셨다 하옵니다.
성남	원손을 다시 궁으로 데려오려면 권의관의 자백도 필요합니다. 반드시 아바마마보다 먼저 그자를 찾아내야 합니다...!
화령	전하뿐만이 아니다. 권의관의 정체가 밝혀지면 대비마마께서도 그자를 죽이려들 거야.

17 대비전 복도 (오후)

복도를 가로지르는 화령, 결연한 표정.

18 대비전 침전 (오후)

대비를 찾아온 화령. 마주 보는 두 사람.

화령	조국영 어의가 간수에 의해 살해됐다는 건 이미 아실 겁니다.
대비	(여유로운) 예. 궁 안의 모든 소식은 대비전으로 통하니까요.
화령	그럼 누가 죽였는지도 알고 계십니까?
대비	(반응하듯 보면)
화령	권의관입니다.
대비	(뭐지?!)
화령	권의관 그자가 바로 이익현이거든요.
대비	(!!!! 정말 놀란) 이익현이요?
화령	예. 대비마마께서 살려두신 태인세자의 아우... 영원대군 말입니다.

대비 (....이내 조소) 어떻게 권의관 그자가 이익현일 수 있습니까?
그럼 폐비와 같이 있던 그 아인 대체 누구란 말입니까?

화령 그 집에 있던 자는 가짜입니다. 폐비에게 속으신 겁니다.

대비 (충격...!!!)

화령 이익현이 조국영을 죽였으니 이제 그다음은 누가 될까요?
아마도 조국영을 사주해 태인세자를 살해한 사람이 아닐까요?

대비 (예민) 중전은 대체 왜 태인세자의 죽음에 이토록 집착하시는 겁니까?!

화령 그 죽음을 밝혀야 우리 세자의 죽음도 밝힐 수 있기 때문입니다.
해서! 곧 태인세자 검안서의 내용을 공개할 생각입니다.
제가 그 검안서를 갖고 있거든요.

대비 (위기감) 미치셨습니까?!! 대체 원하는 게 뭡니까?

화령 전하보다 먼저 권의관을 찾아내십시오.
그럼 검안서를 내어드리겠습니다.

대비 (반응!)

화령 반드시 살아 있는 권의관을 제 앞에 데려오셔야 할 겁니다.

화령, 예를 갖추더니 나가버린다.
두려움과 위기감을 느끼는 대비, 손이 떨리는데.
놀라 다가서는 남상궁.

남상궁 괜찮으시옵니까 마마?

대비 (날 선) 당장 의성군에게 붙여놓은 자를 부르거라.

19 중궁전 복도 (오후)

화령 들어서는데
"마마!!" 하며 다급히 다가서는 오상궁.

화령 (뭔 일이 있음을 직감하고 보는데)

오상궁 마마. 빈궁마마가 쓰러지셨다 하옵니다.

화령 빈궁이?!

20 빈궁전 내부 (오후)

파란 입술로 누워 있는 청하.
울 것 같은 얼굴로 측면에 서 있는 두리.
청하를 진맥하는 송어의.
그리고 그 모습을 걱정스럽게 지켜보는 화령과 성남.

송어의 (맥을 짚다가 갸웃. 신중히 다시 짚다가 또 갸웃)
성남 (평소와 다르게 상기된 모습) 대체 왜 쓰러진 건가?
빈궁에게 무슨 문제라도 있는 것인가?
화령 (그런 성남의 모습을 보는데)
송어의 송구하오나... 맥을 가늠하기가 어렵사옵니다.
화령 그게 무슨 말인가?
두리 (조심스럽게) 중전마마...
빈궁마마는 맥박이 보통 사람보다 느린 서맥(徐脈)이 있사옵니다
성남 (그 말에 누워 있는 청하를 본다)
청하 **(E)** 쿵. 쿵. 쿵.

F.B 》 10부 29씬. 만월도, 박경우의 집 (이른 새벽)
마루에 나란히 앉아 일출을 보는 성남과 청하.

청하 이게 원래 제 심장 뛰는 속도거든요.
근데 그쪽만 보면 쿵쿵. 쿵쿵. 쿵쿵. 정상으로 뜁니다.
성남 (도무지 이해가 안 가고) 무슨 소리십니까?
청하 제가 좋아한다구요~ 선비님을요. (씽긋)

현재 》 아파 힘없이 누워 있는 청하를 보자 안쓰러운 성남인데.
송어의, 청하를 신중히 진맥한다.

송어의 (놀라는 눈) 회임이십니다!

성남 !!!!

화령 방금 회임이라 했는가?

송어의 예. 척맥이 매끄럽고 손으로 누르면 흩어지는 것으로 보아
회임이 맞는 듯싶사옵니다. 감축드리옵니다.

성남 (이 사실을 믿을 수 없지만, 안 믿을 수도 없는데!)

21 빈궁전 복도 (오후)

마주 서 있는 화령과 성남.

화령 축하한다 세자. 그동안 안 좋은 일들만 있었는데
이리 좋은 소식을 전해주어 고맙구나~

성남 (기쁘지만 걱정도 되는)

화령 (표정 읽고) 세자... 네 형의 일은 어미가 알아서 하마.

성남 (진중) 아닙니다. 제가 계속 도울 것입니다.

화령 국본의 책무를 다하는 것이 이 어미를 돕는 것이다.
필요하면 말할 테니 당장은 빈궁을 보살피는 데 힘쓰거라.

성남 (본다)

화령 갑자기 생명을 품어 혼란스러울 텐데 몸까지 아파 힘이 들 게다...
가장 필요할 때 네가 곁에 있어줘야지.

22 태소용 처소 (오후)

태소용과 옥숙원, 문소원이 다과를 나누고 있는데
박씨가 소식을 물고 오듯 뛰어 들어온다.

박씨 빈궁마마께서 회임을 하셨답니다~~!

태소용 (눈 커지며) 진짜? 임신을 했다구~?
문소원 확실한 건가?
박씨 예~ 방금 어의가 진맥까지 했대요.
태소용 어머 어머. 우리 세자저하 제대로 굳히기 들어가셨네~~
옥숙원 예~ 이제 원손까지 생산하면 걱정이 없겠습니다~

23 궐내 거리 (오후)

고귀인, 숙의가 어딘가로 함께 걸어가고 있다.

고귀인 황숙원은 왜 갑자기 차를 마시자고 한답니까?
숙의 그러게요. 부담 되게...
(순간) 설마 아직도 국본의 자리를 포기하지 않는 거 아닙니까?
고귀인 당당히 실력으로 국본에 올랐는데
그 자리를 또 노리면 그게 사람입니까?

그때 뒤에서 다급히 다가와 합류하는 소의.

소의 세상에~ 빈궁이 회임을 했대요~!
고귀인 (반색) 어머!
숙의 궁이 뒤숭숭했는데 세자께서 후사를 빨리 보게 되어 다행입니다~
소의 예~ 중전마마께서 이제 한시름 놓으시겠습니다~
고귀인 늦기 전에 중전마마께 축하 인사라도 드려야 되는 거 아닙니까?
숙의 빨리 가시지요~

세 여인 약속이라도 한 듯 방향을 틀더니, 반대 방향으로 급히 이동한다.

24 황귀인 처소 (해 질 녘)

찻상을 마련한 채 기다리고 있는 황귀인.
네 개의 잔이 준비되어 있지만 홀로 차를 음미한다.
자존심이 상하지만 티 내지 않고 품위를 유지하며 찻잔을 내려놓는데...

25 빈궁전 침전 (밤)

누워 있던 청하가 막 눈을 뜨자, 자리끼를 가져오던 두리가 얼른 다가선다.

두리 깨셨습니까? 이제 좀 괜찮으세요?
청하 어...

그런데 빈궁전 곳곳에 내걸린 '백동자도'와 '화조도'가 보인다.

청하 저게 뭐야?
두리 주상전하께서 태교를 위해 보내주신 궁중 회화이옵니다.
청하 태교? 누가 회임했어?
두리 빈궁마마요.

순간 누워 있다가 강시처럼 벌떡 일어나는 청하.

청하 내가?
두리 예~ 회임이시래요~
청하 어떻게? 언제?
두리 그날 아닙니까? 보모상궁이 본능을 일깨워 합궁하신 날이요~
청하 ...... (띵) ....

26 대비전 침전 (밤)

대비, 윤수광이 독대한다.

대비 병판께선 권의관과 관련된 정보만 전해주시면 됩니다.
윤수광 대비마마. 그건 제 소관이 아니옵니다.
병조의 일도 아닐뿐더러
설사 제가 안다 하더라도 사사로이 그런 정보를 누설할 순 없사옵니다.
대비 (서늘히 본다. 많이 컸구나)
윤수광 전 또 마마께서 절 부르셨다기에..
세자빈 마마의 회임을 축하하는 자리인 줄로만 알았사옵니다.
대비 (뼈 있는) 빈궁의 회임으로 우리 병판의 위상도 많이 달라진 것 같습니다.
윤수광 세자저하의 입지가 굳건해지셨으니
앞으로 많은 것들이 달라지지 않겠사옵니까?
대비 (요것 봐라...)
윤수광 마마, 하문이 끝나셨으면 이만 물러가겠사옵니다.

일어서더니 정중히 예를 갖추고 나가는 윤수광.
괘씸한 듯 주먹을 움켜쥐는 대비. 그때 남상궁이 급히 들어선다.

남상궁 마마. 아무래도 권의관이 의성군의 사가에 숨어 있는 것 같사옵니다.
대비 (눈빛 바뀌며) 그래?
남상궁 당장 잡아들이라 하겠사옵니다.
대비 아니다. 섣불리 움직였다간 도주할 우려가 있어.
중전에게 이리 쉽게 권의관을 내줄 수는 없다.
(씹어뱉듯) 내 그것들을 그냥 죽이진 않을 게야...

27 의성군 사가 사랑채 (밤)

보료에 삐딱하게 앉아 있는 의성군.
그 앞엔 동궐도형 북쪽 문에 표식을 하는 권의관이 보인다.

의성군 (보다가) 그 평대문까지 아는 걸 보니 궐 지리를 잘 아는 모양이구나.

권의관　어릴 적 형님들과 그 근처에서 자주 놀았습니다. 겉으로만 보면..
그 안에 궐이 있는 줄은 상상도 못 할 정도로 볼품없는 문이지요.

의성군　(훗) 자네. 가족은 있는가?

권의관　...예. 노모와 아들이 한 명 있습니다.

의성군　부인은?

권의관　...혼인은 하지 못했습니다.

의성군　그래? 아이를 낳아준 여인이 있을 것 아닌가?

권의관　다른 이의 여인이 되어버렸습니다.

의성군　그 여인을 연모했는가?

권의관　(의성군 보다가) 어쩌면 우리도.. 평범한 부부가 될 수도 있었을 테지요.
그리 만나지 않았다면 말입니다.

의성군　(훗) 내 나중에 용상에 오르면 자네의 소원을 하나 들어주지. 말해봐.

권의관　(보다가) 어릴 적 형님들과 함께 살던 집을
어머니께 되찾아 드리는 것입니다.

의성군　(보는데)

권의관　(의성군을 본다) 그리고 그 집에서 노모와 아들과 함께 살아보는 것...
그것이 이놈의 소원입니다.

의성군　(무슨 사연이 있기에 하듯 보다가) 한데 일은 언제 치를 생각인가?

권의관　궁중이 가장 평화롭고,
주상 또한 가장 방심할 때가 될 것입니다.

28　빈궁전 침전 (밤)

벽면에 기댄 채 시집을 읽어주는 성남.

성남　매화는 본디 밝고 환하여
달빛이 비치니 물결인 듯하고
서리와 눈이 흰 맵시를 더해주니

차가운 꽃이 사람의 마음속까지 스며드네...*

그런데 노곤했는지 잠이 든 청하.
성남, 시집을 뒤집어 바닥에 놓고는 청하에게로 간다.
잠이 깰까 이불을 조심히 끌어 올려 덮어주다가
머리맡에 있는 생애취록(버킷리스트)을 보게 되는데.
거기엔 청하가 언문으로 적어둔 글들이 보인다.
첫 번째 장엔 성남이 무엇을 좋아하는지 대군들에게 물어보고 메모해둔 흔적.
'저하 원래 무뚝뚝, 육류는 다 좋아함.
아니다. 고사리랑 콩나물 막 이런 거 좋아하신다.
형제들 중에 제일 다정하신 분. 자주 보면 그만큼 정도 빨리 들지 않을까?'

성남 (피식하더니 다음 장을 넘겨 보면) ...

'저하와 손잡고 궁 구경하기. 같이 걷기.
밥 먹으며 수다 떨어보기, 별똥별 보며 소원 빌기' 등
아주 사소한 것들이 적혀 있는데...
그중 '같이 걷기' 위엔 이미 달성한 듯 줄이 찍 그어져 있다.
그리고 그 옆엔 청하의 메모가 쓰여 있다...
'저하께선... 언제쯤 마음을 여실까?'

청하 (E) 행여 마음에도 없는 여인을 품었을까 걱정되셨습니까?

F.B 》 14부 49씬. 동궁전 침전 (아침)

청하 (평소와 다르게 진지한 표정) 저하께 국본의 책무가 있는 것처럼,
제게도 빈궁의 책무가 있는 것입니다...
저 또한!! 저 싫다는 사람에게 안기긴 싫습니다!!

* 출처: 율곡 이이의 〈매초명월(梅梢明月)〉

현재 》성남.. 잠든 청하를 본다.
그렇게 한참이고 바라보다가 생애취록을 덮는다.

29 안가 마당 (낮)

눈물을 쓱 닦는 원손.
마당 한가운데 서 있는 성남을 보며, 반가움과 서운함에 훌쩍인다.

원손 약속도 안 지키시구... 자주 오신다더니...
성남 미안하구나.

성남이 손을 벌리면 그제야 달려오는 원손, 와락 안긴다.
이내 고개 들어 우뚝 서 있는 성남을 올려 보는 원손.
성남, 원손의 머리에 손을 올려 쓰다듬는데.

원손 보고 싶었습니다... 숙부...

점프, 성남의 손목에 실로 만든 팔찌를 쏙 끼워주는 원손.
해맑게 웃는다.

성남 (시크) 뭐냐?
원손 서책 값입니다~
(옷 들어 배 까면 바지춤 사이에 서책 껴 있다) 잘 읽겠습니다 숙부~
근데 담엔 격몽요결(擊蒙要訣)을 갖다주십시오.
성남 힘들게 갖다주면 고맙다 할 것이지
요구사항도 많구나...! (슬쩍 째리면)
원손 (헤헤 웃더니) 근데 숙부~ 정말 아홉 살 되면 집으로 갈 수 있습니까?
성남 ......
원손 어마마마가 그러시는데 (손가락으로 숫자 만들며 기대에 찬 얼굴로)

아홉 살 되면 다시 돌아갈 수 있다 하셨습니다~!!

성남 (본다)

원손 (대답이 없자 시무룩) ......

성남 (보다가 원손의 손가락을 두 개 접으며 일곱으로 만들어준다)

원손 진짜요~~?
진짭니다~ 진짜 그리해주셔야 합니다~!

성남 그래.

원손 (꿈에 부푸는 얼굴. 일곱 손가락 보며 신나고)

성남 (그런 원손을 본다)

30 중궁전 침전 (낮)

화령을 찾아온 태소용과 고귀인.
어느새 나름 가까워진 느낌의 두 사람.

태소용 마마~ 여러 가지로 힘드실 테니 빈궁은 저희에게 맡기십시오~

고귀인 예~ 저희가 잘 보살피겠사옵니다~

화령 고맙지만 마음만 받겠습니다.

태소용 아우 마마~ 마음만 받으시겠다니요~?
뭐라도 해드리고 싶어 그럽니다~

화령 아직은 회임 초기이니 안정이 필요합니다.

태소용 그렇긴 한데~ 왕실 태교를 위한 준비도 이미 마쳤사옵니다~

고귀인 (그만해 눈치 챙겨. 팔꿈치로 슬쩍 치며) 그만하세요...

화령 가장 좋은 태교는 마음이 편한 것이니.
빈궁이 편히 쉴 수 있도록 배려해주세요. (당부) 괜히 들락이지 말고~

고귀인 예~ 마마.

태소용 (아쉽고) 다 준비해뒀는데...

화령 (그 모습 보며 미소)

31 궐내 거리 (낮)

청하, 두리와 함께 다소곳이 걸어가다가
갑자기 치마 들더니 마구 뛰기 시작한다.
지나가던 궁녀와 내관들 놀라며 숙덕이는데...

궁녀1 빈궁마마 회임하신 거 아니었어?
궁녀2 그러니까 무슨 임산부가 저렇게 뛰어다녀?
궁녀3 (펌프질) 오늘만이 아니야. 내 어제도 뛰시는 걸 봤다니까!
궁녀1 (헙! 눈 커지며) 어머 어머. 설마... 거짓 회임?!

32 중궁전 복도 (오후)

비장하게 걸어오는 대비와 남상궁.
신상궁과 오상궁, 갑작스러운 방문에 놀라 예를 갖추면.

남상궁 (서늘하게) 아뢰게.
신상궁, 오상궁 (무슨 일인가 서로를 바라보는데)
남상궁 (매섭게) 어서!
신상궁 중전마마. 대비마마 드셨사옵니다... (하는데)

들이닥치듯 직접 문을 열고 들어서는 대비!

33 중궁전 침전 (오후)

마주 앉은 화령과 대비.

화령 무슨 일이시옵니까?
대비 세자빈의 회임이 거짓이라는 말이 있어서요. 사실 확인을 해야겠습니다.

화령 (대체 무슨 수작이지...?!)
신상궁 마마. 세자저하와 빈궁마마 들었사옵니다.
대비 (꼿꼿하게 본다) 제가 불렀습니다.

점프, 모두가 지켜보는 가운데...
청하의 손목에 천을 대고 신중히 진맥하는 송어의.

송어의 (순간 놀라더니 얼른 숙이며) 회임이 아니시옵니다.
성남 .....!!
화령 회임이 아니라니?!
(미심스럽고) 어째서 지난번 진맥과 다른 말을 하는 것인가?
송어의 (대비를 의식하며) 송구하옵니다... 빈궁마마의 맥이 보통과 달라 오진을 한 것 같사옵니다.
화령 거짓을 고한다면 용서치 않을 것이다.
대비 중전... 사람이 하는 일엔 실수가 따르는 법입니다.
한데 빈궁의 맥이 보통과 다르다는 말은 무엇인가?
송어의 심병이 있으시어 정확한 맥을 측정하기가 어렵사옵니다.
대비 (몰아치듯) 심병이라니?!!

34 중궁전 복도 (오후)

상기된 표정의 윤수광이 다급히 걸어온다.

35 다시, 중궁전 침전 (오후)

상석엔 대비가, 측면엔 화령이 앉아 있고,
대비의 정면엔 윤수광이 앉아 있다.
윤수광, 살얼음판 같은 분위기에 좌불안석인데...

대비　(대노) 감히 지병이 있는 여식을 왕실에 들여보내다니요?!!

윤수광　어린 시절 심병을 앓았던 것은 맞사옵니다.
하오나, 지금은 일상생활에 지장이 없을 정도로 경미하옵니다.

대비　그것뿐만이 아니질 않습니까?
매파들 사이에서도 믿고 거르던 규수가 바로 세자빈이라더군요.
민가에서도 꺼리는 여인이 애초에 세자빈으로 가당키나 합니까?!

윤수광　(순간 아무 말 못 하는데)

화령　대비마마께선 이미 알고 계셨던 것이 아닙니까?
그걸 다 아시고도 간택 시 가장 높은 점수를 주셨습니다.
결국 세자빈의 흠집을 잡아 이용하고 이리 내치려던 속셈이셨습니까?

대비　(본다)

화령　저 또한 평판은 익히 들어 알고 있었습니다.
자유분방하여 매파들 사이에서 평판이 좋지 못했더군요.
하지만 전 그 점을 높이 사 세자빈으로 간택했사옵니다.
장차 국모가 될 사람이니 강단 있고 고리타분하지 않아야지요.

윤수광　(청하의 편을 들어주는 화령을 본다...)

화령　생활에 문제가 없는 경미한 병증이라 하니
제가 책임지고 치료하겠사옵니다.
그러니 더 이상 문제 삼지 말아주십시오.

대비　더 이상 문제 삼지 말아라...?
심병이 있으면 태반순환이 안 돼 저체중아가 태어나거나 조산의 위험이
있습니다... 그런데도 문제없다 하시겠습니까?!

화령　제가 잘 보살필 것이옵니다.
허니!! 대비마마께서는 그만 노파심을 거두어주시지요.

대비　아니요. 내 주상께 아뢰어 세자빈을 폐위시킬 것입니다.

윤수광　(놀라) 폐위라니요?!

대비　세자는 이 나라의 국본입니다.
건강한 왕손을 생산하지 못하는 세자빈은 자격이 없습니다!

윤수광　마마...

대비　(벌떡 일어나 나가버린다)

화령　(나가는 대비를 본다)

36 중궁전 복도 (오후)

대비가 이동하는데 뒤따라 나오는 화령.

화령 대비마마!
대비 (잡을 줄 알았다는 듯 멈춰 서더니 돌아선다)
화령 (가까이 다가서더니) 이렇게까지 하시는 이유가
검안서를 손에 넣기 위함이십니까?
대비 예 맞습니다.
그걸 제게 주시면 빈궁의 치부가 드러나는 일은 없을 겁니다.
화령 (본다)
대비 조금 더 고민해보세요. 검안서와 빈궁 중 무엇을 지키실지 말입니다.

피식 웃더니 유유히 걸어가는 대비의 얼굴 위로-

송어의 (E) 회임이 분명하옵니다.

ins 》 대비전 침전 (낮) (회상)
대비의 앞에 앉아 있는 송어의.

대비 살고 싶거든. 빈궁의 회임 사실을 입 밖에 내서는 아니 될 것이야.
송어의 (놀라 고개 든다)
대비 지금부터 자넨.. 내가 시키는 대로만 하면 되네. (남상궁 쓱 보면)
남상궁 (약재 첩지를 송어의에게 건넨다)
송어의 (두려운 표정)

37 빈궁전 침전 (밤)

면목이 없다는 듯 고개 숙인 청하.
그 모습을 보는 성남.

청하 그 시간마다
저하께서 주강에 참석하시기 위해 그곳을 지나시니...

F.B 》 31씬. 궐내 거리 (낮) 이어지며-
다소곳이 걸어가다가 갑자기 치마 들더니 마구 뛰기 시작하는 청하.
그리고 멈춰 서면 저 멀리 동궁 일행이 이동하는 모습 보인다.
성남을 연예인 보듯이 바라보며 홍조 띠는 청하. 함박 미소.

청하 **(E)** 먼발치에서나마
한 번이라도 더 보고 싶은 마음에 저도 모르게 그만...

현재 》 더욱 고개 숙이는 청하...

청하 아무래도 그것 때문에 그런 소문이 난 것 같습니다...
어차피 회임은 아니었지만요...
성남 회임이 아니라 다행입니다.
청하 (!! 상처받는 얼굴이 되는데)
성남 심병이 있으면 산모가 더 위험해질 수 있다 들었습니다.
출산 뒤에는 더 큰 고비가 올 수도 있구요...
청하 (본다...)
성남 심려치 마세요. 가장 중요한 건 빈궁의 건강입니다.
청하 저하...

성남, 청하를 안아준다. 위로하듯 머리를 자신의 품에 기대게 한다.

성남 아이는 없어도 됩니다.

38　　중궁전 침전 (낮)

막막한 화령, 괴로운데.
그 모습을 걱정스럽게 바라보는 신상궁.

오상궁　(급히 들어서더니 숙이는) 마마! 대비마마께서 주상전하께 빈궁마마의 지병을 문제 삼아 폐위를 주청하셨다 하옵니다.
화령　(!! 고개 든다) 뭐?!

39　　대비전 침전 (낮)

일어선 채 대비에게 검안서를 건네는 화령.
검안서를 손에 쥔 채 입꼬리 슬쩍 오르는 대비.

대비　의외네요. (검안서 보며) 끝까지 지킬 줄 알았는데.
화령　또다시 세자빈을 잃을 순 없습니다.
대비　(조소) 중전. 이만 포기하세요.
이제 이익현만 죽으면 모든 것이 끝납니다.
화령　그날의 기록이 그것뿐이라 생각하십니까?
대비　(뭐지?!)
화령　(예를 갖추더니 나가버린다)
대비　(뭔가 불안한데)

40　　중궁전 침전 (오후)

방장을 사이에 두고 마주 앉은 화령과 박경우.

화령　가장사초를 제게 주십시오.
박경우　약조를 어기시는 겁니까?

분명 사초의 존재를 알리지 않는다는 조건으로 보여드린 것입니다.

화령 하오나 대감... 이익현을 찾지 못하면,
우리 세자의 죽음도 영영 증명하지 못하게 됩니다.

박경우 (본다)

화령 (간청) 대감. 이제는 그것만이 유일하게 남은 그날의 기록입니다.

박경우 송구하오나 드릴 수 없사옵니다.
이미 제게 없으니까요.

화령 (!!) 그게 무슨 말씀이십니까...?

41 왕의 침전 (오후)

서안 위에 올려진 가장사초를 보는 이호.

박경우 **(E)** 없애시옵소서.

ins 》 왕의 침전 (어젯밤)
이호의 손엔 방금 받은 듯 가장사초가 들려 있다.
그 앞엔 박경우가 바르게 앉아 있는데.

이호 방금 뭐라 했는가?

박경우 그 가장사초를 없애시라 하였습니다.

이호 (본다...)

박경우 이 기록이 공개된다면 왕조가 흔들리고 궁중은 혼란에 휩싸일
것이옵니다. 그 피해는 고스란히 백성이 받게 되겠지요.

이호 내가 그리한다면 이 기록은 영원히 사라질 것이네.

박경우 대의를 위한 결정이오니 망설이지 마시옵소서.

현재 》 가장사초를 든 채 깊은 생각에 잠긴 이호.

42 중궁전 침전 (밤)

화령과 성남이 앉아 있고. 그 앞에 부복한 원평도 보인다.

화령 권의관의 소식은 아직인가?
원평 송구하옵니다. 백방으로 찾고 있으나 별다른 흔적은 찾지 못했사옵니다.
성남 (위기감) 검안서도 가장사초도 없는데 이제 어찌하옵니까?
화령 (머리를 짚다가 문득 고개 드는) 권의관이 아니라 폐비를 찾아야겠다...!
성남 (본다!)
화령 그자는 효심이 깊은 자가 아니냐?
반드시 폐비를 찾아올 것이야.
(원평 본다) 자넨 폐비와 함께 궁에서 쫓겨난 정상궁의 행적을 찾아보게.
원평 예, 마마!

43 대비전 침전 (낮)

대비와 황원형 독대한다.

대비 어째서 의성군은 권의관을 발고하지 않는 겁니까?
황원형 (놀라 고개 든다)
대비 (훗) 의성군도 제 친아비가 누군지 아는가 봅니다.
황원형 어찌 그런 말도 안 되는 말씀을 하시옵니까?
대비 (갑자기 웃는다)
황원형 (본다)
대비 (웃음기 싹 사라지며) 지엄한 궁중에서...
감히 천한 의관의 핏줄인 의성군을 주상의 씨로 둔갑시키고도
대감의 가문이 무사할 줄 아셨습니까?
황숙원과 의성군은 이제 죽음을 면치 못할 겁니다.
황원형 (전혀 흔들리지 않는) 대비마마.
증명하지 못하면 그건 사실이 아닌 겁니다.

대비 영상대감. 폐비의 집안이 역모에 휘말렸던 걸 잊으셨습니까?
증거는 만들면 됩니다. 직접 해보신 분이 그러십니다...

황원형 ...!!!

대비 허나.. 화를 면할 방법을 알려드리지요.
(쓱 보며) 권의관을 내게 바치세요.
그것이... 황숙원과 의성군의 목숨을 살릴 유일한 방법이 될 겝니다.

황원형 (두려움에 흔들리는 눈빛)

44 중궁전 복도 (늦은 오후)

다급히 나서는 화령의 얼굴 위로-

원평 (E) 폐비를 찾았사옵니다!

45 어느 민가 방 안 (밤)

화령과 윤왕후 마주 보고 앉아 있다.

화령 이익현은 지금 어딨습니까?

윤왕후 제가 왜 중전에게 그걸 알려드려야 합니까?

화령 다른 이에게 잡히면 이익현은 죽습니다.

윤왕후 중전도 그들과 같은 생각이지 않습니까?!

화령 아니요. 저는 이익현을 살릴 것입니다.
그자의 자백이 있어야 우리 세자가 왜 그리 죽어야 했는지
밝힐 수 있으니까요. 그러니 말씀해주십시오.
이익현은 지금 어딨습니까?

46 궐 정문 앞 (밤)

황원형과 함께 정문으로 향해 가는 겸인(傔人) 복장의 권의관.
황원형의 등장에 수문장들 일제히 숙이면, 프리 패스하는 황원형과 권의관.
앞서가는 황원형의 입꼬리가 오른다.

47 왕의 침전 (당일 오후) (회상)

서찰을 읽고 있는 이호.
그 앞엔 대비가 서 있다.

황원형 (E) 소신이 해시까지 궐내각사 쪽으로 권의관을 유인하겠사옵니다.
그때 잡아들이시옵소서.

48 궐 은밀한 일각 (밤)

유인하듯 앞서다가 은밀한 곳에서 멈춰 서는 황원형.
뒤따르던 권의관도 멈춰 선다.

황원형 여기서 기다리게.
해시가 되면 자네를 도와줄 사람들이 올걸세.
권의관 그때까지 기다릴 필요가 있겠습니까?
지금부터는 제가 알아서 하지요. (이동하는데)
황원형 (발목을 잡으려는 듯) 한데 말일세.
자네는 한낱 의관일 뿐인데.. 왜 이 일에 목숨까지 거는가?
권의관 (가다가 돌아본다) 그런 대감께선 왜 태인세자의 아우들을 죽이셨습니까?
황원형 그들을 죽여야 내가 올라설 수 있었으니까.
내가 살기 위해서는 남을 죽일 수도 있는 것이 아닌가?
권의관 그럼 왜 한 명은 살려두신 겁니까?
황원형 영원대군 말인가?

권의관 (본다)

황원형 대비의 뜻이었네만.. 이제 와 생각해보니 오히려 잘되었어.
그자 덕분에 의성군에게 기회가 생기지 않았는가?
(떠보듯) 그래서 말인데... 영원대군은 지금 어딨는가?

권의관 (눈치챈 듯 조소) 아직까지 못 찾으셨습니까?

황원형 (보면)

권의관 (황원형을 향해 절룩절룩 걸어간다)

황원형 (설마 하는 눈빛)

권의관 역시 사람은 변하지 않나 봅니다.

권의관, 가까이 다가서더니 갑자기 단도로 황원형의 복부를 찌른다.

권의관 (이내 귀에 속삭이듯) 내 형님들을 죽인 죗값이다...

황원형 (경악하는 눈) 네놈이....?

권의관 그래. 내가 바로 영원대군이다.

쓰러지는 황원형.
확인 사살하듯 쓰러진 그의 가슴을 내리찍는 권의관.
으.... 하더니 숨을 거두는 황원형!!
뚝뚝 권의관의 손에서 떨어지는 황원형의 피.
둥둥둥. 해시를 알리는 북소리가 들리고 인기척이 느껴지자
급히 자리를 뜨는 권의관.
간발의 차이로 군관들이 그곳으로 들이닥치는데.

49 궐내 거리 (밤)

궐에 들어선 화령을 향해 급히 다가서는 성남.

성남 어마마마. 영상대감이 살해됐습니다...!
왕명으로 권의관을 유인하다 그리됐다 하옵니다.

화령 그자는 지금 어딨느냐?

성남 금군들이 궐을 수색 중이오나 아직 찾지 못했사옵니다.

화령 (다급해지는) 조국영에 이어 영상까지 죽였다면 다음은...
(순간 깨닫는) 대비마마다!!

50 대비전 복도 (밤)

어느 복도로 모습을 드러내는 권의관,
피 묻은 손에는 단도가 들려 있다.

51 대비전 침전 (밤)

권의관이 침전으로 들어서면... 불이 모두 꺼져 있고, 드리운 방장 너머로
꼿꼿하게 앉아 있는 여인의 실루엣이 보인다.
그녀에게 서서히 다가서며 혼잣말을 하듯 중얼거리는 권의관.

권의관 (숨 거칠어지며) 당신은 국본이었던 내 형님을 죽이고
영상대감을 사주해 나머지 형제들까지 살해했습니다.

여인 .....

권의관 태인세자 형님이 죽은 뒤로.. 나는 늘 당신의 그림자만을 쫓아왔지요.
한데, 딱 한 번 내가 대비 당신을 앞서간 적이 있습니다.
그게 바로 의성군입니다.
주상의 여인에게.. 내 고귀한 씨를 탁란했거든요!

[자막] 탁란(托卵): 다른 둥지에 자기 알을 낳아 자라게 하는 것

권의관 대비 당신이 가장 아끼던 손자가 바로 제 아들입니다.
기분이 어떠십니까?!

하더니, 단도를 들어 방장을 그어버리는 권의관.
그런데 방장이 떨어져 나가며 모습을 드러내는 여인은
대비가 아니라.. 대비의 복식을 입은 남상궁이다!!
권의관, 대비가 놓은 덫이었음을 깨닫고 급히 뒤돌아서는데
그 앞에 모든 얘기를 들은 듯 서 있는 황귀인!!

황귀인 (권의관의 정체를 알고 배신감으로 보는데)
권의관 (본다)
남상궁 이 전각은 포위됐다. 넌 결코 살아서 나갈 수 없을 것이다!

권의관, 급히 창문을 살짝 열어 밖을 확인하면
전각을 완전히 둘러싼 채 봉쇄하고 있는 관군들의 모습이 보인다.
그 틈을 타 급히 침전을 빠져나가는 남상궁.
권의관, 전각을 포위한 관군들을 보며 생각에 잠기는데...

황귀인 정녕 이익현입니까?!
권의관 (돌아보는 데서)

52 궐내 거리 (밤)

대비전을 향해 뛰어가는 화령!

53 다시, 대비전 침전 (밤)

권의관 (황귀인을 차갑게 본다) 예. 그렇습니다.
황귀인 (고통을 누르며 품위를 유지한 채) 나를 이용하신 겁니까?
단 한 순간도 여인으로 생각한 적은 없는 것입니까...?
권의관 (황귀인을 본다) ....
황귀인 ......

권의관 내 핏줄을 탁란할 사람이 필요했을 뿐입니다.
황귀인 (도도하게 보지만 한줄기 눈물이 흘러내린다)

54 대비전 마당 (밤)

급히 대비전으로 향하는 화령! 그 앞에 나타나는 대비!!
대비의 손엔 태인세자의 검안서가 들려 있다.

화령 (본다)
대비 (보란 듯이 화톳불에 검안서를 던져 넣는다) 중전... 다 끝났습니다.
화령 (타들어가는 검안서를 본다) 이익현은 지금 어딨습니까?!

55 대비전 침전 (밤)

황귀인이 한 발 다가서면... 뒤로 물러서는 권의관.
황귀인, 배신감에 치가 떨리지만 품위를 잃지 않으려 애쓰는데
그러다 피로 물든 권의관의 손을 발견한다.

황귀인 (자신도 모르게 그 손을 잡는다)
권의관 이건.. 영상대감의 피입니다.
황귀인 (믿을 수 없다는 듯 피 묻은 손을 보는) 제 아버지의 피라니요...?
권의관 (차갑게 그 손을 뿌리치며) 영상대감도 죗값을 치러야 하지 않겠습니까?
황귀인 (고개를 마구 젓는다) 아닙니다!! 아니야. 아니야...!!!

그때 문이 벌컥 열리며 검을 든 의성군이 들어선다.

의성군 이익현!!
권의관 (돌아본다)
의성군 미안하지만 죽어줘야겠어. 당신이 죽어야 내가 살아...

검을 움켜쥐더니 권의관에게 달려드는 의성군.
다가오는 의성군의 검을 그대로 기다리는 권의관.
의성군, 기합 내지르며 포효하듯 "아악!!"

황귀인 안 돼!!!!

권의관을 가차 없이 베어버리는 의성군!!
권의관, 그 칼날을 피하지 않고 받는다.
두 사람을 향해 손을 뻗는 황귀인, 소리치며 달려들지만
권의관은 피를 토하며 쓰러지고 만다.
의성군이 쥔 칼에서 뜨거운 피가 뚝뚝 떨어진다.
죽어가는 권의관, 의성군을 바라보며 마지막 말을 남긴다.

권의관 내가... 너의 아비다.
난 실패했지만 넌 반드시... 꼭 살아남거라...
의성군 ....!!!!
권의관 네가 진정한 적통이다. (하며 숨이 끊어진다)

눈을 뜬 채 사망한 권의관의 눈동자에 의성군이 담긴다.
그대로 무너져 내리는 황귀인. 충격과 혼란에 휩싸이는 의성군!!
의성군, 그제야 모든 진실을 깨닫고는
피로 물든 자신의 두 손과 친부를 베어버린 칼을 내려다본다.
그렇게 가혹하고 잔인한 현실 앞에 넋을 놓는 의성군.

56 대비전 마당 (밤)

타오르며 소멸되는 검안서.

대비 지금쯤 이익현은.. 제 아들의 손에 죽었을 겝니다.

내 눈으로 직접 보지 못한 게 안타까울 뿐이지요.

화령 (본다) .....!!!

대비 (보다가 씨익 웃는다)

57 【에필로그】 궐내 일각 (밤)

의성군에게 다가서는 대비.
대비의 손이 의성군 얼굴을 어루만진다.

의성군 할마마마.

대비 (자애로운 눈빛으로 손주를 대하듯 쓰다듬는) 네가 권의관의 꾀임에 빠져 역모에 가담했다는 얘기가 돌고 있더구나...
그자가 바로 역적의 수괴인 이익현이다.

의성군 .....!!!

대비 너에겐 아직 기회가 남아 있어...
네 손으로 이익현을 죽이거라.
그래야 네가 그자와 내통했다는 걸 숨길 수 있지 않겠니?

의성군의 흔들리는 눈빛에서_ 엔딩!!

16부

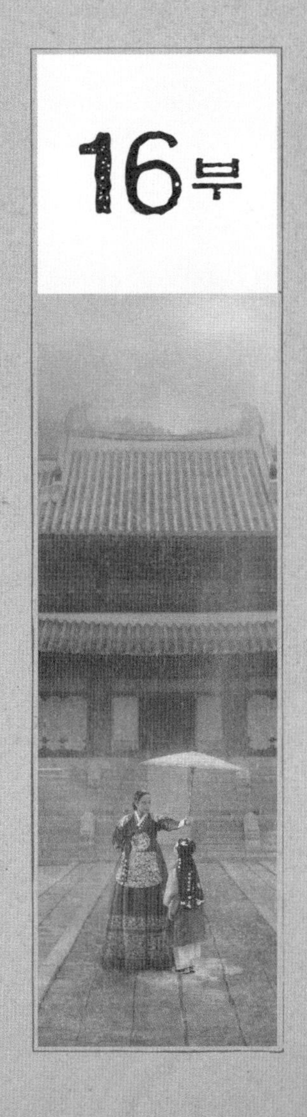

1 왕의 침전 (낮)

이호에게 주청하는 수뇌부 대신들이 보인다.
윤수광, 여기영, 민승윤, 박경우, 이판.

이판 전하! 폐비 윤씨를 극형에 처하셔야 하옵니다.
윤수광 그러하옵니다! 이익현은 의관 행세를 하며 역모를 도모하였사옵니다.
그 계략을 모친인 폐비가 몰랐을 리 없사옵니다.
여기영 역모에 가담한 유상욱과 의성군 또한 참형에 처하시옵소서.
이호 (OL) 참형이라니...?!
의성군이 역모에 가담했다는 증좌라도 있느냐?
민승윤 역모에 가담했다는 정황과 증언이 있습니다.
이호 역적 이익현을 죽인 것이 의성군이지 않느냐?
민승윤 하오나 후래(後來)를 경계하기 위해서라도
결코 의성군을 살려둬서는 아니 될 것이옵니다.
이호 어찌 아비에게 자식을 죽이라 한단 말이냐?
박경우 (그런 이호를 보는데)
이판 부디 폐비를 처단하시고 의성군을 참형으로 단죄하시옵소서!
이호 (숨이 막혀온다)
윤수광 (엎드리며) 대의로 결단하시어 마땅히 참형하시옵소서!

박경우를 제외한 대신들 엎드리며 "참형하시옵소서!!"
이호... 대신들의 소리가 점점 작아지며 음소거 된다.
그러나 자신을 향해 소리치는 대신들의 모습은 더욱 또렷해진다.
숨이 가빠지는 이호, 그 모습을 걱정스럽게 보는 박경우.

2 갈대숲 (오후)

바람 부는 갈대숲.
마주 서 있는 화령과 윤왕후.
화령, 권의관의 유품인 망건을 건넨다.

윤왕후 (받더니 보는데)
화령 이익현이 궐에서 죽었습니다.
윤왕후 (모든 걸 잃은 듯 무너지는 표정) .....
화령 결국 복수는 실패했고
당신의 안위마저 위태로워졌습니다.
윤왕후 상관없습니다.
이제 내겐.. 더는 살 이유가 없으니까요.
화령 (본다) 이익현의 소생이 살아 있습니다.
역모에 가담한 의성군입니다.
윤왕후 (!!! 놀라 본다)

그 말을 남기고 돌아서는 화령.

윤왕후 (순간) 제게 빚이 있지 않으십니까?
화령 (멈춰 선다)

F.B 》5부 49씬. 기방 안 (오후)

윤왕후 제가 왜 대답해드려야 합니까?

화령　제게는 세자를 지킬 수 있는 마지막 기회가 될지도 모르기 때문입니다.
윤왕후　대신 조건이 있습니다.
화령　...무엇입니까?
윤왕후　제가 나중에 청을 하나 하게 되면, 그 청은 무조건 들어주십시오.

현재 》 윤왕후를 향해 돌아서는 화령.

윤왕후　(간절히) 익현이의 소생을 살려주십시오.
그것이 제 청입니다.
화령　.....

3　왕의 침전 (오후)

용상에 앉은 이호를 압박하듯 쳐다보는 대비.

대비　의성군을 죽이세요.
이호　(본다!)
대비　지금 불씨를 꺼뜨리지 않으면 언젠가 화마가 닥칠 겁니다.
이호　(괴롭고) 그 아인... 제가 처음으로 품에 안은 자식입니다.
대비　말이 되는 소리를 하세요!
의성군은 이익현의 핏줄이란 말입니다!!
이호　결정은 제가 합니다!
이 용상을 지켜내는 것 또한 제 방식으로 할 겁니다!!
대비　주상... 뭘 그리 어렵게 생각하십니까?
걸리적거리는 것들은 그냥 다 없애버리면 됩니다.
그것이 나만의 방식입니다.
내가 그렇게 주상을 용상에 앉혀드렸단 말입니다.
주상께선 그들의 피가 헛되지 않도록 성군이 되시면 됩니다.
이호　(단호) 아니요!!
더는 제 용상에 피를 묻히지 않을 것입니다!

어마마마께서 이십 년 전 묻힌 피비린내가 여전히 진동하니까요!!

대비 해서! 태인세자를 죽인 게 이 어미다 밝히기라도 하시겠습니까?

이호 (본다)

대비 어디 한번 해보세요.
허나 그 사실을 밝히는 순간..
스스로 용상의 정당성을 부정하는 게 되는 겁니다.
주상이 인정하지 않는데, 누가 주상을 임금이라 인정하겠습니까?!!

이호 ......

대비 내 유일한 실수는 그때 이익현을 살려둔 겁니다.
주상은 이 어미의 실수를 반복하지 마세요.

서늘히 보다가 나가버리는 대비.
이호, 괴로운데.

4 왕의 침전 서고 (다음 날, 낮)

마주 서 있는 이호와 박경우.

이호 내가 어찌하면 좋겠는가?

박경우 (보다가) 이미 수많은 업적을 남기셨사오니
과거의 일은 덮으시옵소서.

이호 (본다)

박경우 (진심 어린) 후대에 성군으로 기록되셨으면 좋겠사옵니다.

이호 내가 진정 그리하면 내 마음도 덮여지겠는가...?

박경우 박경우......

5 중궁전 침전 (낮)

독대하는 화령과 성남.

성남 이대로 덮을 수 없사옵니다.
형이 왜 죽어야 했는지, 어떻게 죽었는지
어째서 이런 일이 벌어져야만 했는지 꼭 밝힐 겁니다.

화령 (강한 의지) 밝힐 것이다.
그러기 위해선 이 모든 것의 시작인
태인세자의 죽음부터 바로잡아야 해.
허나, 그걸 할 수 있는 사람은 오직 주상전하뿐이시다.

성남 그럼 제가 지금 아바마마를 찾아뵙겠습니다.

화령 전하께는 쉽지 않은 결정일 게다...

성남 (보면)

화령 나는 전하께서 진실을 외면하기 위해 고심하고 계신다 생각지 않는다.
결국 용상의 정당성을 부정해야 하고
모친이신 대비마마까지 벌해야 하는 일이 아니냐...?

성남 하오나 그것에 얽매여 발목 잡혀서는 안 되는 것이 아닙니까?

화령 그러니 전하께서 스스로 그 매듭을 푸셔야지.
나 또한 이런 비극이 반복되지 않길 바란다.
이번에 제대로 매듭짓지 못한다면
다음 세대 또한 이 일로 인해 고초를 겪을 테니까...

성남 (본다)

화령 세자. 우리가 전하를 위해 할 수 있는 건
옳은 결정을 내리실 수 있도록 돕는 것이다.

성남 (보다가 결연히) 저도 함께하겠습니다.

화령 (끄덕)

6 대비전 침전 (오후)

여유로운 표정으로 차를 마시는 대비.

남상궁 전하께서 이번에도 마마의 뜻을 받아들이실까요?

대비 (차 음미) 주상은 날 거스르지 못해.
태인세자의 진실이 밝혀지는 걸 가장 두려워하는 이가 바로 주상이니까.

남상궁 하오나 중전마마는 어찌하옵니까?
분명 태인세자가 독살됐다는 사실을 밝히려들 것이옵니다.

대비 (중전 얘기에 마시던 찻잔을 멈추는데)

남상궁 혹여나 전하께서 마음을 바꾸시기라도 한다면
일이 걷잡을 수 없어질 것이옵니다.

대비 그 전에 내 중전을 흔들어 주상의 뜻을 꺾을 것이다.

남상궁 방법이 있겠사옵니까?

대비 중궁을 흔들려면 자식들의 치부를 드러내면 돼...
이미 빈궁에게도 손을 써놓지 않았느냐? (사악한 미소)

7 빈궁전 침전 (낮)

탕약을 들고 청하에게 향하는 송어의.
화령과 성남이 지켜보는 가운데 받아서 마시는 청하.

송어의 심병에 좋은 탕약이옵니다.

청하 (마시다가 멈추는) 으.. 씁니다.

성남 몸에 좋은 것이니 다 드십시오.

청하 저하께서 그리 말씀하시니~ 다 마시겠습니다~! (마지막까지 쭉 마신다)

성남 (미소)

송어의 (빈 탕약 그릇을 챙기더니 조심스럽게 나간다)

8 대비전 침전 (오후)

송어의가 대비의 서안 위로 약재 첩지를 내민다.

대비 (보면)

송어의 (쓱 고개 든다) 이제 이 약재는 쓸 필요가 없어졌사옵니다.
이미... 빈궁마마께서 복중 태아를 잃으신 것으로 보이옵니다.

대비 (반응하지만 날카롭고) 확실한가?

송어의 마마께 목숨을 건 놈이 어찌 거짓을 고하겠나이까...?

대비 (표정을 매섭게 주시하는데)

송어의 유산이 확실하옵니다. 복중에 사산된 태아가 남아 있어
아직 티가 나지 않는 것뿐이옵니다.

대비 그럼. 앞으로 회임할 가능성이 있는가?

송어의 (조심스럽게) 빈궁마마의 경우는.. 심병에 서맥까지 있으시니
다시 회임을 하기 힘들 수도 있사옵니다.

대비 (미소)

9 무안대군 처소 복도 (다른 날, 낮)

복도로 기어 나오는 아기.
급히 달려 나오는 무안과 초월.

무안 우리 딸 언제 여기까지 나왔어요?

무안, 아기를 안아 들더니 얼른 안으로 들어가는데
혹시 누가 봤나 싶어 주변 살피다가 뒤따르는 초월.
그때 몸을 숨기고 있던 남상궁이 모습을 드러낸다.
조심스럽게 다가가 살짝 열린 문틈으로 안을 들여다보는 남상궁.

남상궁 (기회를 잡은 표정) ...!!!

10 중궁전 복도 (오후)

사색이 된 얼굴로 어딘가로 다급히 걸어가는 화령.

신상궁도 급히 따른다.

11 왕의 침전 (오후)

침전으로 들어서던 화령, 무언가를 보고 멈춰 서면
아기를 안은 초월과 무안이 죄인처럼 무릎 꿇고 앉아 있고
상석엔 대비와 이호가 앉아 있다.
화령을 쓱 보는 대비.

이호 중전께서도 알고 계셨다구요?
화령 예. 알고 있었사옵니다.
대비 그 어미의 그 자식이네요.
지금 이 일이 얼마나 엄중한 일인지 정녕 모르십니까?!
화령 알고 있사옵니다. 해서 전하께 말씀드려
아이들을 곧 궁 밖으로 내보낼 생각이었사옵니다.
대비 주상, 당장 저 천한 것들을 궁 밖으로 내치세요.
이호 무안대군의 소생입니다. 말씀을 삼가십시오 어머니...
대비 (굳는데)
무안 (용기 내어) 아바마마. 제 아이와 연모하는 여인을 지키고 싶사옵니다.
초월이와 혼인하겠습니다.
이호 (!! 본다)
대비 혼인이요?! 왕족의 신분으로 천민과 혼인한 경우는 없습니다...!!
(그 화살이 화령에게 향하며) 어째서 중궁의 소생들은 왕실 법도든
국법이든 어느 것 하나 지키는 게 없습니까?!
무안 (진중) 아바마마. 왕실 법도에 어긋나는 것이라면
제가 대군의 지위를 내려놓으면 되는 것이옵니까?
화령 (그런 무안을 본다)
대비 대군의 신분은 맘대로 버릴 수 있는 것이 아닙니다!
무안 그럼 제게 이들을 버리라 하시는 것이옵니까? 그럴 순 없사옵니다.
대비 (받아치듯) 그럼 감히 국법을 어기려드는 겁니까?!!

화령 국법을 어기는 것은 아닙니다. 단지 사례가 없을 뿐이지요.
대비 (본다) 뭐요?!
화령 이런 경우 보통 왕족들은 정실이 아니라
첩으로 들이는 걸 택하니 말입니다.
주상전하와 대비마마께서 허락해주신다면
우리 무안대군이 관례를 깨는 첫 사례가 될 수도 있겠네요.
대비 (대노) 중전!!!
이호 내 숙고해보겠다. (무안 본다) 너희들은 나가 있거라.
대비 내 말이 안 끝났으니 그대로 앉아 있거라!!
화령 언성을 낮추시지요 대비마마. 아기가 놀라겠습니다.
대비 (저, 저런...!!)

눈치 보던 무안, 초월과 아기를 데리고 나간다.
팽팽한 긴장감 흐르는 가운데.

대비 주상.. 무안대군의 일도 문제지만
세자빈의 문제는 더욱 심각합니다.
후사도 보지 못하는 빈궁을 그냥 두고 보실 겁니까?!
대전내관 (E) 전하. 송어의 들었사옵니다.
대비 (뭐지?!)
화령 제가 불렀습니다.
이호 들라.

문이 열리고 송어의가 든다.
대비 무슨 꿍꿍이지 하는 표정인데.

화령 송어의. 세자빈의 탕약에 무엇을 넣었는가?
송어의 심병에 좋은 황련, 맥문동, 구갑을 넣었사옵니다.
화령 (대비를 쓱 보며) 대비마마께서 자네에게 넣으라 건넨
대자석과 삼릉은 왜 넣지 않았는가?
대비 (!!!)

송어의 (두려움에 대비의 눈치를 본다)
이호 말하거라!
송어의 아뢰옵기 송구하오나... 그 약재는 복중 태아에게 해가 될 수 있어
탕약에 넣지 않았사옵니다.
의관이 어찌 그러한 일을 행할 수 있겠사옵니까?
이호 (확연히 굳는데)
대비 네 이놈!! 어느 안전이라고 거짓을 고하느냐?!
이호 (본다) 중전. 이게 어찌 된 일입니까?
화령 세자빈이 안정기에 접어들 때까지 회임 사실을 숨겨왔사옵니다.
그것이 복중 태아를 지키는 일이라 생각했사옵니다.
이호 (송어의 보면)
송어의 안정만 잘 취하신다면 빈궁마마께선 출산까지 문제없으실 것이옵니다.
대비 (분하고!) 주상...! 이들의 말은 다 거짓입니다.
이 어미의 말을 믿으셔야 합니다.
이호 (참담한 눈빛) 그만하세요 어마마마.

12 대비전 침전 (오후)

"악!" 서안 위를 쓸어버리는 대비. 거친 숨.

대비 (부들부들 떨며) 남상궁! 남상궁!!

그때 문이 열리며 누군가 들어선다.
대비 보면, 화령이다.

대비 (고개 꼿꼿이 들며 당당) 내 이대로 물러설 거라 생각하십니까?!!
화령 전하도, 폐비도, 이익현도
모두 마마께서 저지른 일로 인해 고통받았습니다.
한데 어찌 이리 당당하십니까?!
대비 난 승자입니다. 그들은 패배한 대가를 치른 것뿐이구요.

진실을 밝힌다고 세상이 뭐 달라지기라도 할 것 같습니까?

화령 달라지진 않더라도 이전과 같진 않겠지요!

대비 (조소) 주상이 중전의 편에 섰다고 착각하지 마세요.
주상은 절대 태인세자의 죽음을 밝히지 못합니다.
본인 스스로 왕위를 부정하는 것인데 주상이 그리할 수 있겠습니까?

화령 옳은 결정을 내리실 수 있도록 제가 도울 겁니다!!

대비 내가 막을 겁니다!!
결코 태인세자의 죽음이 드러나도록 두고 보진 않을 것입니다.
그게 내가. 내 아들을 지키는 방법입니다.

화령 그것은 주상을 지키는 것이 아닙니다!
전. 저만의 방식으로 지아비를 지키겠습니다!!

팽팽히 맞서듯 보는 화령과 대비.

13 왕의 침전 (오후)

마주 선 이호와 성남.

성남 아바마마, 정녕 이대로 끝내시려는 것이옵니까?
진실을 외면하지 마시옵소서.
태인세자 죽음의 전말을 밝혀야
형님이 억울하게 독살당했다는 사실도 밝힐 수 있사옵니다.

이호 이제야 궐이 안정되었다.
한데, 또다시 모든 걸 혼란 속으로 밀어 넣으라는 것이냐?
더는!! 태인세자의 죽음에 대해 언급하지 말거라.

성남 (물러서지 않고) 이번 역모로 느끼신 바가 없으시옵니까?
부디 이십 년 전과 같은 실수를 반복하지 마시옵소서.

이호 내가 결단하여 진실을 밝히려 해도 그 어떤 증거도 남아 있지 않다!
말뿐인 진실로 무얼 할 수 있겠느냐?

성남 가장사초를 전하께서 갖고 계시지 않사옵니까?

이호, 가장사초를 갖고 있음을 알고 있자 놀라는 눈빛.

이호 (보다가 단호히) 가장사초엔 독살의 정황만이 있을 뿐이다.
그것만으로는 진실을 밝힐 수 없어.

성남 가장사초만이 아니라면요?
제가 명분을 만들어 온다면 그땐 재고해주시겠사옵니까?

이호 (본다)

성남 (본다)

14 옥사 내·외부 (오후)

초췌한 몰골로 앉아 있는 토지선생.
그 앞에 성남이 서 있다.

토지선생 설마 저더러 증언이라도 하라는 말씀이십니까?

성남 그렇네. 자네가 지난 이십 년간 자식의 목숨까지 걸어가며
태인세자의 독살을 밝히려 했던 건..
결국 의원으로서의 부채감 때문이 아닌가?

토지선생 (보다가 조소) 검안서도 사라진 마당에 누가 제 말을 믿어주겠습니까?
게다가 저는 이제 곧 참형당할 죄인입니다.

화령 그날의 기록이 담긴 가장사초가 남아 있네.

토지선생, 소리 나는 곳을 보면 화령이 다가선다.

화령 자네가 진실을 밝힐 수 있는 마지막 기회가 될걸세.

토지선생 ......

15 옥사 (밤)

홀로 앉아 있는 토지선생. 고뇌한다.

16 왕의 침전 (다음 날, 낮)

독대하는 화령과 이호.

이호 태인세자의 검안서엔 독살의 정황만이 있을 뿐입니다.
그것만으로는 증명할 수 있는 것이 없습니다.

화령 유상욱 어의가 증언한다 했습니다.

이호 (!! 본다)

화령 그자의 증언이 태인세자의 검안서 내용을 뒷받침해줄 것입니다.

이호 (보다가) 그자는 역적입니다!
증언한다 해도 그자의 말을 누가 믿겠습니까?

화령 전하께서는 진실임을 아시지 않습니까?

이호 (뭔가에 맞은 듯하고)

화령 전하께선 여전히 이십 년 전 그날에 머물러 계신 듯하옵니다.
허나, 저는 압니다.
그 자리를 지키시기 위해 어떻게 살아오셨는지 말입니다.
설사 과거의 일을 다 밝힌다 해도
전하께서 성군이라는 그 사실만큼은 제가 알고, 하늘이 알고
백성들이 알 것이옵니다.

서안 위로 문서를 올리는 화령.
이호, 넘겨보면 세자의 검안서와 복검시형도다.

화령 세자의 독살을 증명할 자료입니다.
가장사초는 전하께서 갖고 계시니
이것을 어떻게 사용할지는 전하의 손에 달려 있사옵니다.

이호 (흔들리는 눈빛)

화령 부디 진실을 기록해주시기를 청하옵니다.
태인세자와 우리 세자가 독살되었다는 사실을 역사에 남겨주십시오.
이것이 제가 전하를 지키는 마지막 길이고
우리 세자가 남긴 아이들을 지키는 길이옵니다.
이제 그만 그 짐을 내려놓고 자유로워지십시오.

이호 (본다)

화령 (본다)

17 왕의 침전 (밤)

어둠 속 홀로 앉아 있는 이호.
가장사초를 든 채 깊은 생각에 잠긴 모습.

화령 (E) 태인세자와 우리 세자가 독살되었다는 사실을 역사에 남겨주십시오.
이것이 제가 전하를 지키는 마지막 길이고
우리 세자가 남긴 아이들을 지키는 길이옵니다.

ins-cut 》5부 55씬. 동궁전 침전 (밤)
망자가 되어 누워 있는 세자.

현재 》 이내 눈빛이 달라지며 고개 드는 이호.

18 대비전 복도 (낮)

이호, 비장하게 복도를 가로지른다.

19 대비전 침전 (낮)

독대하는 이호와 대비.

이호　진실을 밝혀야겠습니다.
태인세자 형님이 어떻게 죽었는지 밝히겠습니다.

대비　아드님께서 이 어미를 벌하시겠다는 겁니까?
증거 있습니까?
그깟 가장사초나 기록 따위가 뭘 증명할 수 있겠습니까?!

이호　제가 보았습니다.

대비　...!!!

이호　그날 밤 제가 다 보았습니다.
어마마마께서 시작한 이 비극을.. 제가 끝내겠습니다.

대비　(회유) 주상... 이미 다 지난 일입니다.
모든 것이 제자리로 돌아왔는데 무얼 위해 그리해야 합니까?

이호　더 이상 외면할 수 없습니다.
어머니께서 태인세자 형님을 죽였고
그로 인해 결국 제 아들이 죽었습니다.
이제는 누구의 희생도 원치 않습니다.

대비　주상. 이 어미에게 이러실 수는 없는 겁니다!
그 모든 게 주상을 위해 한 일이란 말입니다!!
내가 주상 앞에서 죽기라도 해야 멈추시겠습니까?

이호　어머니. 정녕 저를 위하신다면
이제 아무것도, 그 어떤 것도 하지 마십시오.
그것이 제가 어머니께 바라는 유일한 것입니다.

대비　(넌 못 해) 주상. 이 어미를 정말 벌하실 수 있겠습니까?

이호　(단호) 예. 임금이라면 마땅히 그리해야지요.

대비　!!!!

예를 갖추더니 돌아서는 이호.

대비　(이호를 향해) 주상! 거기 서십시오!!!

이호　(나가버린다)

대비 (믿을 수 없다는 듯) 주상!!!!

"악!!!!" 소리 지르는 대비, 급기야 쓰러지고 마는데.

20 대비전 침전 복도 (낮)

침전에서 나오는 이호.
안절부절못하고 서 있는 남상궁 본다.

이호 어의를 부르거라.

차갑게 돌아서며 복도를 걸어가는 이호.

21 대비전 침전 (낮)

몸져누운 대비. 그러나 시선은 문 쪽을 향해 있다.
그때 문이 열리는 소리가 들리자
반응하며 벌떡 일어서는 대비, 기대하는 눈빛인데.
모습을 드러내는 사람은 신상궁이다. 손엔 밥상이 들려 있다.

신상궁 (본다)
대비 (본다)

점프, 밥상을 앞에 두고 앉아 있는 대비.
그 앞엔 신상궁이 앉아 있다.

신상궁 마마를 찾아뵙는 것은 오늘이 마지막이 될 것 같사옵니다.
그동안 제 가족들을 보필해주셔서 감사하옵니다.
대비 (대답 없다)

신상궁, 정중히 예를 갖추더니 나간다.
물끄러미 밥상을 바라보는 대비.

ins 》왕의 침전 (과거)
이호가 밥을 먹고 있다.
자식이 밥 먹는 모습을 흐뭇하게 보다가
밥 위로 김치를 올려주는 대비.

대비 주상~ 김치도 같이 드셔보세요.
이호 (먹어보더니 흡족) 역시 우리 것이 제일입니다.
대비 예. 외국 사신들에게 산해진미를 내어놓아도
이 김치를 가장 맛있게 먹고, 본국에 싸 가곤 했다지요.
이호 (미소로 먹는다)

그 모습을 보며 미소 짓는 대비.

현재 》호화로운 침전.
그러나 밥상 앞에 홀로 앉아 고독해 보이는 대비의 모습.

22 왕의 침전 (낮)

마주 선 화령과 이호.
화령, 무언의 지지와 격려를 보내듯 이호의 옷매무새를 다듬어준다.
이호, 화령의 어깨에 손을 올리고
화령은 말없이 고개를 끄덕인다.

23 편전 내부 (낮)

위용 있게 대신들 사이를 지나 용상에 오르는 이호.
손엔 태인세자의 사건기록들이 들려 있다.
이호, 용상 앞에 서더니 대신들을 향해 돌아본다.
대신들 무슨 일인가 긴장하며 지켜보는데...

이호 영원대군 이익현이 세자를 간수로 독살하였다.
세자를 죽였다는 오명으로 폐서인 된 민씨와 이한, 이율희를 복권하겠다.
대신들 (본다)
이호 내 직접 선왕의 실록을 보지는 못했지만
지금까지 남아 있는 태인세자 죽음에 관한 기록은
혈허궐로 사망했다는 한 줄의 기록뿐이라 알고 있다.
해서 과인은 박중호 사관의 가장사초를 바탕으로
실록을 바로잡고자 한다.
민승윤 (놀라 본다) 전하!
선왕의 실록은 어느 한쪽으로 편중되지 않고 비교적 직필(直筆)로
공정하게 편찬되었사옵니다. 다시 한번 숙고해주시옵소서.
이호 (단호) 그럴 순 없다.
이번 기회에 과인의 잘못 또한 바로잡을 것이다.
윤수광 하오나 전하! 굳이 이제 와 과거의 일을 들추어내는 것은
혼란만 야기시킬 뿐이옵니다.
게다가 태인세자가 살해됐다는 증거도 없지 않사옵니까?
이호 태인세자의 검안의였던 유상욱이 당시 상황을 모두 증언했고,
독살임을 입증할 증거들이 (자료들을 들어 보이며) 여기에 담겨 있다.
박경우 전하. 어명을 거두어주시옵소서!
대신들 어명을 거두어주시옵소서!
이호 (박경우 본다) 내 이제라도 잘못 지은 매듭을 풀어 바로잡으려 하네.
박경우 (진심 어린 호소) 부디 결정을 재고해주시옵소서.
전하께서 지난 이십 년간 이루신 업적들이 폄하될까 우려되옵니다.
이호 과인에 대한 평가는 후대에서 내리지 않겠는가?
박경우 (본다)
이호 (본다)

보다가 그 뜻을 깨닫고 이내 깊게 숙이는 박경우.

24 옥사 근방 (오후)

풀려나는 토지선생.

성남 (E) 유상욱 어의...

토지선생, 소리 나는 곳을 돌아보면 성남 서 있다.

토지선생 (본다)
성남 (본다) 묻고 싶은 것이 있네.
자네도 내 형님을 죽일 생각이었는가?
처음부터 이익현의 계획에 동참했느냐 묻는 것일세.
토지선생 처방전엔 아무런 문제가 없었습니다.
성남 (본다)
토지선생 말하지 않았습니까? 내 의관으로서의 존심(存心)은 지킨다고.
내 처방은 사람을 살리는 일에만 쓰였습니다.

보다가 가버리는 토지선생.
성남, 멀어지는 토지선생을 바라본다.

25 동궁전 침전 (오후)

마주 앉은 화령과 성남.

화령 아직도 그 일을 마음에 품고 있었던 것이냐?
성남 (본다)

화령　(본다) 강아 이제 되었다...

성남　(마음의 짐을 이제야 내려놓은 듯 눈물이 차오른다)

화령　애썼다.
덕분에 네 형과의 약속을 지킬 수 있게 되었어.

성남　(본다. 눈물 흐르는데)

화령　(눈물 참으며) 이제 그만 형을 보내주자.

26　궐, 정문 근방 (다른 날 , 낮)

정문이 활짝 열리면 들어서는 원손과 민휘빈.
민휘빈의 품엔 율희가 안겨 있다.
원손은 궐로 들어서자마자 성남을 발견하고 달려간다.
와락 안기는 원손을 꽉 품어주는 성남.

세자　(E) 어마마마... 약속해주십시오...

그 모습을 한편에 서서 바라보는 화령.

세자　(E) 무너지지 않겠다고. 그래야 편히 눈을 감을 수 있을 것 같습니다.

화령　(마음의 소리, E) 이제.. 아무 걱정 말고 편히 쉬거라...

화령, 환궁한 원손과 민휘빈의 모습을 보며 편안하게 웃는다.
그런 화령의 얼굴 위로 바람이 불어온다.

27　편전 내부 (오후)

고개 들어 위용 있게 대신들을 보는 이호, 왕명을 내린다.

이호　내 박경우를 실록청 총재관으로 삼아

선왕의 실록에 부록을 붙일 것이다.
또한, 태인세자의 모친인 폐비 윤씨는 복권하고
태인세자를 죽음에 이르게 한 대비는 처소에 머물게 할 것이다.
일체의 사사로운 접근은 엄히 금한다.

윤수광 (!! 낮게) 사실상 대비마마를 유폐한다는 말이 아닙니까?

대신들 (웅성웅성)

28 대비전 침전 (오후)

화려한 의복을 갖춰 입은 대비의 뒷모습이 보인다.
머리엔 대수(大首)를 쓰고 있는 상태.
꼿꼿하게 보료에 앉아 있는 모습에서 위용마저 느껴지는데.
자리끼를 들고 들어온 남상궁이 갑자기 멈춰 선다. 자리끼를 떨어뜨린다.
갑자기 주룩 흐르는 눈물.

남상궁 마마....

보면, 대수를 쓰고 꼿꼿이 앉아 있는 대비의 입술이 파랗다.
가장 화려하고 당당한 모습으로 죽음을 맞이한 대비.

대비 **(E)** 감히 그 누구도 날 벌할 순 없다.

엎드려 오열하는 남상궁.

박중호 (E) 귀인 조씨를 왕비로 책봉하였다.
임금은 중궁의 위호를 밝혀
왕비를 세우는 의례를 거행하였으나
다음 날 유시 임금께서 훙서하시니
중궁 조씨는 하루 만에 왕비의 자리에서 내려왔다.

29 중궁전 침전 (오후)

대비의 소식을 전한 듯 서 있는 신상궁.
늘 대립해왔던 대비의 죽음에 복합적인 감정을 느끼는 화령.

화령 ......
신상궁 ......

화령, 일어서더니 대비전을 향해 두 번의 절을 올린다.

화령 (E) 대비마마. 이제 마마의 시대는 끝났습니다.
저의 시대도 곧 끝날 겁니다.
이제 악행의 굴레에서 벗어나십시오
악랄했고, 때로는 가련했던 어미를 보내는 마지막 인사이옵니다.

그렇게 대비와 작별을 고하는 화령...

30 왕의 침전 (오후)

용상에 앉아 두 눈을 감는 이호.
눈물이 흐른다.

31 궐 전경 (다른 날, 낮)

32 궐내 거리 (낮)

장엄하고 웅장한 궁궐을 빠르게 가로지르는 중전 일행.

지나는 궁인들 예를 갖추면, 절도 있게 받아주는 화령.
그 뒤론 궁인들이 줄지어 따른다.

[자막] 3개월 후

33 중궁전 부속, 내명부 회의실 (낮)

모든 후궁들이 일제히 일어서면
열린 문으로 치맛자락 휘날리며 강렬하게 등장하는 화령.
화령이 맨 앞에 착석하자, 모두 자리에 앉는다.
보면, 간택후궁 승은후궁 상관없이 섞여 앉아 있고
고귀인과 태소용은 친해진 듯 나란히 앉아 있다.

화령 (후궁들 쭉 둘러본 뒤) 오늘은 친잠례가 있는 날입니다.
오시에 후원에서 거행될 예정이니 다들 양잠 제구를 준비하세요.
후궁들 예~ 중전마마.

그때 문이 열리며 누군가 들어선다.
모든 사모들, 혹시나 승은받은 궁녀인가 싶어 일제히 문을 보는데
다급히 들어오는 청하.

청하 늦어서 죄송합니다~~ (씽긋)
화령 (엄하게) 빈궁!
청하 (움찔. 배꼽인사 한 뒤 후다닥 자리로 간다)
소의 어쩜 저리 부부가 똑같은지~
숙의 (낮게) 그러게 말입니다~ 빈궁도 깔깨로 왔네요~
고귀인 아이~ 회임하지 않았습니까?
태소용 예~~ 원래 임산부는 시도 때도 없이 잠이 쏟아지는 법이니까요~

청하 얼른 자리에 앉는데

화령의 눈에 황귀인의 빈자리가 들어온다.

34 궁 일원 (오후)

나란히 걷고 있는 성남과 청하.
청하, 살짝 부른 배 위에 손을 얹고 있는데.

청하 저하께서 이리 궐 구경을 시켜주시니
맨날 똑같아 보이던 단청 색깔도 다르게 보이옵니다~ (수줍게 웃는)
성남 (미소)

전각 앞 드므를 보더니 갑자기 뛰어가는 청하.

두리 (!! 화들짝) 뛰시면 아니 되옵니다.

드므에 얼굴을 쓱 들이미는 청하.
뒤이어 성남의 얼굴이 드므에 비친다.

청하 저하. 맨날 지나다니면서 항상 궁금했습니다~ 이게 뭔지~
성남 이건, 드므요.
청하 드무?
성남 므. 므. 드므. (청하 입 보며 발음 교정해주는)
청하 드므~
성남 (잘했어. 끄덕) 궁은 다 목조라 불에 약하기 때문에 화마를 막기 위해
상징적으로 만든 것입니다.
청하 상징적으로 왜요~? 현실적으로 꺼야 하는 거 아닙니까?
성남 (얼굴 근육 써가며 화마 표현) 화마가 너무 험상궂게 생겨서 불내러
왔다가 드므에 비친 자기 모습 보고 깜짝 놀라서 도망간다고.
청하 험상궂게 안 생기고 잘생겼는데.
성남 (!!! 먼저 가버린다)

청하　저하~ 같이 가요~ (살짝 뛴다)
두리　(또 놀라 얼른) 마마~ 뛰시면 아니 되옵니다...

그 말에 청하가 아니라 성남이 속도를 살짝 늦춘다.
어느새 나란히 걷는 동궁 부부.
성남, 청하와 가까워지더니 손을 쓱 가져와 잡는다.
!! 놀라는 청하.

성남　내일은 함께 밥 먹고 수다도 떨어볼까요?
청하　예~!! (완전 신난다)

35　동궁전 침전 (밤)

소매에서 수첩을 꺼내더니 버킷리스트에서
'손잡고 궁 구경하기. 같이 걷기'에 달성한 듯 찍- 긋는 성남.
청하의 생애취록은 아니고 그것을 보고 외워 적어놓은 성남의 언문.
이제 뭐가 남았나 짚어보는데...
'밥 먹으며 수다 떨어보기, 별똥별 보며 소원 빌기' 남아 있다.

36　어느 민가 전경 (낮)

37　동 방 안 (낮)

의성군에게 차를 따라주는 황귀인.
소매 끝이 새까맣지만 자세와 표정만큼은 우아하고 기품 있는데.

황귀인　참.. 지난번 선생들은 어땠느냐?
의성군　(보다가 받아주는) 산술은 영 별로였습니다.

황귀인　그럼, 그 선생은 바꿔주마.
의성군　예 어머니...

찻잔을 고고하게 내려놓는 황귀인.
그런 황귀인을 아프게 보는 의성군.

38　민가 마당 (낮)

의성군 문을 열고 나오다가 멈칫하면
마당에 화령이 서 있다.

점프, 마당에 마주 서 있는 화령과 의성군.

의성군　아직도 절 감시하십니까?
화령　그래. 난 널 믿지 않는다. 끝까지 지켜볼 거야.
그러니 네 어머니를 위해 오기로라도 버티거라.
의성군　.....
황귀인　(문 열고 나오는) 어디 계십니까? 어디 계십니까?!
의성군　이만 가봐야겠습니다.

의성군이 예를 갖추더니 급히 황귀인이 있는 마루로 올라선다.
얼른 의성군의 손을 잡는 황귀인.

황귀인　절 두고 가버리신 줄 알았습니다.
의성군　(손을 꽉 잡아주며) 왜 그런 생각을 하셨습니까? 이만 들어가시지요.
황귀인　예~ (손을 꽉 잡는다) 손이 참 따뜻합니다...
의성군　(슬프게 웃는다)

그런 두 모자를 바라보는 화령, 한참이고 그 자리를 떠나지 못하는데.

39 어느 안가 방 안 (낮)

멍하니 앉아 있는 윤왕후.
앞에는 밥상이 놓여 있다.

화령 (E) 이익현의 소생이 살아 있습니다.

눈빛이 변하는 윤왕후, 숟가락을 든다.
밥을 꾸역꾸역 입에 넣어 꼭꼭 씹는다.

40 태소용 처소 (낮)

태소용, 고귀인, 옥숙원이 모여 있는데
니가 왜 거기서 나와 하는 느낌으로 수첩 들고 그 사이에 껴 있는 무안.
그리고 옥숙원 옆에 앉아 다과를 집어 먹는 호동군도 보인다.

무안 (세상 진지하고) 아무래도 우리 아라가 천재 같습니다!
그러니까 왕실에서만 내려오는 교육법 좀 알려주십시오.
태소용 꼬네꼬네, 길르래미 훨훨은 해봤어요?

[자막] 꼬네꼬네: 아기를 손바닥에 올리고 스스로 중심을 잡도록 하는 운동법
길르래미 훨훨: 훨훨 날아가는 형상으로 두 손끝을 흔드는 운동법

무안 그건 이미 애저녁에 뗐습니다~
고귀인 그럼. 인두수련법을 시작해보세요~~
크게 소리 내서 서책을 읽고 모두 암송하는 건데
(머리 톡톡) 두뇌 발달을 강화하는 효과가 있답니다~
무안 (끄덕이며 수첩에 막 적는다)
태소용 아니 근데~ 무안대군은 출합한 거 맞습니까~?

고귀인 (피식) 그러게요~ 예전보다 궁에서 더 자주 보는 것 같습니다.

옥숙원, 호동군에게 식혜 챙겨준 뒤

옥숙원 (무안 보며) 근데~ 우리보고 맨날 극성 극성이라고 뭐라더니~
호동군 형님이 제일 극성이십니다~ (식혜 쭉 들이킨다)
무안 (웃더니) 부모의 마음이 그런 것이 아니겠습니까~?
많은 지도편달 부탁드립니다~
후궁들 (웃는다)

41 궐내 거리 (오후)

대화하며 나란히 걸어가는 태소용과 보검군.

태소용 무안대군은 하루가 멀다 하고 궁을 드나드는데
너는 어찌 세자만 만나고 가는 것이냐~?
보검군 세자저하는 공적인 일로 찾아뵙는 것입니다.
의창 개혁을 논의해야 하니까요.
태소용 (입 삐죽) 아무리 그래도 그렇지... 얼굴 까먹겠다~
보검군 출합한 왕자가 사사로이 궁을 드나드는 것은 법도에 어긋나는 일입니다.
태소용 (속상) 한마디를 안 져주는구나...
보검군 (걸음을 멈추더니 태소용을 본다) 앞으로 저하를 만난 뒤에는
어머님을 꼭 찾아뵙겠습니다.
태소용 (신남) 진짜~?
보검군 (미소) 예.

다시 걷기 시작하는 보검군.
"보검군~ 같이 가자~" 총총총 뒤따르는 태소용.

42 민가 방 안 (오후)

서안 위로 서책을 쓱 내미는 고귀인.
심소군 의아한 듯 고개 드는데.

심소군 이 서책은 무엇이옵니까?
고귀인 뭐긴~ 회임 비법서다~
심소군 (눈 커지면)
고귀인 내 세자빈의 회임을 도운 그 보모상궁한테
특별히 공수해 온 것이다~ (낮게) 만월이 차오르는 내일모레 자정이
합방하기 가장 좋은 날이래~
심소군 어마마마. (하는데)
고귀인 (OL 약재 첩지를 쓱 내밀며) 기혈을 보강하는 녹각과 오가피다~
새아가랑 같이 달여 먹거라~ (손가락 펴며) 하루에 세 번~
심소군 먹지 않겠사옵니다.
고귀인 (무슨 소리) 아니 왜~?
심소군 어마마마, 이 약재들은 소자에게 필요 없사옵니다.
고귀인 (속상) 심소군~! 성의를 봐서라도 먹어보거라~ 응?
심소군 이미 회임했사옵니다.
고귀인 어머! (잔뜩 기대하며) 그럼 손주는 내가 키워주마~
심소군 (웃는) 어마마마~ 제 자식은 제가 알아서 잘 키우겠습니다.
고귀인 (살짝 삐진 표정 짓지만, 그래도 기특한 눈빛)

43 궐내 일각 (오후)

궐을 뛰어다니는 호동군, 나름 진지하다.
그 모습 의아하게 쳐다보는 옥숙원.

옥숙원 호동군~ 왜 그리 뛰느냐?
배 다 꺼진다.

호동군 (헉헉. 멈춰 서며 엄마 앞에 다소곳이 손 모으고) 어마마마~
소자 오늘부터 결심한 것이 있습니다~!

옥숙원 결심?

호동군 예~ 소자 (볼록한 귀여운 배에 손 올리며) 살을 빼기로 결심했습니다.

옥숙원 살을 왜 빼~? 지금 딱 보기 좋은데~

호동군 (진지) 형님들처럼 키도 크고 멋져지고 싶습니다~

옥숙원 (볼살 만져주며, 미소) 이게 다 키로 가는 거야~~
우리 호동군은 분명 세자 형님만큼 클 것이다~~

호동군 (눈 반짝) 오 진짜요?

옥숙원 그럼~~ 그리고 엄마 눈엔 지금도 호동군이 제일루 멋져!

호동군 (눈빛 더 반짝) 어마마마! 뛰고 나니 배가 고픕니다.

옥숙원 어 그래. 고기 먹으러 가자~

호동군 (활짝 웃는)

옥숙원과 호동군 손잡고 궐을 걸어간다.

44 혜월각 마당 (오후)

청하와 혜월각으로 들어서는 화령.
청하, 신기한 듯 혜월각을 쭉 둘러보는데
대청마루엔 바느질하는 여인들이 여럿 보이고,
마당엔 아이들이 뛰어논다.

청하 여긴 뭐 하는 곳입니까~?

화령 오갈 데 없는 여인들이 자립을 할 수 있도록 돕는 곳입니다.

청하 (놀라 유심히 둘러보며) 와~ 이런 곳이 있었습니까~?

화령 예~ 이제부터는 빈궁께서 저와 함께 이들의 방패가 되어주시지요.

청하 예~!!

행수가 다가와 반갑게 인사한다.

행수 오셨사옵니까~?
화령 (눈인사하더니 미소로) 세자빈에게 혜월각을 안내해주게~
행수 예~ (청하 안내한다) 이쪽으로 오시옵소서.

행수를 따라 혜월각 곳곳을 소개받는 청하.
그때 화병을 든 여종이 화령에게 다가선다.
그녀의 얼굴을 기억해내는 화령.

F.B 》 10부 13씬. 양반집 대문 앞 (낮)
여종에게 손을 내미는 화령.
여종 눈이 동그래져서 보면.

화령 내 이미 네 인생에 끼어들었느니라.
여종 (머뭇댄다)
화령 (괜찮다는 듯 끄덕이면)

현재 》 화병을 화령에게 건네는 여종.

여종 마마께 꼭 보답하고 싶었사옵니다~ 받아주시옵소서.
화령 (받더니 화병을 살핀다) 참으로 예쁘구나~
내 침전에 이 화병을 두고 꽃을 꽂아두마.
꽃을 볼 때마다 네 생각이 나겠구나~
여종 (수줍은 미소)
화령 (미소)

45 계성대군 처소 (다른 날, 낮)

벽면에 여러 장의 화조화(花鳥畵)가 붙어 있는 가운데
또 다른 화조화를 그리고 있는 계성.

그 앞에선 일영이 방패연과 가오리연을 만들고 있다.
호동군은 양손에 간식을 든 채 두 형님의 취미생활을 구경하고 있다.

호동군　형님~ 방패연과 가오리연 중에 뭐가 더 높이 납니까?
일영　방패연일걸. 꼬리가 없어도, 바람의 방향에 상관없이
자유자재로 날릴 수 있거든~
호동군　아~~ 다음에 같이 날려봐요 형님~
일영　좋다 아우야~ 내 지금 집중 연구 중인 연이 있거든!
호동군　(씽긋 웃더니 다시 화조화 구경한다) 근데 계성대군 형님~
왜 형님의 그림엔 새들이 날지 않고 나무에만 앉아 있습니까~?
일영　(그 말에 벽면에 붙은 그림 다시 본다) 어! 진짜네요.
왜 새들이 다 날개를 접고 있습니까~?
계성　(몰랐었고. 자신이 그리고 있던 새도 살피는데 날개를 접고 있다)

46　궐내 거리 (오후)

일영이 급히 달려와 성남에게 귀띔한다.

일영　형님~ 바로 오늘입니다 오늘!
성남　확실해?
일영　(끄덕) 방금 관상감관천대(觀象監觀天臺)에 다녀왔습니다~
성남　몇 시쯤이라 하더냐?
일영　석강 끝나면 곧장입니다. 순식간에 끝난다 하니 뛰셔야 합니다.

47　빈궁전 침전 (밤)

갑자기 문을 벌컥 열고 들어오는 성남.
청하 깜짝 놀라는데.

성남 빈궁! 어서 나오세요~
청하 (앉아서 갸웃) 예? 왜요?

성남, 다가와 청하의 손을 잡고는 달려 나간다.

48 빈궁전 앞 (밤)

고개 들어 밤하늘을 올려다보는 동궁 부부.
청하는 뭐지 하고 하늘을 보는데
갑자기 별똥별이 쏟아지듯 떨어진다.

청하 와 별똥별입니다~~! (얼른 성남을 보면)
성남 (눈 감은 채) 저 보지 마시고 얼른 소원 비세요~
청하 (피식. 하더니 눈 감고 소원 빈다)
성남 (소원 다 빌고 눈 뜬다. 그리고 청하 본다)
청하 (소원 다 빌고 눈 뜬다) 무슨 소원을 비셨습니까 저하~?
성남 비밀입니다.
청하 (피--)
성남 (미소)

함께 밤하늘을 올려다보는 성남과 청하.

성남 빈궁. 이제 소원은 다 이루셨습니까?
청하 (환한 미소) 저도 비밀입니다.
성남 (본다)
청하 (본다)

순간 청하의 허리를 확 끌어당겨 안는 성남.
입술과 입술이 닿을 듯 말 듯 가까워졌는데

청하 (본다)
성남 (본다) 왜 합궁 날 아무 일 없었다고 하셨습니까?
청하 기억을 못 하시기에...
성남 이미 기억났습니다.

하더니, 갑자기 키스하는 성남.
청하... 놀란, 이내 눈을 감으면
허리를 감싼 성남의 손이 더욱 꽉 청하를 끌어안는다.

49 중궁전 침전 (밤)

쪼르르 찻잔에 따라지는 차.
찻상을 사이에 두고 마주 앉아 있는 화령과 계성.
화령, 편안해진 얼굴로 여유 있게 차를 음미한다.

화령 이리 함께 차를 마시니 참 좋구나~
이제 어미에게 여유가 생겼으니 자주 들르거라.

그런 화령을 보다가 조심스럽게 입을 떼는 계성.

계성 어마마마. 소자 떠나겠사옵니다.
화령 (놀라 본다)
계성 새로운 세상을 보고 싶사옵니다.
화령 환아 어찌 그러는 것이냐...?
계성 (진심을 담아 본다) 어머니께서 저를 궁 밖으로 데리고 나가셨던 그날이
가장 행복했습니다 전...
그림 속 저를 처음 보았을 때
태어나 처음으로 진짜 내가 되는 걸 허락받은 기분이었사옵니다.
화령 (보다가) 너 없이 어찌 어미가 편히 웃을 수 있겠느냐...?
자식을 곁에 두고 싶은 이 어미의 마음도 헤아려주거라.

계성	어마마마... 언제까지 어머니 뒤에 숨어 살 수는 없사옵니다.
화령	(자식의 눈을 본다)
계성	이제는 저답게 살고 싶사옵니다. 소자 태어나 지금껏 궐에서만 살지 않았사옵니까? 아직 부딪혀보고 싶은 세상이 많사옵니다.
화령	(보는데 충혈된다)
계성	걱정 마십시오. 이제는 제가 절 책임져야지요. 이제 제 손을 놓아주셔도 됩니다. 어마마마...
화령	(성장한 자식을 눈에 담는) 우리 환이 다 컸구나...

50 궐, 정문 앞 (다른 날, 낮)

일영 울먹.
무안, 우씨... 미간 잡으며 참는다.
성남은 딴 데 본다.

일영	(자신이 아끼는 휴대용 앙부일구 건네며) 집중 연구한 휴대용 앙부일구를 형님께 드리겠습니다... 전 또 만들면 되니깐요. (깨알같이 손으로 짚어 알려주며) 나침반도 합체했으니 먼 길을 다니실 때 요긴하게 쓰일 겁니다.
계성	(머리 만져주며) 고맙다 일영대군. 건강하거라. 밥 잘 먹구. 아프지도 말거라...
무안	(버럭) 야!! 아니 너는 왜 다시는 안 올 사람처럼 그리 인사하냐?
성남	(다시는 오지 못할 거란 걸 안다)
일영	형님. 그냥 매년 배 타고 들어오십시오. 그러실 거지요?
계성	(대답 못 한다)

성남, 다가와 말없이 계성의 어깨 잡는다.
그런데 그 팔에 안기는 계성.

갑자기 자기도 와서 다른 팔에 안기는 무안.
덩달아 그 사이로 파고드는 막내 일영.
졸지에 모두를 안게 된 성남...

성남 얼른 가. 덥다.
무안 아 따뜻한데요 왜?
일영 (갑자기 훌쩍)
무안 (훌쩍)
성남 (안 슬픈 척) 가라.

계성, 형제들의 품에서 나와 이동한다.

무안 돌아보지 마! (눈물 쓱)

돌아보지 않고 궁을 빠져나가는 계성.
성남, 양손으로 다른 아우들 감싸더니 위로한다.

51 중궁전 침전 (낮)

담담히 앉아 있는 화령.
손엔 계성의 초상화가 들려 있다.
여인의 모습이 그려진 자식의 얼굴을 쓰다듬더니
이내 초상화를 가슴에 품는 화령.

52 동궁전 마당 (낮)

민휘빈과 청하가 나란히 서 있다.
청하가 어딘가를 보며 웃는데 그곳엔 잡기 놀이 중인 성남과 원손 있다.

원손 숙부 어딨습니까? 안 보입니다.

원손의 머리엔 커다란 세자익선관이 씌워져 앞이 보이지 않는다.
두 팔을 휘저으며 성남을 찾는 원손.

청하 사내아이를 낳고 싶습니다~
별똥별이 떨어질 때 그리 소원을 빌었습니다.
저하 똑 닮은 아들을 낳게 해달라구.
민휘빈 그럼 소원이 이뤄지겠네요~
청하 아직은 모릅니다~
민휘빈 예?
청하 별똥별이 떨어질 때 저하께서는
저를 똑 닮은 딸을 낳게 해달라고 비셨대요.
민휘빈 (미소) 누구 소원을 들어줄지 곧 알게 되겠네요.

미소로 성남과 원손을 보는 청하.
커다란 세자익선관이 원손의 얼굴을 완전히 가려 성남이 보이지 않는다.
원손 손을 뻗어 휘휘 젓는데.
이내 익선관을 살짝 들어 제대로 씌워주는 성남.

성남 잘 어울리는구나.

익선관을 쓴 원손을 보며 미소 짓는 성남.

성남 (E) 저하. 이 궁중을 지켜주시지요.
전 저하의 나라를 지켜드리겠사옵니다.

마주 보는 작고 큰 두 남자.
아빠와 아들 같기도 또 형제 같기도 한 모습.

53 궐내 거리 (낮)

혼자 걷고 있는 화령.
그런데 하나둘 떨어지기 시작하는 빗방울.
그때, 화령의 머리 위로 우산이 씌워지는데...
돌아보면 성남이다.
이제는 성남의 우산 아래 서 있는 화령.
엄마보다 훌쩍 커버린 자식이 화령에게 우산을 받쳐준다.
성남과 함께 슈룹을 쓰고,
궁중 한가운데로 걸어 들어가는 화령의 뒷모습에서_ 엔딩!!

54 【에필로그】 중궁전 침전 (낮)

서안 위에 놓인 화병(혜월각에서 받은)엔 활짝 핀 꽃이 가득 담겨 있다.
화병 옆에 둔 봉투에서 서찰을 꺼내 펼치는 화령.
보면, 글자 하나 없는 그림엔 이국적인 여행지의 풍경과
그 안에 한복을 입은 여인(계성과 닮은)이 그려져 있다.
자세히 보면 입가엔 미소가 번진 행복한 여인의 모습.
그 그림 속 여인을 어루만지는 화령. 그리움과 반가움.

신상궁 (E) 마마! 중전마마!!

신상궁이 급히 들어온다.

신상궁 마마. 일영대군께서 날아보겠다고 또 지붕에 올라가셨습니다!
화령 뭐?! (하.. 깊은 빡침) 이 자식 어딨어?!

55 지붕 위 (낮)

커다란 대형 연을 끌고 어딘가로 향해 가는 일영.
만류하며 따라붙는 호동군.

호동군 형님 위험하옵니다~~!

일영 내 철저하게 준비했느니라~
내 오늘은 반드시 날아오를 것이다!

호동군 !!!

56 궐내 거리 (낮)

엄청난 속도로 뛰어가는 화령.
헉헉대며 그 뒤를 따르는 신상궁과 궁녀들.

신상궁 마마~~ 중전마마~~ 천천히 뛰시옵소서. 제발 천천히~~

뛰어가는 화령의 얼굴 위로-

화령 (E) 국모는 개뿔! 중전은 극한직업이다!!!

그러면서도 웃고 있는 화령의 얼굴에서 진짜 엔딩!!

부록

❶ 세자의 죽음을 밝혀라!

❷ 왕자들 답안지 대공개! - 배동 선발전

※
이 부록에 실린 문서는 극에 들어가는 각종 자료들의 한자 작문과 한의학적 고증, 오류 검증 요청을 위해 작가가 만든 것 중 일부입니다. 왕자들의 답안지는 실록을 기반으로 작성한 것입니다. 영상에 직접 노출되는 양은 극히 적지만, 극의 기반이 되는 작가의 설정을 들여다볼 수 있는 자료라 판단해 부록으로 싣습니다. (편집자)

❶ 세자의 죽음을 밝혀라!

··· 세자 사망 타임라인 ···

<table>
<tr><th>날짜</th><th colspan="2">증상</th><th>비고</th></tr>
<tr><td>11/10</td><td rowspan="9">약 보름에 한 번 졸도</td><td>귀비탕</td><td rowspan="13">병상일지
작성 부분</td></tr>
<tr><td>11/27</td><td>독삼탕</td></tr>
<tr><td>12/12</td><td>(독삼탕)</td></tr>
<tr><td>12/27</td><td>사물탕</td></tr>
<tr><td>1/11</td><td>독삼탕</td></tr>
<tr><td>1/26</td><td>귀비탕, 간수 소독</td></tr>
<tr><td>2/12</td><td>독삼탕, 인삼양영탕, 간수 소독</td></tr>
<tr><td>2/27</td><td>온담탕</td></tr>
<tr><td>3/13</td><td>사물탕, 간수 소독</td></tr>
<tr><td>3/16</td><td>최초로 3일 만에 졸도</td><td>인삼양영탕</td></tr>
<tr><td>3/20</td><td>4일 만에 졸도</td><td>독삼탕</td></tr>
<tr><td>3/24</td><td>4일 만에 졸도</td><td>팔진탕</td></tr>
<tr><td>3/27</td><td>3일 만에 졸도</td><td>팔진탕, 온담탕</td></tr>
<tr><td>3/31</td><td colspan="2">4일 만에 졸도</td><td></td></tr>
<tr><td>4/4</td><td colspan="2">4일 만에 졸도</td><td></td></tr>
<tr><td>4/7</td><td colspan="2">3일 만에 졸도</td><td></td></tr>
<tr><td>4/10</td><td colspan="2">3일 만에 졸도</td><td></td></tr>
<tr><td>4/15</td><td colspan="2">5일 만에 졸도</td><td></td></tr>
</table>

4/21	(D-Day)	**1부 세자 쓰러짐/혈허궐 진단**	권의관이 혈허궐 치료하는 척하며 악의적 시침 및 탕약에 간수 투입
4/25	(D+5)	온천행 위장 후 중궁전에서 권의관이 치료(약 5일) 혈허궐 치료하는 척하며 독살 술수를 쓰는 권의관	
4/30	(D+10)	이호, 빈궁 해산일 다가오니 세자 피접 끝내라 명함	
5/1	(D+11)	**성남대군이 외부약재를 들여옴/침 치료 중단**/외부약재 사용 고민 성남대군이 외부에서 가져온 처방전에 시침을 중단하라고 적혀 있어, 이때부터 권의관이 시침을 못 하게 됨 그러나, 며칠 후 사람들 눈을 피해 다시 독살 술수를 쓰기 시작함	공식적으로 시침 중단되나, 권의관이 사람들의 눈을 피해 악의적 시침 및 탕약에 간수 투입
5/2	(D+12)	**외부약재 쓰기 시작함/의식 회복 + 차도를 보임**	
5/3	(D+13)	의식 회복 + 차도를 보임	
5/4	(D+14)	의식 회복 + 차도를 보임	
5/5	(D+15)	의식 회복 + 차도를 보임	
5/6	(D+16)	의식 회복 + 차도를 보임/**빈궁 해산/강건하게 돌아온 세자**	
5/7	(D+17)	**시강원에서 선혈 쏟으며 졸도**/권의관 옥에 갇힘/조국영 혈허궐 진단	조국영 어의에 의해 혈허궐 치료 시행
5/8	(D+18)	의식 회복 못 함/조국영 시침 시작/천궁, 작약 처방	
5/9	(D+19)	토혈은 멈추었으나 의식 회복 못 함/성남, 다시 토지선생 찾아감	
5/23	(D+33)	**졸도 후, 보름이 지나도록 의식 회복 못 함**/폐세자 외치는 문무백관들	
5/25	(D+35)	**세자 사망**	

… 권의관의 세자 치료 상황 …

날짜	치료 상황
4/21 ~ 4/30	- 4/21에 모친인 중전 앞에서 졸도한 후, 혈허궐을 앓아온 사실이 밝혀짐 - 그동안 권의관이 세자를 죽이기 위해 장침/간수를 사용해오고 있었다는 사실을 모르는 중전은 의심 없이 권의관에게 세자 치료를 맡김 - 권의관은 그간 해왔던 대로 세자의 혈허궐을 치료하는 척하면서 몰래 탕약에 간수를 섞고 시침(혈허궐 침술을 가장해 장기출혈 유도하는 장침 시침 및 악의적 침술)을 하여 계속 세자의 상태를 악화시킴 - 치료에 차도가 없자 성남대군이 궁 밖으로 나가 혈허궐 처방전과 외부약재를 구해 옴
5/1 ~ 5/6	- 이 처방전에 시침을 금하라고 적혀 있어, 이때부터 권의관이 시침을 못 하게 됨 - 외부약재로 만든 혈허궐 탕약을 먹고 세자가 일시적으로 차도를 보임(약 5일간) - 하루 이틀은 권의관도 독살 술수를 쓰지 못 함(의심에서 벗어나기 위한 방법) - 잠잠했던 권의관 며칠 후 활동 재개 - 사람들의 눈을 피해 악의적 침술을 시행함(장기출혈 유도하는 장침 + 악의적 침술) - 탕약에 간수 양을 몇 늘려서 섞음 → 성남대군이 구해 온 처방약에 몰래 간수 섞음 - 세자는 시강원 가기 전에 이걸 먹었고 결국 쓰러져 사망에 이르게 됨 ※ 결국, 간수 투입으로 인한 혈액 응고 및 장기 내부출혈로 사망에 이른다는 설정 그래서 세자가 죽기 전, 어혈을 토하고 피부병을 앓는 것으로 묘사 (간수 마시면 가려움증을 겪게 됨)
5/7 ~ 5/24	- 이때부터 권의관은 세자에게 접근 못 하고 옥에 갇힘 - 어의에 의해 공식적으로 혈허궐 진단이 내려짐 - 의식을 잃은 상태에서 혈허궐 치료가 시행됨 (혈허궐 시침 + 천궁 및 작약 처방)
5/25	- 졸도 후, 약 보름 만에 세자 사망

11月 10日

미시경 혼절하여 한 시진이 지나도록 깨어나지 못했다. 시월에 이어 보름여 만에 다시 혼절한 것이다. 석강에 겨우 참석했다.

일과를 모두 마친 후, 권의관이 중완(中脘)에 뜸을 떴으며 기문혈에 시침하였다. 동의보감에 따르면 “허로토혈(虛勞吐血)의 경우, 중완(中脘)에 뜸을 300장 뜬다.”고 한다. 또한 “시궐(尸厥)에는 기문 · 거궐 · 중극 · 복삼 · 은백 · 대돈 · 금문에 자침한다.”고 되어 있다.

동의보감의 처방에 따라 당귀 · 용안육 · 산조인(볶은 것) · 원지(법제한 것) · 인삼 · 황기 · 백출 · 복신 각 1돈, 목향 5푼, 감초 3푼. 이 약들을 썰어 1첩으로 하여 생강 5쪽, 대추 2개와 함께 물에 달인 귀비탕을 혼절에서 깨어난 직후와 저녁 식사 후 두 번에 걸쳐 마셨다

11月 27日

오시경 혼절하여 반 시진만에 깨어났다. 권의관을 불러 증상을 이야기하고 시침받았다. 기문혈에 시침한 다음, 배꼽 중심에서 위쪽으로 4寸의 위치에 약 1촌(寸)의 깊이로 직자(直刺)하였다. 권의관이 달여 올린 독삼탕을 깨어난 직후와 저녁 식사 후 두 번에 걸쳐 마셨다.

12月 12日

해시경 혼절하여 한 시진 만에 깨어났다. 일과가 끝난 후, 휴식을 취하기 위해 자리에 앉는 순간부터 기억이 나지 않는다. 내관이 급히 권의관을 불러 시침하게 했다 하나 그조차 기억에 없는 일이다. 중완에 뜸을 뜬 후, 기문혈에 시침하였다고 한다.

동의보감에 따르면 기문혈은 간의 모혈(募穴)인데, 양 젖꼭지의 1.5촌 아래에 있다. 왼쪽 갈비뼈 부분에 지금껏 뻐근하고 불편한 느낌이 드는 것은 분명 잦은 시침 때문일 것이다.

12月 27日

기상 직후 졸도하여 반 시진 동안 깨어나지 못하였다. 조강을 마친 후 권의관을 불러 시침 받았다. 평소와 다름없이 권의관이 중완에 뜸을 뜬 후, 기문혈에 시침하였다. 탕약은 사물탕을 처방받았다.

적수현주 궐증문(赤水玄珠·厥證門)을 보면 황백, 지모를 가하여 사용하는 예가 나오고 동의보감에는 "사물탕이라는 것은 혈병을 두루 치료하는 탕으로 숙지황·백작약·천궁·당귀 각 1.25돈. 이 약들을 썰어 1첩으로 하여 물에 달여 먹는다." 고 나와 있다.

1月 11日

아침에 일어났을 때부터 기침이 나고 오한기가 있었다. 오시경 혼절하여 주강 직전에 겨우 눈을 떴다. 땀을 많이 흘려 정신이 혼미한 데다 계속 추위를 느껴 방을 뜨겁게 하고, 옷을 껴입어야만 했다. 권의관을 불러 증상을 이야기하고 탕약을 처방받았다.

동의보감을 보면 허로에 토혈이 있거나 오장이 무너져서 1되나 1말이 되는 피를 토하는 것을 치료할 때는 독삼탕을 먹어야 한다고 나와 있다. 화예석산을 먹고 어혈이 변하여 누런 물이 되면 계속하여 독삼탕을 먹는다고도 한다. 독삼탕을 저녁 식사 후와 취침 직전에 두 번 마셨다.

1月 26日

미시경 혼절하여 두 시진이 지나도록 깨어나지 못했다. 석강에 겨우 참석했다. 정신을 차린 후 권의관에게 물으니 중완에 뜸을 뜬 후, 기문혈에 시침하였다고 한다. 혼절했을 때라 기억은 나지 않으나 갈비뼈 부근의 미세한 통증으로 짐작할 수 있는 바였다. 탕약은 귀비탕을 마셨다.

어지러움이 심해 저녁 식사 전까지 서책을 보지 못한 채 누워 있어야 했다. 속이 더부룩하고 메스꺼워 저녁에 죽을 들이라 명하였으나 반도 먹지 못했다. 먹은 것이 없으니 힘이 있을 리가 없고, 힘이 없으니 매사에 집중이 되지 않는다. 보름 전에 이어 또 쓰러진 것이니 걱정에 우울함이 더해져 잠도 잘 이루지 못한다. 잠을 이룰 수 없으니 깨어 있는 시간이 길어져 자연히 책을 펼치는 시간 또한 늘어난다.

늦은 밤 동의보감을 펼쳐본다. 동의보감에 비위의 울화로 혈이 소모될 때 귀비탕을 쓴다고 나와 있다. 약탕의 조성은 다음과 같다.

"근심과 생각으로 심비(心脾)를 상하여 건망과 정충이 있는 것을 치료한다. 당귀 · 용안육 · 산조인(볶은 것) · 원지(법제한 것) · 인삼 · 황기 · 백출 · 복신 각 1돈, 목향 5푼, 감초 3푼. 이 약들을 썰어 1첩으로 하여 생강 5쪽, 대추 2개와 함께 물에 달여 먹는다."

근심과 생각으로 심비가 상한 경우에 먹는 약이라 하니 나의 상태에 들어맞는 처방이구나 생각하다가도 내 몸이 이런 상태구나 한 번 더 깨닫게 되어 답답한 심사가 된다.

저녁 무렵에 간수로 피부병 환부를 소독하였다. 피부병이 도무지 나아질 기미가 보이지 않는다. 간지러움을 참기가 매우 힘들다. 수시로 환부를 긁어 속옷에 핏자국이 밸 정도다.

2月 12日

아침 문안을 가기 직전에 또 혼절하여 반 시진 동안 깨어나지 못하였다. 이른 아침에 혼절하는 건 처음이다. 문안에 늦으면 부모님께 건강 이상을 들킬 수 있고, 이는 곧 불효이니 어떻게든 일이 더 커지기 몸을 보해야 한다.

주강을 마친 후, 권의관이 중완에 뜸을 뜨고 기문혈에 시침하였다. 권의관이 지난 두 달 동안 복용했던 독삼탕에 더해 인삼양영탕을 추가 처방하였다. 두혼과 빈혈 증세로 인한 혈허기약 처방이라 한다.

인삼양영탕은 오늘 처음 처방받은 탕약이다. 동의보감을 보면 "기가 흩어져서 속이 허하고 나른하고 힘이 없으며 숨이 짧아 숨을 잘 쉴 수 없을 때는 조중익기탕과 인삼양영탕을 써야 한다."고 나와 있다.

"허손이 되어 기혈이 부족하고 몸이 마르며, 나른하고 숨이 짧으며 잘 먹지 못하거나, 한열, 자한이 있는 경우를 치료하는 탕약으로, 백작약(술에 축여 볶는다) 2돈, 당귀 · 인삼 · 백출 · 황기(꿀에 축여 볶는다) · 육계 · 진피 · 감초(굽는다) 각 1돈, 숙지황 · 오미자 · 방풍 각 7.5푼, 원지 5푼. 이 약들을 썰어 1첩으로 하여 생강 3쪽, 대추 2개를 넣어 물에 달여 먹는다."고 한다. 권의관이 최근 땀을 많이 흘리고 오한과 발열이 있으니 이 탕약이 도움이 될 것이라 하였다.
일과를 끝낸 후, 간수로 피부병 환부를 소독하였다. 작년보다 아양 증세도 심해지고 있다. 간지러움을 참기가 힘들어 자면서도 환부를 긁으니 속옷과 이불에 핏자국이 배는 일이 허다하다.

------------------------------------ (찢겨진 부분) ------------------------------------

권의관이 기문(期門)혈에 시침하기 시작한 이후 토혈이 시작되었다. 갈비뼈 부근의 통증도 점점 심해지고 있다.

2月 27日

술시에 졸도하여 한 시진 동안 깨어나지 못하였다. 최근 불면증으로 잠을 이루지 못한 것이 혈허 증상을 더욱 악화시킨 것인가? 잠이 보약이라 하지만 머리를 헤집고 다니는 걱정과 고민거리들을 쉬이 잠재우지 못한 채로 아침을 맞는 일이 잦아진다. 권의관이 온담탕을 처방해주어 복용하였다.
동의보감 입문을 보면 "큰 병을 앓은 후, 허번으로 잠들지 못할 때 온담탕을 주로 쓴다. 심할 때는 익원산에 주사 · 우황을 넣어 복용한다."고 나와 있다. 허번이란 가슴이 답답하고 편안하지 않은 것으로《내경》에, "음이 허하면 속에서 열이 난다."고 하였다.
병증을 설명하는 의약서들을 부지런히 찾아 읽는 것은 매일의 내 건강 상태를 확인할 수 있기 때문이다. 늘 그렇듯 오늘도 이들 문서가 전하는 내용은 명확했고, 내 병증도 그에 들어맞았다. 그래, 제대로 된 처방을 찾았구나, 하고 안도하다가도 허탈감이 밀려온다. 문서의 내용이 명징할수록 그 내용이 내 심장과 머리에 더욱 아프게 아로새겨지는 기분인 것이다.

3月 13日

기상 직후 졸도하였다. 이번엔 두 시진이나 깨어나지 못하였다. 작년에는 일각을 넘기지 않고 의식을 회복하였는데 점점 정신을 차리지 못하는 시간이 늘어나고 있으니 어찌 된 일인가? 조강을 마친 후 권의관을 불러 시침받았다. 기문혈에 시침한 이후, 배꼽에서 위쪽으로 4寸의 위치에 약 1촌(寸)의 깊이로 직자(直刺)하였고, 혈허 치료를 위한 사물탕을 처방받았다.

적수현주 궐증문(赤水玄珠·厥證門)을 보면 황백, 지모를 가하여 사용하는 예가 나오고 동의보감에는 "사물탕이라는 것은 혈병을 두루 치료하는 탕으로 숙지황·백작약·천궁·당귀 각 1.25돈. 이 약들을 썰어 1첩으로 하여 물에 달여 먹는다."고 나와 있다.

사물탕과 함께 신경과민과 불면증 치료를 위한 환을 처방받았다. 원지와 용안육으로 만든 것이라 한다. 궐에는 봄이 오고 새싹이 움트는데 몸과 마음은 한겨울처럼 차갑기만 하다. 뜨거운 물을 내내 옆에 두고 있다. 아양 증세 또한 나아지지 않고 있어 매일 밤 잠들기 전 간수로 피부병 환부를 소독한다. 간지러움의 고통이 극심하다.

3月 16日

저녁 식사 직후 졸도하였다. 사흘 전 졸도한 후, 겨우 기력을 회복하나 싶었는데 어인 일인가? 졸도가 이리 빨리 찾아온 것은 처음 있는 일이라 당황스럽기만 하다. 지난번에 이어 두 시진 넘게 깨어나지 못하였으니 더욱 두려운 마음이다. 정신을 잃은 상태로 기문혈에 시침을 받았다. 졸도를 하는 시간과 때를 전혀 가늠할 수 없으니 빡빡한 일과를 제대로 수행치 못하게 될까 동궁전이 살얼음판이다.

백작약(술에 축여 볶는다) 2돈, 당귀·인삼·백출·황기(꿀에 축여 볶는다)·육계·진피·감초(굽는다) 각 1돈, 숙지황·오미자·방풍 각 7.5푼, 원지 5푼. 이 약들을 썰어 1첩으로 하여 생강 3쪽, 대추 2개를 넣어 물에 달인 인삼양영탕을 복용하였다. 권의관과 내관의 뜻에 따라 평소보다 일찍 잠자리에 들었다.

3月 20日

해시에 서책을 읽다가 졸도하였다. 이번에는 세 시진 넘게 정신을 차리지 못하였다. 모든 일과가 끝난 한밤중에 벌어진 일이다. 의관을 함부로 부를 수도 없어, 내관이 사람을 궁 밖으로 보내 퇴근한 권의관을 다시 동궁전으로 불러들였다 한다. 권의관이 중완에 뜸을 뜬 후, 기문혈에 시침하였다. 이후, 배꼽에서 위쪽으로 4寸의 위치에 약 1寸의 깊이로 직자(直刺)하였다. 동의보감에 따르면 "허로토혈

(虛勞吐血)의 경우, 중완에 뜸을 300장 뜬다."고 한다. 또한 "시궐(尸厥)에는 기문·거궐·중극·복삼·은백·대돈·금문에 자침한다."고 되어 있다.

탕약은 독삼탕을 먹었다. 동의보감을 보면 허로에 토혈이 있거나 오장이 무너져서 1되나 1말이 되는 피를 토하는 것을 치료할 때는 독삼탕을 먹어야 한다고 나와 있다. 화예석산을 먹고 어혈이 변하여 누런 물이 되면 계속하여 독삼탕을 먹는다고도 한다. 독삼탕을 저녁 식사 후와 취침 직전에 두 번 마셨다. 혈허 증세가 하루가 다르게 더욱 깊어지니, 권의관이 약재를 좀 더 강하게 쓰겠다 하였다. 이로 인해 일시적으로 몸이 부담을 느끼는 증상이 일어날 수도 있다고 한다.

왼쪽 갈비뼈 부분에 불쾌한 통증이 있다. 아마도 시침 때문인 듯하다. 기문에 시침을 받은 일이 적지 않은데, 평소에는 괜찮다가도 때로는 이유 모를 통증이 느껴지기도 하니 어인 일인고?

3月 24日

또 졸도하였다. 이번엔 밤잠을 자는 동안 벌어진 일이다. 기상 시간이 지났는데도 내가 일어나지 않자 내관이 살피러 왔다가 정신을 잃은 나를 발견했다고 한다. 그것이 인시고, 깨어난 건 두 시진이 지난 뒤다. 대체 언제 졸도한 것인지, 얼마나 긴 시간 동안 졸도한 것인지 가늠할 수 없다. 정신을 잃은 상태로 기문혈에 시침을 받았으며, 팔진탕을 처방받아 복용하였다.

동의보감을 보면 "음양이 모두 허한 것은 기혈이 모두 부족함을 말하는 것이다. 팔물탕·십전대보탕·가미십전대보탕 등을 써야 한다."고 되어 있다. 동의보감의 팔진탕 조성은 다음과 같다. "허로로 기혈이 모두 허한 것을 치료하고, 음양을 조화롭게 한다. 인삼·백출·백복령·감초·숙지황·백작약·천궁·당귀 각 1.2돈. 이 약들을 썰어 1첩으로 하여 물에 달여 아무 때나 먹는다."

권의관의 염려대로 약성이 강해져 일시적으로 혼절이 더욱 빈번하게 발생하는 것인가? 아니면 달인 탕약을 처방대로 수시로 마시고 있으니 최근 늘어난 복용량 때문일 수도 있을 터인데...

3月 27日

주강 직후 졸도하였다. 권의관에게 시침을 받고 네 시진이 지난 다음에야 깨어났다. 일과를 수행치 않을 수 없어 무리한 몸 상태로 석강에 참여한 다음 두혼 증세가 심하여 한 번 더 권의관을 불러 시침받았다.

침 치료를 지속하고 있으나 증상이 호전되지 않고 있다. 신경이 더욱 과민해진데다 이틀 전부터 피부병의 가려움까지 더해져 휴식을 취하지 못하고 있다. 물을 마시듯이 팔진탕을 수시로 마시고 온담탕을 한 번 복용하였다. 탕약의 양이 점점 늘어가니, 밥을 먹지 않아도 헛배가 부른 느낌이다.

※ 혈허궐 발병 사실을 알게 된 시점부터 약 1년간 세자가 직접 작성한 병상일지입니다. 동궁전을 담당했던 권의관은 세자가 자신의 형(태인세자)과 같은 혈허궐이 발병했음을 알게 됩니다. 이에, 형이 어떻게 사망에 이르게 됐는지 알기 위해 세자의 몸에 임상실험을 시작… 조금씩 간수를 늘리며 치사량을 알아내는 한편 기문혈에 장침을 시술해 장내출혈을 일으켜 서서히 죽음에 이르게 합니다. 그렇게 권의관의 독살 복선이 이 병상일지에 묘사돼 있습니다.

병상일지에 한의학적으로 오류가 없는지 한 번 더 확인을 부탁드립니다. 오류가 없을 경우, 향후 시침 촬영을 하실 때 해당 스토리를 감안하여 시침해주실 것을 부탁드립니다.

촬영 중 일부 변경된 부분이 있을 수 있으니 참고 바랍니다.

··· 태인세자 vs 세자 죽음의 연결고리 ···

태인세자	
사인	독살/간수
범인	조국영/대비/이호
증상	• 혈허궐 → 완치됨 • 사체에 긁은 흔적 있음
살해방법	**1. 어떻게 죽였나?** - 첫 번째 시도 → 탕약에 간수를 섞어 복용시켰으나 의심 많은 태인세자가 치사량을 마시지 않아 실패 - 두 번째 시도 → 마비산(마폐)을 향으로 피워 흡입시킨 후 잠들게 함(수면 마취) - 입을 통해 다량의 간수를 한 번에 투입 - 그사이 태인세자 마취에서 깨며 의식 회복 괴로워하며 상체를 미친 듯이 긁다가 상처 생김 - 목 + 가슴 부위 상처 **2. 검안서 내용** **- 복검시형도: 가슴 언저리 상체 부위 상처(큰 X자 모양)** **- 손톱에 남겨진 살점(태인세자)과 붉은색 실(대비의 당의)** **- 법물에 무반응** **- 사망 당일**: 목 부위 부어 있고, 가슴에 X자 패턴의 상처 **- 사망 다음 날**: 입안 점상출혈 **- 이 가루를 닭한테 먹였는데 죽지 않음/짠맛 → 소금 성분** - 이 검안서 원본 소멸 → 검안 기록은 유일하게 가장사초에 적힘: 박중호 사관(20년 전) **3. 사망 이후의 상황** - 검안의(복검시형도 작성) 사망 - 박중호 사관(사평 넣은 가장사초 작성) 사망 - 유상욱 (토지선생으로 신분 세탁 후) 사망했다 알려짐 - 승정원일기 완성되자, 이호 해당 부분 훼손 - 실록에는 이날의 기록이 누락된 상태로 춘추관에 보관됨 - 20년 후, 승정원일기에서 이 부분 훼손된 사실 알게 되는 화령 이호가 수정실록에 해당 기록만 추가, 평가는 후대에서

<table>
<tr><th colspan="3">세자</th></tr>
<tr><td>사인</td><td colspan="2">독살/간수</td></tr>
<tr><td>범인</td><td colspan="2">권의관(익현)</td></tr>
<tr><td>증상</td><td>• 혈허궐
• 사체에 긁은 흔적 있음
→ 피부병인 줄 알았으나 간수로 인한 가려움증의 결과</td><td>태인세자와의 차이점
• 혈우병
• 죽기 전 어혈 토함</td></tr>
<tr><td>살해방법</td><td colspan="2">1. 어떻게 죽였나?
- 세자는 혈허궐 숨겼으나, 피부병 치료하던 담당의 권의관은 이미 혈허궐임을 눈치챔
- 화령 앞에서 진맥하며 몰랐던 것처럼 연기하나, 권의관은 알고 있었음
- 권의관, 장침(환도침7(寸))으로 장기를 찌름 → 장내 출혈(혈우병)
- 권의관, 탕약에 간수 비율 점점 늘림
→ 치사량은 아니지만 긁기 시작 + 피부병 심해진 줄 아는 사람들
- 세자 여러 가지 이유로 쓰러짐
→ 장내 출혈/간수로 인한 음독/혈허궐 치료를 위장해 기문혈에 악의적 침술
- 성남이 가져온 외부약재 및 침술 중단으로 일시적으로 회복
- 권의관, 세자가 시강원에서 쓰러지기 직전에 간수 양을 몇 배로 늘림
→ 토지선생의 외부약재 처방에 몰래 간수를 섞은 것
시강원에 가기 전에 이걸 먹었고 결국 쓰러진 지 약 보름 만에 사망

2. 검안서 내용
- 복검시형도: 가슴 언저리 상체 부위 흐릿한 상처(큰 X자 모양)
오랜 시간 긁어온 흔적 → 피부병으로 인한 상처로 오인됨
- 사망 당일: 목 부위 부어 있고, 가슴에 X자 패턴의 흐릿한 상처
- 사망 다음 날: 입안 점상출혈
- 상처는 졸도 직전에 생긴 상처임. 검안 시 제법 아문 상황으로 태인세자와 살짝 차이
- 법물에 무반응

3. 시강원에서 쓰러진 이후의 상황
- 권의관 잡혀감. 이때부터 권의관이 세자에게 손 못 씀
→ 막상 세자가 죽기 직전엔 권의관이 예체에 손을 못 댄 것
→ 화령의 의심을 상쇄시키고 되레 권의관이 빠져나갈 구실이 됨
- 졸도 후 약 보름 만에 사망</td></tr>
</table>

··· 태인세자 검안서 ···

신해 3월 12일, 평소 혈허궐을 앓던 망자가 병석에 누운 지 한 달 만에 사망에 이름. 유상욱 어의(御醫 柳相旭)가 혈허궐을 최초 진단하였으며 뜸과 탕약으로 치료를 시행하였음. 독삼탕, 귀비탕, 인삼양영탕이 번갈아 처방되었으며, 시침 치료 대신 중완(中脘)에 뜸을 시술하였음.

목과 명치 사이의 가슴 부위에 기울어진 十자 모양으로 생긴 상처가 있음. 사망 직전에 생긴 상처로 길이 약 5촌에서 6촌, 깊이 약 2푼으로 비교적 깊게 파인 형태임. 시신의 손톱 사이에서 망자의 살점과 찢긴 옷감으로 추정되는 미세한 섬유 조각이 발견됨. 상처의 형태로 추정컨대 사망 직전 가려움과 같은 고통이 극심했던 것으로 보임.

시신의 목구멍이 부어 있고, 인후에 발반(發斑)의 흔적이 선명함. 은비녀로 검사하였으나 독 반응은 나타나지 않았음.

시신의 입가에 짠맛을 띠는 흰색 가루가 묻어 있었음. 닭에게 이 가루를 먹이고 독 반응을 검사하였으나 역시 이상 징후가 나타나지 않음.

사망에 특이점이 없는 것으로 보이며 일반적인 혈허궐로 인한 사망으로 판단됨.

··· 세자 검안서 ···

시강원에서 어혈을 토하며 졸도 후 의식을 회복하지 못하다가 사망에 이름. 동궁전 담당 의관 권오경(權五景)이 최초로 혈허궐을 진단하였고 졸도 전 약 14일간 중궁전과 동궁전에서 시침과 탕약으로 치료를 시행하였음. 독삼탕, 귀비탕, 인삼양영탕, 온담탕, 사물탕이 번갈아 처방되었으며, 중완(中脘)에 뜸을 시술하고 시궐 및 혈심통을 치료하는 목적으로 기문(期門)에 시침하였음.

졸도 이후, 조국영 어의가 다시 혈허궐 진단을 내리고 시침과 탕약으로 치료하였으나 약 보름 만에 사망에 이름. 독삼탕, 귀비탕, 인삼양영탕, 온담탕, 사물탕이 처방되었으며, 뜸과 침 시술을 병행하였음.

오른쪽 등, 엉덩이, 왼쪽 옆구리, 양쪽 겨드랑이 부위에 산발적으로 상처가 나 있음. 오랫동안 피부병을 앓아왔던 망자의 이력으로 보아 생존 시 긁어서 생긴 상처로 사료됨. 잔흔의 색깔과 아물어진 상태로 짐작건대 발생 후 최소 3달에서 길게는 1년에서 2년 이상 지난 것들로 보임.

목과 명치 사이의 가슴 부위에 기울어진 十자 모양으로 생긴 상처가 있음. 최근에 생긴 것으로 발생 시기는 사망 약 보름 전쯤으로 추정됨. 상처의 길이 약 6촌에서 7촌. 상처의 깊이 약 2푼에서 3푼으로 비교적 깊게 파인 형태임. 시신의 손톱 사이에서 발견된 살점으로 미루어 짐작건대 졸도 전에 긁어서 생긴 것으로 보임. 가려움과 같은 고통이 극심했던 것으로 추정.

시신의 목구멍이 부어 있고, 인후에 발반(發斑)의 흔적이 선명함. 법물로 검사하였으나 독 반응은 나타나지 않았음.

어혈이 섞인 토혈을 하고 졸도한 점, 목구멍에 남겨진 발반의 특이성을 제외하면 일반적인 혈허궐로 인한 사망으로 판단됨.

○○○ 어의 주도로 검시가 진행되었으며 ○○○ 내의가 검시 문안 작성하였음.

❷ 왕자들 답안지 대공개! - 배동 선발전

… 산학(算學) 시제 …

윗너비가 6자 4치, 아랫너비가 1길 5자 6치, 높이가 6자, 길이가 3리 74보인 둑을 쌓으려고 한다. 1인당 1일 작업량이 364자의 3승인데 흙을 구덩이 밖으로 나르는 작업 비율인 사분지 일을 빼야 한다.
이 작업에 필요한 인부의 수는 몇 명인가?

성남대군

시제에 제시된 작업량으로 답을 낸다면 둑을 쌓는 데 필요한 인부의 수는 1,413명에 가깝지만 제시된 기준만으로 실제 필요한 인원을 측정하는 것에는 오류가 있다. 계절에 따른 변수가 있기 때문이다.

낮 시간이 짧은 봄철의 경우, 작업량이 여름보다 적을 수밖에 없고. 가을의 경우엔 작업량의 변동이 더욱 극심한데 이는 인부의 대부분이 농민들이기 때문이다. 그러므로 추수철에는 농민들의 동원을 가급적 피해야 하며, 작업시간 또한 농작물 수확에 영향을 주지 않게 규정해야 할 것이다.

이렇듯 토목공사에 필요한 인부의 수를 산출할 때는 계절에 따른 변수와 백성이 처한 상황을 고려해야 한다.

무안대군

※ 백지 제출

계성대군

(3리×300보/리+74보)×6자/보 = 5,844자

수직 단면면적×길이 = 66자의 2승×5,844자 = 385,704자의 3승

※ 풀이 과정만 있고 답안은 적지 못함

일영대군

①

수직 단면(사다리꼴)의 면적 = $\frac{\text{윗너비+아래너비}}{2}$ ×높이= $\frac{\text{6.4자+15.6자}}{2}$ ×6자=66자^2

②

길이 3리 74보 = (3리×300보/리+74보)×6자/보 = 5,844자

둑의 총부피 = 수직 단면면적×길이 = 66자^2×5,844자 = 385,704자의 3승

1인당 작업량 = 1인당 1일 규정 작업량 – 흙을 밖으로 나르는 작업량

③

364자^3 - $\frac{364\text{자}^3}{4}$ = 364자^3× $\frac{3}{4}$ = 273자^3

④

연인원=둑의 총부피÷1인당 작업량 =

385,704자^3÷273자^3 = 1,412 $\frac{228}{273}$ = 1,412 $\frac{76}{91}$ 명

● **최종답안 : 약 1,413명**

의성군

①

수직 단면(사다리꼴)의 면적 = $\frac{\text{윗너비+아래너비}}{2}$ ×높이= $\frac{\text{6.4자+15.6자}}{2}$ ×6자=66자^2

②

길이 3리 74보 = (3리×300보/리+74보)×6자/보 = 5,844자

둑의 총부피 = 수직 단면면적×길이 = 66자^2×5,844자 = 385,704자의 3승

1인당 작업량 = 1인당 1일 규정 작업량 - 흙을 밖으로 나르는 작업량

③

$$364자^3 - \frac{364자^3}{4} = 364자^3 \times \frac{3}{4} = 273자^3$$

④

연인원=둑의 총부피÷1인당 작업량 =

$$385{,}704자^3 \div 273자^3 = 1{,}412\frac{228}{273} = 1{,}412\frac{76}{91}명$$

● **최종답안 : 약 1,413명**

보검군

$$364자^3 - \frac{364자^3}{4} = 364자^3 \times \frac{3}{4} = 273자^3$$

$$385{,}704자^3 \div 273자^3 = 1{,}412\frac{228}{273} = 1{,}412\frac{76}{91}명$$

● **최종답안 : 약 1,413명**

심소군

1인당 작업량 = 1인당 1일 규정 작업량 - 흙을 밖으로 나르는 작업량

호동군

아직 산학에 무지합니다. 답을 내지 못한 것을 반성의 계기로 삼아 앞으로 산학 공부에 부단히 노력하겠습니다.

영민군

(3리×400보/리+75보)×6자/보 = 7,866자
수직 단면면적×길이 = 66자의 4승×5,844자 = ??

화평군

$$\frac{6.4자+15.6자}{2}\times 6자 = 66자^2$$

(3리×300보/리+74보)×6자/보 = 5,760자
$66자^2 \times 5,760자$ = 375,700자의 3승

● **최종답안 : 약 1,218명**

남현군

● **최종답안 : 3,538명**
※ 풀이 과정 없이 답안만 기재

··· 제술(製述) 시제 ···

유(有). 실(失). 신(身)...

이 한자들을 조합해 인생의 정곡을 짚을 줄 아는 군자의 처신에 대해 논하라.

성남대군

군자는 허물을 자신에게서 찾고, 소인은 남에게서 찾는다.

어리석은 사람은 일이 잘못돼 어려운 처지에 놓이게 되면 갖은 핑계나 구실을 찾아 남 탓으로 돌리는데, 이렇게 하면 원인을 파악할 수도 없거니와 그 잘못을 고쳐나갈 수도 없다.

반대로 지혜로운 군자는 일이 잘못돼 난관에 처하게 되면 그 원인을 자신에게서 찾아 고침으로써 다시는 그런 잘못이 되풀이되지 않도록 한다. 그러므로 부단한 성찰이야말로 가히 군자의 으뜸가는 처신이라 할 만하다.

이 같은 군자가 뜻을 얻으면 세상에 좋은 일을 베풀고, 소인이 뜻을 얻으면 여러 사람을 망치게 되니 군자는 매사에 인의(仁義)를 잊지 말아야 하며, 원한이 있다 해도 마치 없었던 것처럼 잊어 정갈한 정신을 유지할 수 있어야 한다. 반드시 옳은 것을 본 연후에 행하고, 옳지 않은 것이 보이면 하지 않아야 하며, 의로운 것을 좇고, 약하고 여린 것을 보호할 줄 알며, 이해에는 동요되지 않아야 한다.

무안대군

소인을 멀리하는 것은 군자의 근본이다. 덕이 높은 자가 측근에 많이 있으면 인의(仁義)의 말을 항상 귀에 접하게 되므로 자연스럽게 매일 성찰하게 되고 점차 감화되어 현명한 경지에 이르게 된다.

그러나 소인이 측근에 있으면 비루한 말과 달콤한 말의 청탁에 시달리게 되고, 간사하고 쓸모없는 아첨에 시간을 허비하게 된다. 이는 곧 고금의 흥망의 원인이다.

그러므로 군자는 현인을 가까이해야 하며 소인과 일상의 도를 해치는 주색잡기, 그중에서도 특히 여색(女色)을 멀리해야 한다.

계성대군

부끄러워하지도 아니하고 착하지도 않으면 어찌 제대로 된 사람이라 하겠는가? 무릇 군자는 부끄러움을 느끼는 것에 그치지 않고 마땅히 인(仁)을 행하여야 하며, 인욕(人慾)에 있어서 한 터럭만큼의 사심도 없어야 한다.

마음은 항상 고요에 가까우려 애써야 하고, 기(氣)는 펴려고 노력해야 한다. 처신함에 있어서는 충성을 바탕으로 하고, 신의를 이행하여 덕을 쌓아나가야 하며, 성실히 학문을 닦고 진리에 가까워지기 위해 애써야 한다.

군자가 뜻을 세우는 일은 오직 한결같아야 하고, 그가 닦는 학문은 순결해야 한다. 대저 이와 같이 하여 그 근원이 맑으면 흐름 또한 맑을 것이니, 군자는 매사에 그 근본에 가까워지기 위해 힘쓰는 법이다.

일영대군

군자는 남의 좋은 점을 드러내고 나쁜 점을 숨겨준다.

반대로 소인은 눈앞의 욕심에 사로잡혀 남의 나쁜 점을 드러내고 좋은 점을 숨기며, 대국(大局)을 보지 못한다. 사람이 욕심을 채우려고 할수록 남과 다투게 되고 그럴수록 사회가 혼란해진다.

의성군

※ 有, 失, 身의 세 가지 단어를 조합해 문장을 만들어야 합니다.
특히 共, 助를 암호처럼 문장 사이에 끼워 넣듯이 작문해주세요.

가장 중요한 한 가지를 실수하면 전체적인 판단에서 실수가 생기는 법이다. 실수를 빨리 깨우쳐 수정하지 못하면 예기치 못한 문제가 연이어 발생하게 된다. 이는 말의 발목이 부어오른 것을 살피지 않은 채, 채찍질만 하는 것과 같으니 과한 채찍질에 상한 말은 원래 수명대로 살지 못하고 일찍 목숨을 잃고 생을 마감하게 될 뿐이다.

활쏘기는 군자가 자기 행동을 반성하는 것과 유사한 점이 있는데 활을 쏘아 정곡을 맞히지 못하면 남을 탓하기에 앞서 반구(反求), 즉 나부터 돌아봐야 한다.

말할 때에는 행실을 되돌아보고 행할 때에는 말을 되돌아볼지니, 이렇게 하면 타인과 더불어 도우며 살아가야 하는 세상에서 덕망을 이루기 위해 애쓰는 군자가 어찌 독실하지 않을 수 있겠는가.

보검군

군자는 한번 세운 뜻을 저버리지 않아야 하며, 금옥(金玉)의 재산을 멸시할 줄 알아야 한다. 또한 술과 쾌락을 멀리하고, 충신(忠信)을 골라 사귀는 안목이 있어야 한다.

길흉 간에 어떤 일이 오려면 반드시 먼저 보이는 것이 있는데, 덕이 높은 군자는 힘든 때일수록 더욱 힘써 덕을 쌓고 성찰에 힘쓰므로 이러한 현명한 처신에 의해 전화위복을 하게 된다.

타인의 칭찬을 들을 때에는 반드시 그의 아첨 여부를 살피고, 나를 헐뜯으면 반드시 그의 충직 여부를 살피는 성실함이 군자의 근본이 됨은 두말할 것도 없다.

심소군

군자는 도(道)를 배우는 사람이다. 참다운 군자가 되기 위해 학문을 연구하고 수신(修身)한다면 그를 진정한 군자라 칭할 수 있겠지만, 명리(名利)를 얻으려는 마음이 있는 한 소인이 될 뿐 결코 군자라 불릴 수 없다.

그래서 주자는 "이른바 이(利)라고 하는 것이 돈과 재물만을 벌어들이려는 마음만을 말하겠는가. 사욕(私慾)만 남기고 공익(公益)은 없애버려 자기에게만 적합하고 편하게 하느라 천리(天理)에 해롭게 하는 모든 것이 이(利)라는 것이다."라고 말하기도 했다.

호동군

높은 신분을 가지는 것, 부유한 집안에서 태어나 만인이 부러워하는 권력자가 되는 것, 힘든 일은 겪지 않고 늘 배부르고 편하게 살기만을 바라는 것은 군자가 추구해야 하는 바가 아닙니다. 군자는 공심(公心)에서 벗어나지 않기 위해 애써야 하며 이(利)가 아닌 의(義)를 추구하기 위해 힘써야 마땅합니다.

자기 입에 들어가는 음식만을 생각할 것이 아니라, 만인의 배를 부르게 할 수 있는 공평과 나눔에 대해 생각할 줄 알아야 하고 자신이 가진 음식과 재물을 타인과 나눌 줄 알아야 합니다.

영민군

군자 삼기(君子三氣)란 삶에서 세 가지의 기(氣)를 세울 때, 비로소 군자가 된다는 말이다.

첫째, 군자는 몸에 생기(生氣)가 있어야 한다. 심신이 강건하고 생기가 넘치는 사람이 군자가 될 수 있기 때문이다.

둘째, 눈에 정기(精氣)가 서려야 한다. 맑은 정신이 어린 눈이 사물의 도리를 바로 볼 수 있기 때문이다.

셋째, 얼굴에 화기(和氣)가 있어야 한다. 이는 곧 마음이 온화하다는 것으로 건전한 생각과 맑은 정신으로 자신의 얼굴에 덕을 드러낼 수 있는 자야말로 군자라 할 수 있다.

화평군

군자는 다만 자기 공과 덕을 쌓을 따름이지 남과 비교하면서 뭔가를 더 많이 하려고 하거나, 더 많이 얻으려 하지 않는다. 자기의 무능을 근심할 뿐이지 남이 자기를 알아주지 않음을 근심하지 않는다.

이처럼 군자는 외부가 아닌 내부에서 문제의 원인과 발전 가능성을 찾아나갈 수 있어야 한다. 성찰을 원동력 삼아 내면을 굳건히 다진 군자가 학문을 가까이 하고 세상일에 관심을 두게 되면 비로소 만물을 공평하게 다스리는 지혜를 얻게 된다.

남현균

타인의 좋은 점을 이끌어주는 것을 즐기고 다른 사람의 나쁜 점을 언급하는 것을 싫어하는 것, 이것이 군자의 처신이요, 다른 사람에게 좋은 점이 있으면 반드시 그 모자란 점을 공격하여 비웃는 것은 소인의 처신이다.

벼슬에 나아가는 일은 어렵게 결정하고 물러날 때는 쉽게 하는 것, 이것이 군자요, 벼슬을 탐내어 무슨 짓이라도 하고 멸시를 당해도 염치를 모르는 것은 군자의 반대말이다.

··· 도형(圖形) 시제 ···

다음 도형에 선을 하나 그어서 두 개의 반달을 만들어보라.

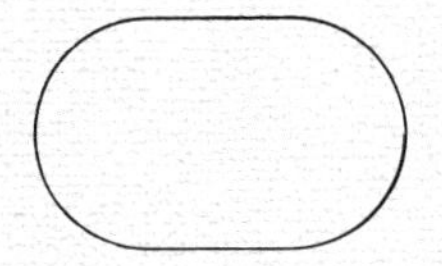

성남대군

※ 붓을 옆으로 눕히더니 굵은 선을 중앙에 긋는다.

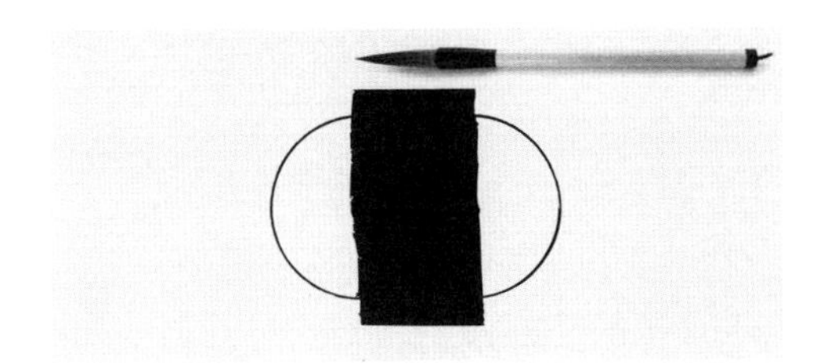

무안대군

※ 가운데에 세로로 선을 긋는다.

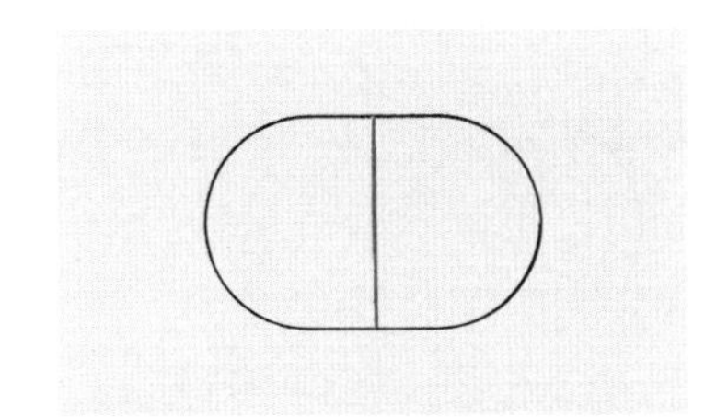

계성대군

※ 점선대로 종이를 접어 보름달 형태를 만든 뒤 가운데에 선을 긋는다.

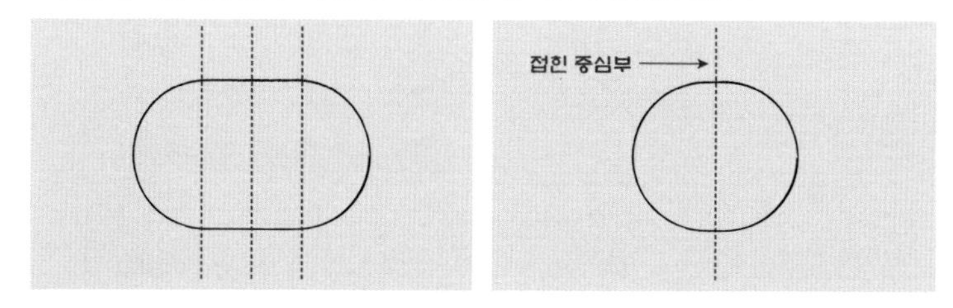

일영대군

※ 가운데에 가로로 선을 긋는다.

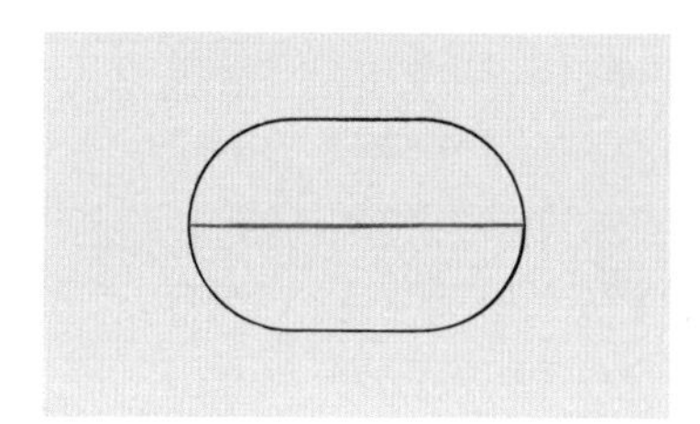

의성군

※ 화선지 안쪽을 접더니 반달을 만든다.

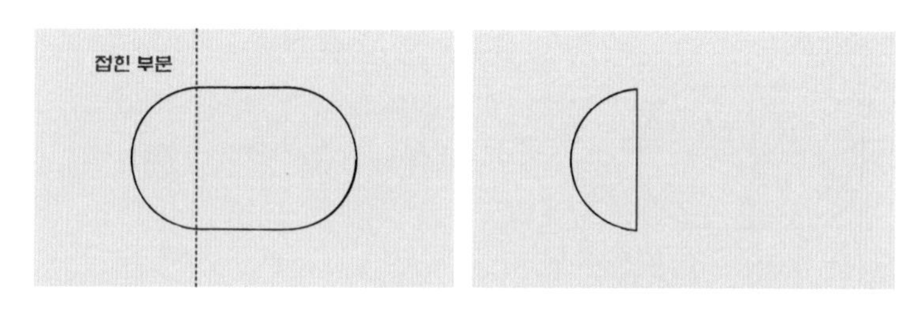

보검균

※ 점선대로 종이를 접어 보름달 형태를 만든 뒤 가운데에 선을 긋는다.

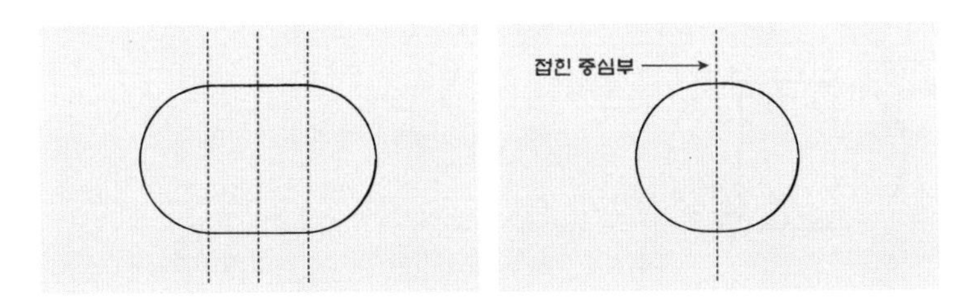

심소균

※ 가운데에 세로로 선을 긋는다.

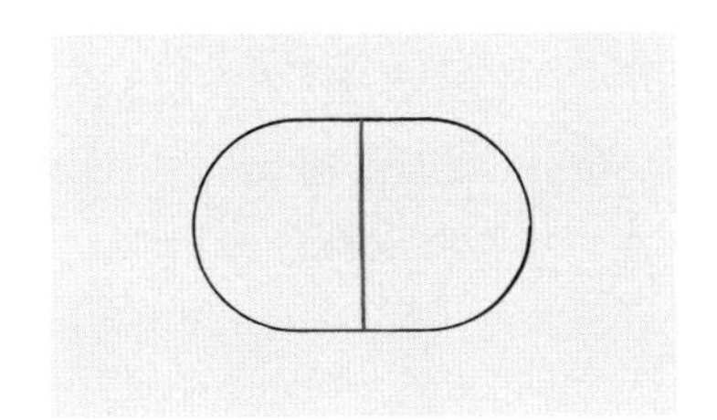

호동균

※ 문제 안 풀고 경단 꼬치를 그린다.

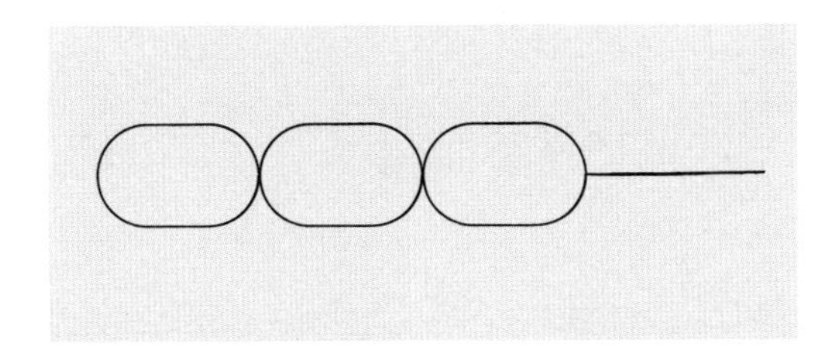

영민군

※ 세로로 두 개의 선을 긋는다.

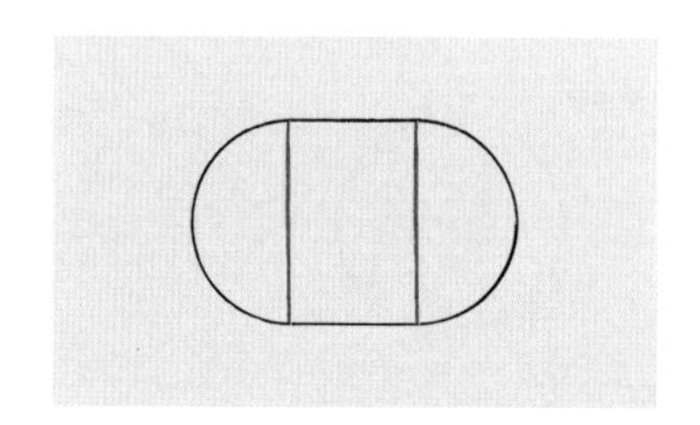

화평군

※ 화선지 안쪽을 접더니 반달을 만든다.

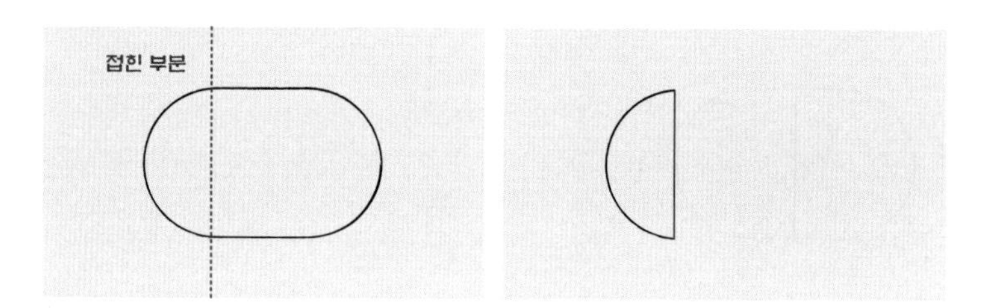

남현군

※ 세로로 두 개의 선을 긋는다.

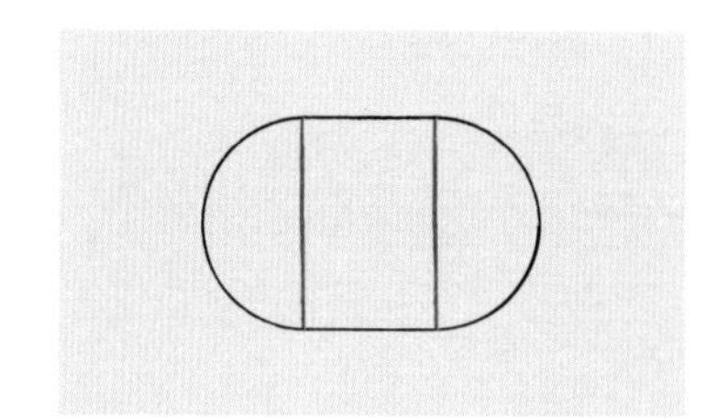